CARL A. RUDISILL LIBRARY
LENOIR-RHYNE COLLEGE

L'art de Jules Romains

DU MEME AUTEUR

Chez le même éditeur :

JULES ROMAINS ET L'UNANIMISME.

ANDRÉ CUISENIER

JULES ROMAINS ET L'UNANIMISME

II

L'art de Jules Romains

FLAMMARION
26 Rue Racine, Paris

ABREVIATIONS

Dans les références, plusieurs ouvrages, cités plus fréquemment, sont désignés par les initiales suivantes :

V. U. : *Vie Unanime.*

O. P. : *Odes et Prières.*

E. M. : *Un Etre en Marche.*

V. A. : *Voyage des Amants.*

10 A. : *Chants des dix Années.*

P. P. : *Puissances de Paris.*

M. Q. : *Mort de Quelqu'un.*

N. B. — Pour la Bibliographie, se reporter à la fin du premier volume.

INTRODUCTION

L'art de Romains a, comme sa pensée, des sources nombreuses. Lui-même l'a déclaré (1), et il ne renie aucune des influences qu'il a pu subir. Parmi celles-ci, les unes, venues du fonds universel de la littérature, d'Homère à Gœthe et Hugo, sont générales et communes à quiconque a vécu dans la familiarité des écrivains, principalement des poètes : elles restent, dans son œuvre, latentes et diffuses, et nous les devinerons, çà et là, sous un mot, une figure ou un rythme. D'autres, au contraire, plus récentes et particulières, tiennent au lieu et à l'époque, à l'état de la technique littéraire au moment où Romains a commencé d'écrire ; et, qu'il les ait acceptées ou qu'il ait réagi contre elles, il est assez facile de les reconnaître pour qu'il suffise, ici, de les rappeler brièvement.

Par sa complexité, la technique littéraire, à la fin du XIXe siècle et au début du XXe, reflète l'état d'une civilisation où s'entrecroisent les activités les plus diverses. Jamais, peut-être, les moyens d'expression n'apparurent plus nombreux ni plus variés : ils débordent même la littérature.

Ainsi la rigueur croissante des sciences de l'homme ou de la nature détermine chez l'écrivain, et

(1) Préfaces de la *Vie Unanime* (édition de 1925) et de *l'Armée dans la Ville*.

même le poète, des exigences analogues. On ne conçoit plus, depuis *Salammbo* et les *Poèmes Antiques,* un roman historique ou un poème légendaire sans une préparation minutieuse d'érudition et d'archéologie. On n'admet plus, depuis Balzac, Flaubert et les Goncourt, de roman moderne qui, par delà l'exactitude générale, dont se contentaient les siècles précédents, ne tende à la vérité du détail, celle qui, s'appuyant sur des fiches, inventaires, chiffres, rend compte minutieusement des mobiliers, généalogies, intérêts, tempéraments, genres de vie. Mais une telle exactitude ne suffit pas encore. Et la littérature croit qu'elle ne peut rivaliser avec le prestige de la science que si, comme celle-ci, elle se fait « expérimentale ». Ce qu'elle prétend désormais, depuis les *Rougon-Macquart* jusqu'à l'*Etape,* c'est instituer des expériences physiologiques, psychologiques, sociales ; suivre, comme au laboratoire ou à l'hôpital, l'évolution de véritables cas, l'hérédité d'un Lantier, l'alcoolisme d'un Coupeau, la passion sectaire d'un Crémieux-Dax ou d'un Joseph Monneron ; montrer l'événement qui se fait, se cherche, se débat sous nos yeux. Ainsi pense-t-elle atteindre, dans la représentation du réel et même de l'imaginaire, le maximum de précision et d'intensité ou, pour reprendre le mot cher à Bourget, de « crédibilité » (1).

Elle n'a pu davantage, au cours du XIXe siècle, rester insensible au magnifique renouveau des arts plastiques. Comme eux, elle semble redécouvrir le monde ; et, pour l'évoquer dans sa variété inépuisable, elle leur emprunte même les ressources les plus spéciales de leur technique. A l'imitation de la peinture, elle dispose des plans, mélange des couleurs, fait jouer l'ombre et la lumière ; elle nous

(1) De là le nombre croissant de livres où l'auteur s'efface devant ses personnages, qui expriment eux-mêmes leurs pensées ou leurs actions, sous forme de journal, mémoires, lettres, rapports, monologue intérieur, etc... (toutes formes que Romains utilisera dans *Psyché* et *Les Hommes de bonne Volonté*).

promène ainsi des côtes d'Islande aux temples de l'Inde, dans Paris sous la neige ou embrasé par le soleil couchant. Plus sensible aux formes éclatantes et dures, Leconte de Lisle, en modelant un lion, un tigre, un jaguar, cherche des effets analogues à ceux de la statuaire. Il n'est pas jusqu'aux arts du graveur et de l'émailleur qui ne proposent leur technique : nombre de poètes, ciseleurs de rythmes et de rimes, auraient pu intituler *Emaux et Camées* un de leurs recueils. Et, sans doute, on peut se demander si de telles recherches vont toujours dans le sens de la littérature, s'il est possible ou souhaitable de transposer dans le monde des mots ce qui a réussi dans celui des surfaces, des couleurs et des volumes. Mais le nombre même de ces tentatives témoigne que la représentation visuelle de l'univers a pris, dans la conscience moderne, une place grandissante (1) et impose, aux écrivains aussi, les moyens d'expression les plus précis et variés.

La musique également propose l'intensité, sans cesse accrue, de ses ressources. Poètes et romanciers découvrent ses moyens d'expression qui les changent du traditionnel développement oratoire et, à leur tour, ils composent des *Symphonies,* des *Romances sans Paroles,* des *Chansons,* des *Variations sur un thème,* ils orchestrent même des leitmotiv, tels que Paris ou le Jardin du Paradou, indéfinitivement ressassés. Et ces ressemblances formelles en amènent d'autres, plus profondes. Ce que Verlaine, par exemple, demande à la musique, ce sont des rythmes de plus en plus souples et complexes, qui puissent exprimer non plus des idées abstraites ou des sentiments massifs, mais des impressions mobiles et fragmentaires, et jusqu'aux nuances les plus troubles de la vie psychique. Et de Hugo à Zola et Verhaeren, on devine le désir, plus ou moins obscur, de rassem-

(1) Et qui, avec l'invention du cinéma, ne va cesser de grandir.

er, comme dans la symphonie et le drame lyrique, toutes les forces de la ville, des champs, de la forêt, de la mer ; de les exprimer non seulement par le sens des mots, mais par le pouvoir d'évocation et le groupement de leurs sonorités.

Sans doute, aucune de ces influences extra-littéraires n'a produit d'effet négligeable. On ne peut méconnaître ce que la documentation ou l'étude méthodique du milieu fournissent d'authenticité — au moins apparente — à *Salammbo* ou à *Germinal* ; ce que l'art descriptif de Zola ajoute à notre sentiment de la nature et de la ville ; ni la puissance de suggestion, véritablement musicale, d'une *Chanson* de Verlaine, ou d'une *Odelette* d'H. de Régnier. Remarquons toutefois que de tels effets, si nouveaux qu'ils paraissent, étaient depuis longtemps inclus dans la littérature, et qu'ils développent des ressources entrevues depuis 3.000 ans. Déjà, par les moyens spécifiquement littéraires de la notation, de l'image et du rythme, les poèmes homériques décrivent les paysages, les milieux et les métiers, suggèrent le bruit de la mer ou le tumulte des batailles, les plus secrètes pensées des hommes ou des dieux. Et, depuis trente siècles, un tel héritage n'a cessé de se développer et de s'enrichir.

***

Jamais, peut-être, cet héritage ne fut plus lourd qu'aux environs de 1900 : moins par le nombre croissant des ouvrages que par des causes plus générales, dont l'action, au cours du XIXe siècle, s'est faite de plus en plus pressante.

D'abord l'extraordinaire développement des recherches sur la littérature, dans tous les temps et dans tous les pays, découvre sans cesse aux lettrés de nouveaux écrits, ou renouvelle l'intelligence des œuvres déjà connues. Les livres sanscrits, les Chansons de geste et les romans bretons, les *Nibelungen* et les *Eddas*, offrent la diversité de leurs décors et de leurs personnages. L'antiquité gréco-latine, jusqu'alors figée dans ses périodes classiques, révèle ses origines et ses prolongements, ainsi que le sens profond, la valeur indéfiniment plastique de ses dieux et de ses héros. Il n'est pas jusqu'à l'antiquité biblique que l'on ne voie avec des yeux neufs, et où l'on ne redécouvre l'Orient, la vie nomade et patriarcale, l'inquiétude et la nostalgie d'Israël. Les littératures modernes enfin, le roman anglais, le théâtre scandinave, le roman russe présentent leurs formes nouvelles d'exposition ou d'analyse. Et cette masse énorme d'œuvres, qui, au cours du XIXe siècle, a démesurément renouvelé ou agrandi le patrimoine littéraire, tend à faire de l'écrivain un érudit et même chez les plus novateurs, un Gide, un Claudel, laisse deviner sa présence et son action.

Parmi toutes ces influences, celle de la littérature française antérieure ne cesse, naturellement, d'agir, et de façons diverses. Ainsi, avec une force venue de son hérédité gréco-latine et accrue encore par ses quatre siècles classiques, elle maintient et même accentue son caractère oratoire, c'est-à-dire sa tendance à disposer (à la manière de l'orateur qui soutient une thèse) les événements et les idées comme des preuves, à présenter les choses moins pour elles-mêmes que pour imposer une conviction. Et ce qui est une nécessité de l'art oratoire a passé peu à peu des genres utilitaires, comme le sermon, le discours politique, la plaidoirie, le pamphlet, la satire, aux genres qui visent surtout à émouvoir ou à divertir, comme le drame, le roman ou la comédie. La thèse est devenue ainsi l'objet principal non seulement pour l'effort de l'écrivain, même du poète, mais aussi pour la curiosité du public (1). En vain le Parnasse et les réalistes ont-ils réagi contre cette tendance. Le naturalisme, malgré les apparences, la continue ; il illustre une hypothèse scientifique, prêche le Travail, la Fécondité, la Justice. La littérature qui prétend le combattre attire le public, en prenant position, elle

(1) Cf. ROMAINS, *La Vérité en Bouteilles* (éd. Trémois), p. 88.

aussi, sur les problèmes de l'heure : Affaire Dreyfus, lois de laïcité, réforme de tel article du Code. Et, en soutenant des thèses d'un intérêt moins passager, Barrès, Maeterlinck, placés comme dans des camps opposés, sont eux aussi des orateurs qui plaident pour la Patrie ou pour la Sagesse.

Mais une tendance, étrangère aux siècles classiques, s'exerce en même temps dans le sens inverse et, au lieu d'étendre le public que l'actualité d'une thèse pouvait séduire, menace de le restreindre. Les poètes, en effet, qui, depuis Vigny et Baudelaire, se sont plus à considérer les choses visibles non pour elles-mêmes mais comme les signes de choses invisibles, et qui ont ainsi ramené dans la littérature française l'antique procédé du symbole, en ont fait un usage singulier, dont les conséquences, pour la technique et même pour le sort de la poésie, n'ont pas encore fini de se développer. Car, au lieu de choisir comme symboles des êtres ou des choses dont le sens spirituel est déjà connu de tous, ou du moins de tout un groupe (comme dans l'art des catacombes ou du moyen âge ou dans le rituel des religions), ils en choisissent dont le sens est d'abord connu d'eux seuls (1) et qui finalement — comme l'a remarqué Thibaudet avec profondeur — se ramènent tous au Poète lui-même ; tel ce mythe de Narcisse sur lequel ils reviennent « avec une obstination non point étrange, mais nécessaire » (2). Le symbole devient donc, pour de tels écrivains, un « écran » (3) qui leur épargne le contact brutal avec les hommes, avec le réel. Et même s'il ne constitue pas, et de beaucoup, leur unique principe esthétique, il les entraîne vers un art de quintessence, qui ne pourra plus atteindre que des initiés.

(1) Telles les Fenêtres d'un hôpital pour Mallarmé symbolisent l'Art qui par-delà « le vomissement impur de la Bêtise » nous fait entrevoir « le ciel où fleurit la Beauté ».

(2) *La Poésie de Stéphane Mallarmé*, p. 94.

(3) J. Romains, *La Vérité en Bouteilles*, p. 79-85.

Ces trois grandes influences de l'érudition, de la thèse, du symbole, malgré leurs divergences, se composent donc pour produire, dans la littérature française aux environs de 1900, le même résultat. Qu'il s'abandonne à l'action des livres antérieurs, qu'il groupe artificiellement les faits comme « les arguments d'une plaidoirie » (1), ou qu'il cherche dans les phénomènes concrets « leurs affinités ésotériques avec des idées primordiales » (2), l'écrivain tend à se détacher du réel, à le déformer pour les besoins de sa cause, bref à « tourner l'épaule à la vie » (3).

Mais une telle attitude — si fortes qu'en paraissent les raisons — ne peut longtemps se maintenir : en particulier chez un peuple qui, « dans l'ordre esthétique, n'a jamais manqué d'amour pour la réalité, ni de confiance en elle » (4). Déjà le mouvement réaliste l'atteste, de Balzac et Flaubert à Maupassant et Jules Renard. Et lorsqu'il risqua de se réduire à une sorte de photographie mesquine, à une série monotone de « tranches de vie », d'autres conceptions, que nous avons entrevues précédemment (5) allaient, en lui découvrant des perspectives immenses, renouveler profondément sa technique.

Qu'elles viennent du lyrisme romantique, du réalisme lui-même (6), de la peinture et de la musique impressionnistes, de la psychologie ou de la métaphysique bergsoniennes, on sait le principe commun

(1) *La Vérité en Bouteilles*, p. 84.

(2) Manifeste du Symbolisme, *Figaro*, 18 Septembre 1886.

(3) Mallarmé, *Les Fenêtres*.

(4) Cf. *La Vérité en Bouteilles*, p. 86.

(5) Cf., tome I, deuxième partie, chapitre 9 : La Perception immédiate.

(6) Tel que le comprennent Flaubert, Maupassant, Renard, c'est-à-dire comme un effort pour atteindre — dans toutes ses particularités de lieu, de temps, de qualité, etc. — n'importe quel aspect du réel.

de ces conceptions. L'homme, à mesure que se développent et se compliquent les nécessités pratiques de la vie et les artifices de la science, a des perceptions de moins en moins pures, de plus en plus éloignées de l'ingénuité primitive. C'est donc désormais, dans la société moderne, le rôle de l'artiste de retrouver, par delà ces déformations de la pratique et de la science, la sensation originelle, de voir à nouveau, avec des yeux frais, le monde. Et chaque individu, chaque objet doit lui apparaître non seulement dans ce qui, en tout point de l'espace et du temps, le distingue et le rend unique ; mais relié à l'ensemble des choses, dont on ne peut le séparer que pour les commodités de l'abstraction.

Devant une telle tendance, que valent les influences du symbole, de la thèse, de l'érudition ? Celle-ci surtout, par le nombre croissant d'écrits qu'elle interpose entre les yeux de l'artiste et le monde, apparaît singulièrement dangereuse, et contre elle s'engage une violente offensive. « Le temps de la douceur et du dilettantisme est passé », écrit Ch.-L. Philippe à Gide, « maintenant il faut des barbares... Anatole France est délicieux, il sait tout, il est érudit même ; c'est à cause de cela qu'il appartient à une race d'écrivains qui finit ; c'est pour cela qu'il est la conclusion du XIXe siècle. » Dans cette offensive (1), l'érudition est d'autant plus menacée que, pour exprimer la vie moderne, elle ne paraît d'aucun secours : que faire, au temps des autobus et des avions, d'Orphée, Electre, Alcmène, Roméo, de tout personnage issu d'un livre ? Le plus récent, comme le plus ancien, y semble également dépaysé (2).

La barbarie va donc être, au commencement du XXe siècle (comme l'idée de décadence à la fin du

(1) On en connaît les excès et la proposition « futuriste » (souvent reprise par la suite) de mettre le feu aux bibliothèques et aux musées.

(2) En attendant que, de nouveau, l'imagination de Giraudoux ou d'Anouilh les y acclimate.

XIXe), le principe, le mot d'ordre d'un grand nombre d'artistes. Barbarie totale, chez les poètes issus de Rimbaud qui s'essayent à une vision intense du réel, ou chez un romancier comme Ch.-L. Philippe qui, écartant l'érudition, la thèse, les artifices empruntés à la science, se contente de pénétrer, le plus profondément possible, dans l'âme de ses humbles héros. Barbarie relative chez un Gide nourri de la Bible, du roman anglais et russe, mais qui, en quête de toutes les « nourritures terrestres », cherche le renouveau de toutes les sensations ; ou encore chez un Claudel, nourri de la Bible et d'Eschyle, mais pour qui la connaissance poétique est un retour aux données premières et, selon son jeu de mots expressif, une « co-naissance » avec le monde.

***

On peut déjà entrevoir que la direction où se sont engagés, avec plus ou moins de décision, Jules Renard, Ch.-L. Philippe, Gide, Claudel, va être également celle de Jules Romains. La matière même de son inspiration, telle que nous avons précédemment essayé de la préciser (1), l'y invite. Il se trouve, en effet, en présence d'un monde immense et, pour ainsi dire, inexploré, celui des êtres collectifs ou Unanimes. La vision qu'il en élabore est assez puissante, assez neuve pour transformer nos représentations habituelles de l'univers, de la vie sociale et de l'individu. Et il ne peut l'exprimer que s'il garde un contact direct, immédiat, continuel avec les êtres et les choses, par un effort dont nous avons à suivre les principales manifestations.

(1) Cf. *Jules Romains et l'Unanimisme.*

PREMIERE PARTIE

L'EXPRESSION

CHAPITRE PREMIER

INFLUENCES

Si désireux qu'il fût de traduire sa vision par une technique appropriée, Romains n'a pu, du premier coup, écarter les tendances, même les plus contraires à son art. L'expression, dans ses premiers ouvrages, garde la marque de ses lectures, et aussi des milieux littéraires d'abord. En relevant quelques-unes, au moins (1), de ces traces, on peut donc vérifier dans le détail le jeu des influences diverses que nous venons de signaler.

(1) Nous ne pouvons, naturellement, faire ici que quelques sondages : une étude détaillée des sources du style de Romains demanderait tout un volume.

Plusieurs de ces influences viennent de la technique traditionnelle, et on ne peut les attribuer, nommément, à tel écrivain. Ce n'est pas en vain que Romains a passé, sous d'excellents maîtres (1), deux années de rhétorique supérieure. Il s'y est entraîné à lire, dans leur langue, Homère, Sophocle, ou Lucrèce. Il y a été rompu à toutes les habiletés du discours latin, à toutes les « figures » de la rhétorique et de la poétique.

Ainsi le discours latin des *Copains*, par lequel Broudier, escorté d'une fanfare, accueille Bénin en gare de Nevers, ne tire pas seulement, des circonstances et des personnages, une force comique : il a une valeur de vestige. Il rappelle comment, pendant quatre siècles, les rhétoriciens furent entraînés à développer une idée, à l'orner en cueillant, chez Cicéron, Tite-Live ou Sénèque, des expressions et des tours. Par son irrévérence même, il marque la décadence d'un exercice (2) qui, jadis, avait eu son utilité et son prestige, quand il était l'initiation à une langue encore vivante, celle des savants et des philosophes de tous pays. Et par son aisance, il manifeste une facilité au pastiche, dont Romains a tiré plus d'un effet comique.

L'opposition ou antithèse est le moyen essentiel que, depuis Cicéron et Quintilien jusqu'à M. Albalat, on recommande à l'apprenti écrivain pour disposer ses idées, leur donner ces alignements symétriques dont se grise Jerphanion dans les *Hommes de bonne*

(1) Charles Salomon et Hippolyte Parigot. Lui-même a rendu hommage à la « cagne » de Condorcet, et à son travail désintéressé. Nous avons déjà cité les souvenirs de M. H. Parigot sur son ancien élève, qu'il ne connaissait alors que sous le nom de Louis Farigoule. On en trouvera d'autres dans l'*Hommage à J. Romains*, pour son soixantième anniversaire (Flammarion).

(2) La génération de Romains fut la dernière à le pratiquer en France : il fut supprimé en 1905 du programme des exercices scolaires.

volonté (1) et qui découvrent les plus vastes perspectives. On sait les effets où elle peut atteindre lorsque, comme chez Corneille ou Hugo, elle devient consubstantielle à la pensée même. L'unanimisme s'y prête également, par les rapports nouveaux qu'il établit, comme en ces vers :

« Et c'est moi qui suis un peu mort pour que tu vives !
Nous voulons librement que l'on nous asservisse.
Nous avons le désir d'aimer ce qui nous brise (2). »

entre l'individu et l'être collectif. Et la deuxième *Prière au Couple* présente en sa fin :

« ...Tu nous tenais, à couple,
Toi tellement petit, toi si lourd tout à coup !
L'âme ne songe pas à toi, rien ne résiste ;
On murmure : « Nous sommes seuls, bien seuls ici. »
Et voilà que l'on se sent ta poigne sur le cou. »

le contraste, cher à Hugo, entre un long développement et un vers unique de conclusion.

Romains use trop naturellement, comme nous le verrons, de l'expression directe pour être tenté par les détours de la périphrase. Aussi s'amuse-t-il à en tirer, dans les pastiches des *Copains*, des effets comiques :

« Sache que mercredi plus d'une roue agile
Doit conduire ton corps pétri de noble argile
A ce lieu dont nos vœux favorisent le nom.
J'irai, sur l'appareil qu'accélèrent les pieds,
Au square verdissant des Arts et des Métiers (3). »

Il y recourt néanmoins quand il veut, comme en ces exemples :

(1) Tome VII, p. 12.
(2) *Vie Unanime*, p. 168, 244, 245.
(3) *Les Copains*, p. 63.

Le guerrier surhumain, (1), pendant que nous dormions,
A pris d'assaut l'âme des hommes (2).
Il y eut, le matin du dimanche, en octobre,
Des barques qui menaient les familles frileuses,
Lentement, vers une maison pareille aux autres
Où l'on chante à plusieurs voix la gloire du Père (3). »

créer une impression de mystère ou dégager d'une scène quelques traits essentiels.

Il est convenu, depuis qu'il y a un « art poétique », qu'une idée prend plus de force si, au lieu de l'exprimer en termes abstraits, on lui donne une forme concrète et imagée. De là l'usage si fréquent de la métonymie. Le langage courant la pratique, en substituant *cœur* à *bonté, front* à *audace*. La poésie classique en a fait un tel emploi, a si souvent dit *chaînes* pour *esclavage, flamme* pour *passion* que la métonymie, au lieu d'ajouter à l'idée, l'a simplement transposée, comme sur un autre registre. Mais le romantisme l'a reprise ; et, en recourant à des termes moins usés, en les combinant avec des images neuves, Romains en fournit, comme en ces vers :

Je t'ai senti si las...
Que mon cœur tout à coup t'a refusé mon sang (4).
Et tes épaules étaient fières
D'un sac gonflé comme le mien (5)
Qui t'arrête ? Tes mains craignent
Le carrefour obscurci (6). »

des exemples rajeunis (7).

De tels emplois, que l'on relève jusque dans les

(1) C'est l'être collectif de la ville.
(2) *Vie unanime*, p. 36 et 184.
(3) *Chants*, p. 89.
(4) Première *Prière au Couple*.
(5) *Chants des dix années*, p. 34.
(6) *Ibid.*, p. 109.
(7) Sans compter les métonymies parodiques des *Copains*, comme :

« Mais rien ne périra de nos projets altiers :
Non ! La pédale encore est promise à nos pieds. »

œuvres récentes, montrent comment, chez un écrivain novateur, se maintient, à peine transformée, la technique traditionnelle. Mais naturellement, par delà le détail des procédés, il faudrait noter des influences ou des affinités plus profondes. Ainsi cette confidence de Jallez à Jerphanion :

« Je me demande très sérieusement si Baudelaire n'est pas le premier qui ait retrouvé dans les temps modernes une certaine intensité admirable dont on ne peut pas avoir l'idée si l'on n'a pas comme toi et moi fait du latin jusqu'à l'os. Réfléchis. Pas n'importe quoi de Virgile ou d'Horace, bien entendu ; mais leurs grandes réussites :

Vides ut alta stet nive candidum
Soracta, nec jam sustineant onus
Silvae laborantes...

et la suite, tu sais. Ou bien l'illustre, le dionysiaque :

Solvitur acris hiems vice veris et Favoni
Trahuntque siccas machinæ carinas...

Cette ode-là, tiens, tu ne sais pas dans quel état elle me met... (1). »

laisse entrevoir ce que Romains a pu éprouver au contact de la poésie latine. Et il semble qu'il ait voulu, lui aussi, dans les *Odes* et les *Chants des dix années*, retrouver une telle intensité.

Si l'on s'en tient au XIXe siècle et aux poètes dont Romains lui-même reconnaît l'influence, on trouve au premier rang : Gœthe, « le Gœthe de *Faust* et d'Hermann » (2), celui qui évoque les plus vastes événements de la pensée ou de l'histoire sans perdre contact avec la réalité la plus familière. Il est, en particulier, une page de *Faust* (tout le *Printemps* de Chennevière en est également sorti) que l'on peut

(1) *Les Hommes de bonne volonté*, tome III, p. 41.

(2) *Vie Unanime*, préface de 1925, p. 13. Il aurait pu ajouter aussi le Gœthe des *Poésies lyriques ;* il en a traduit quelques-unes avec Chennevière.

trouver à l'origine du poème *Dimanche* de la *Vie Unanime*. C'est au printemps (1) : Faust arrive à une porte de la ville, avec son domestique Wagner, et lui montre la foule des hommes qui, comme eux, tirés par le soleil, se répandent hors de leurs maisons, dans la campagne, sur la rivière, et jusqu'aux collines. Et si aucun détail, peut-être, n'en a passé dans le poème de Romains, on peut en retrouver un lointain souvenir dans des vers tels que ceux-ci :

> « Des bateaux se promènent sur le fleuve ;
> Glissant d'une vague à l'autre ils ajoutent
> Aux lenteurs de l'eau la vitesse humaine (2). »

Et par delà l'influence de tel ou tel livre, on devine quel modèle Gœthe pouvait offrir au jeune poète, par son intelligence universelle comme par le style de sa pensée et de sa vie.

Dès son enfance, Romains a passionnément admiré Hugo. Il a proclamé cette admiration, même dans des cénacles où elle n'était guère de mode. Ce que la Bible, Shakespeare ou Racine furent pour d'autres, Hugo le fut pour lui, et il n'a cessé de s'en nourrir.

Même la tendance contre laquelle, par la suite, il devait le plus vivement réagir, celle du développement oratoire, du discours en vers, marque l'*Ame des Hommes* et certains poèmes de la *Vie Unanime*, et se manifeste par des vers comme ceux-ci :

> « Mon bonheur, lumignon pitoyable, résiste
> Aux canonnades qui défoncent les nations.
> Alors quand on fera la guerre aux antipodes,
> Nous serons mal ici sur les coussins commodes (3). »

Mais, naturellement, c'est le Hugo visionnaire, celui qui, d'un seul coup d'œil, perçoit tous les plans du réel, dont l'action devait être la plus profonde. Le

(1) *Faust*, « Vom Eise befreit... », partie I, scène 3.
(2) *Vie Unanime*, p. 115.
(3) *Vie Unanime*, p. 142 et 145

Paris vu à vol d'oiseau de *Notre-Dame de Paris,* les évocations de faubourgs ou les scènes d'insurrection des *Misérables,* l'entrée de l'Homme qui rit dans la Ville endormie qui rêve, les poèmes des *Contemplations* qui, en quelques vers, parcourent tout un paysage et l'animent d'une présence universelle, ont laissé sur l'esprit de Romains, en particulier dans ces vers de la *Vie Unanime :*

« Des hommes vont s'attabler
Aux tavernes en petits groupes circulaires... (1). »
(V. U., 98).

« Puis l'effluve, embrassant les nouveau-nés qui dorment,
Les fait rêver qu'on les caresse et qu'on leur met
Du soleil sur les yeux et du lait sur les lèvres (2). »
(V. U., 100).

...les villages assis
Dans l'herbe ; les grandes villes qui sont debout,
Les casernes, et les troupeaux de bœufs tranquilles (3)
(V. U., 247).
Une fraternité rejoint les cœurs dans l'ombre (V. U., 89).
Et fait se rencontrer les regards. »

une empreinte facile à reconnaître. Et les invocations à Hugo mage, dans l'*Homme Blanc,* proclament le tribut du poète à la *Légende des Siècles* ou aux *Contemplations.*

On sait maintenant, par les *Hommes de bonne*

(1) Cf. Hugo :
Des pêcheurs sont là-bas sous un pampre attablés.
Contemplations (Eclaircie).

(2) Contamination de deux poèmes de Hugo :
« Une lueur, rayon vague, part du berceau
Qu'une femme balance au seuil d'une chaumière ».
Contemplations (Eclaircie).

Et :
« Le regard de l'aube la couvre... »
Chansons des Rues et des Bois
(Une Alcôve au soleil levant).

(3) Fin de vers qui, par delà Hugo, rappelle le « Mugitusque boum » de Virgile.

Volonté (1) le sentiment de Romains sur Baudelaire, dont certains vers, comme :

> « Un port retentissant où mon âme peut boire
> A grands flots le parfum, le son et la couleur...
> « Cheveux bleus, pavillon de ténèbres tendus.
> Vous me rendez l'azur du ciel immense et rond (2). »

lui semblent, par leur plénitude, leurs intenses « décharges de sens », dépasser même les plus beaux de Hugo. Mais dès ces poèmes de *l'Ame des Hommes* :

> « La Vénus consciente à la splendeur morose
> N'a pas encor surgi de ton rire écumant... ».
> « J'ai l'horreur des taudis, des faubourgs purulents ;
> Le remords vers mon cœur fume avec les relents ;
> J'aspire la luxure animale des bouges... »

nous avons vu apparaître l'influence des *Paysages parisiens* ou des *Poèmes en prose*.

Et surtout l'idée baudelairienne, si féconde, des « Correspondances » entre les divers ordres de sensations, développée par le symbolisme, se continue chez Romains, comme on peut le constater par ces quelques exemples :

> « Le son me vient sur la clarté,
> Et j'écoute onduler vers moi
> Une musique à flamme jaune (V. U., 46).
> J'ai respiré l'odeur de l'aube
> Dans un cri du chemin de fer (V. U., 187).
> Le son d'une cloche unique
> Ressemblait au clair de lune (Odes, III, 12).
> Et le son d'une cloche en route vers un beau nuage
> (Europe, p. 50).

et y prend, notamment dans les œuvres récentes, un accent nouveau.

Romains a connu personnellement les poètes de la dernière génération symboliste et tous ceux qui, sans

(1) Tome III, chap. 2 et 4.
(2) *La Chevelure.*

en faire partie, se rattachent, par leurs amitiés ou par leurs affinités, à ce mouvement littéraire. Il aimait leurs cénacles, et la passion avec laquelle on y discutait de poésie et d'esthétique : nulle part ailleurs, à cette époque, il n'aurait trouvé cette atmosphère d'avant-garde, d'enthousiasme et de désintéressement. Dès le lycée, et pendant son séjour à l'Ecole Normale, il allait aux réunions du *Mercure de France* et de la *Phalange*, aux dimanches de René Ghil, aux récitations poétiques du Salon d'Automne, aux soirées de la Closerie des Lilas. Dans *Puissances de Paris* (1), il a fixé l'image d'un cénacle. Et les *Hommes de bonne Volonté* évoquent, à la fin du tome IV (2), la « Closerie » de 1908 : Paul Fort, maître de céans, y reçoit, comme ses invités, les arrivants ; Moréas y est religieusement écouté et, stupéfait, interpelle Romains qui ose « faire des vers blancs ».

Malgré ses sympathies, Romains, qui déjà possédait ses conceptions essentielles, n'a pu se rallier à l'une des idées fondamentales du symbolisme, et n'attribuer au réel que la valeur d'un signe. Mais, pour le détail de l'expression, bien des procédés, chers aux poètes d'alors, se retrouvent dans ses premières œuvres. Telles ces alliances, si caractéristiques, entre un terme concret, d'ordre matériel, et un terme se rapportant à la vie spirituelle :

« Une tristesse montera comme un jus noir
Dans la tige poreuse et tendre de mon âme » (V. U., 145).
« Aux voûtes de moi-même un vitrail crève et jette
Un bouquet de soleil que je tiens embrassé » (V. U., 150).
« Un rêve d'acier neuf peu à peu ronge et lime,
Ronge et lime le bloc de mon âme infusible » (V. U., 151).

Telles encore ces évocations, imprécises ou mystérieuses, qui semblent presque d'ordre musical :

(1) *Un Salon littéraire*, p. 143 de l'édition Figuière.
(2) Chapitre XXII.

« Mes flots intérieurs qu'unit un vaste flux
Montent vers les rayons d'une lune innommée. »
(V. U., 148).

Certaines, au prochain détour, rencontreraient
Un bel adolescent venu de leur pensée
Qui leur dirait : « C'est vous mon rêve et vous ma reine »,
Et s'évanouirait à leur premier baiser. »
(Un Etre en marche, p. 50).

Ou ces visions :

« J'ai fait halte devant la porte
Du square où poussent tant de feuilles ;
J'ai vu l'allée et la pelouse ;
Un autre homme a passé la grille ;
Je n'ai plus eu besoin d'entrer. »
(Un Etre en marche, p. 113).

Nous avons dormi
Au creux des péniches
Dormi jusqu'à l'aube
Pendant que les eaux
Cessaient de trembler
Et que les fuseaux
Faisaient clair de lune
Sur les sacs de blé. »
(Ibid, p. 123-124).

venues directement de la réalité, mais qui s'appuient sur un rythme de lied ou de chanson populaire (1).

Dès le lycée Romains avait lu les poèmes de Verhaeren qui, aussitôt, firent sur lui une impression profonde. Il admirait ce visionnaire qui, presque seul alors parmi les poètes, osait s'inspirer de la réalité la plus moderne et en chanter les « Forces tumul-

(1) Ou enfin ce vers :
« Je ne veux plus penser à rien qui ne soit elle »
(Ibid, p. 154).

dont le départ rappelle le vers célèbre de Verlaine :
« Je ne veux plus aimer que ma mère Marie »
(Sagesse, II).

tueuses ». Et son admiration grandit encore lorsque, après lui avoir envoyé la *Vie Unanime,* il put entrer en contact avec lui. Sans doute, il voyait ce que cet art avait de rude et d'incomplet. Mais il aimait la force de ses images, la brutalité de ses rythmes, la puissance expressive de ses rejets, et, à maintes reprises, l'*Ame des Hommes* ou la *Vie Unanime,* en des vers tels que ceux-ci :

« Je suis la convoitise et la volupté rouges. »
(La conscience de la ville).
« Quand il maîtrisait le réel pour l'atteler à sa doctrine... » (V. U., 122).
...« bien loin des champs de blé
Que creusent âprement les hommes de ma race. »
(V. U., 141).
« Nous les forts qui pouvons, si le bonheur nous tente,
L'avoir. » (V. U., 243).

plus ou moins consciemment les reproduisent.

Telles sont quelques-unes des influences, au moins les plus apparentes, que l'on peut saisir dans les premiers écrits de Romains. Il serait facile, croyons-nous, de vérifier que la plupart (1) ne se prolongent pas au delà de la *Vie Unanime* ou, par endroits, d'*Un Etre en marche.* Dans les œuvres suivantes il lui arrivera de tâtonner encore. Il pourra avoir, avec tel écrivain antérieur, des rencontres de pensée, de mot ou de rythme. Mais, que ce soit avec plus ou moins de bonheur, il appliquera désormais sa technique propre.

(1) Exception faite, naturellement, pour l'idée baudelairienne de correspondance et pour l'influence générale de Hugo ou de Gœthe.

CHAPITRE II

LES MOTS

Le vocabulaire (1) n'a cessé de s'étendre au XIXe siècle. La langue commune s'est enrichie de tous les termes forgés pour les sciences et leurs applications pratiques, pour les nouveautés de la vie politique et sociale : et la langue littéraire y a constamment puisé. Le romantisme et le Parnasse y ont ajouté tous les termes nécessaires à l'évocation des pays et des temps ; le réalisme, toutes les façons de parler des milieux les plus divers, du Faubourg Saint-Germain à l'*Assommoir* ; l'écriture artiste des Goncourt, certains changements de sens et des néologismes plus ou moins heureux ou éphémères ; le Symbolisme s'est complu aux vocables rares ; l'école romane a tenté de rendre la vie aux plus désuets. Et l'ensemble

(1) Nous ne pouvons considérer ici ni la forme des mots (que, d'ailleurs, même dans les parties dialoguées de son œuvre, Romains respecte le plus possible, s'interdisant toutes les déformations phonétiques de l'argot, du patois, et, plus généralement, du langage parlé; ni la syntaxe où, contrairement à certains poètes symbolistes et décadents ou même à des romanciers tels que Proust, il ne se permet que des libertés minimes. Et nous devons nous borner à signaler que, pour la syntaxe comme pour la morphologie, Romains accepte délibérément, pour des raisons que nous aurons à préciser, l'usage traditionnel.

de ces termes, venus de tous les milieux, de toutes les techniques, de tous les pays, de tous les siècles, et qui chaque jour continue à s'accroître, fournit à l'écrivain des ressources qui paraissent sans limites.

Malgré son étendue, le vocabulaire de Romains est bien loin d'utiliser toutes ces ressources. Il renonce, naturellement, aux termes qui, venus de la légende, de l'érudition ou de l'histoire, détourneraient le lecteur de la réalité actuelle. Il ne recourt pas davantage aux langues spéciales, patois, argot, qui, si expressives soient-elles, ne sont, par définition, entendues que de groupes restreints, et exigent des lexiques à la fin des livres. La langue commune lui suffit, et, exception faite du mot unanimisme (1), indispensable pour désigner un mouvement littéraire nouveau, il se garde d'y ajouter aucun néologisme.

Il n'en utilise même pas, dès l'abord, tous les termes. Après les débauches descriptives du XIXe siècle, il se contente, pour évoquer la nature, d'une vingtaine de mots, les plus simples ou les plus généraux :

> arbres, rochers, feuilles, écorce, herbes, ruisseau, fleuve, lac, prairie, plaine, mont, buisson, branchages, tronc, genêts, bruyères, blé, avoine, orge, frêne, pin, bouleau, peuplier, yeuse (2),

complétés, tout au plus, par quelques termes qui montrent la nature humanisée :

> clôture, limite, haie, route, mètre, lieue, ornière (3).

Et il ne lui en faut pas plus pour évoquer le village et l'intérieur de ses maisons :

(1) Qu'il emploie, d'ailleurs, rarement, et surtout dans des écrits théoriques. Quant au nom « unanime », appliqué à des groupes, il a été tiré normalement, par le procédé de la dérivation impropre, de l'adjectif déjà existant.

(2) *Vie Unanime*, p. 197, 209.

(3) *Ibid*, p. 212, 14.

église, fumée, horloge, fagots, bûches, pommes de pin, fromage, pain, guéridon, dentelle, anse, fuseau, marché, vache, chenêts, chandelle, chaumière, masure, champs, taillis, labours, prés (1).

Un poète du XVIIe siècle, La Fontaine par exemple, aurait, sur une telle matière, un vocabulaire plus étendu.

Les aspects nouveaux de la grande ville moderne, les variétés du machinisme qui la façonne sont, nous l'avons vu, à l'origine de l'unanimisme. Il a fallu, pour les désigner, la création de tout un vocabulaire, consacré aussitôt par l'usage, mais qui, sauf sous la plume de Verhaeren, semblait défier la poésie. Ce vocabulaire figure dans la *Vie Unanime,* sans y occuper, toutefois, l'étendue que l'on pourrait croire. L'usine, par exemple, ne fournit que ces quelques termes :

usine (56, 76, 77, 92).
fabrique (92).
cheminée (56, 85).
courroie (92).
atelier (88).
sirène (66).
volant (92).
machines (76).
fumée (85, 90).

Les chemins de fer :

train (46, 54, 67, 88, 89).
locomotive (60).
wagon (62).
disque (191).
poteau (191).
ligne (191).
rail (192).
voie (192).
signal (193).
bielle (193).

(1) *Vie Unanime,* p. 216, 27.

fourgon (193).
piston (143).
sifflet (196).
portière (196).
kilomètre (196).
compartiment (196).
attelage (196).

L'électricité :

fil (77).
câble (77).
courant (97).
arc électrique (97, 98).
arc voltaïque (251).
charbon (251).
dynamo (251).

Et ce nombre, relativement restreint, confirme que, s'il se plaît à exprimer le décor de la vie moderne, Romains n'en fait pas son objet principal.

Le nombre des termes scientifiques paraît supérieur ; il exprime, à la fois, le rôle des sciences dans la société moderne, et quelques-unes des principales curiosités de Romains. La physique, par exemple, qui lui révèle un monde de forces, d'atomes, de molécules en harmonie avec sa propre vision des multitudes humaines, lui fournit, par des termes tels que :

aimantation (217).
aimanter (78).
attraction (222).
bulle (111, 242).
centrifuge (217).
condenser (127).
condenseur (238).
diffuser (245).
dilater (222).
diluer (222, 229).
onde (222).
onduler (103).
se propager (112, 216).
se pulvériser (244).

saturer (229).
dissocier (229).
dissoudre (222, 244).
effluve (216, 219).
émanation (171, 217, 222, 233).
énergie (77).
évaporer (222, 229, 245).
filtrer (222, 234).
fluide (170).
imperméable (240.
transfuser (76).
vibration (213).
volatiliser (222, 27).

des analogies qui apparaîtront souvent à l'origine de ses images. Il en est de même de la biologie, avec des mots comme :

bourgeonner (240).
cellule (222).
désagréger (245).
englué (203).
évolution (199).
excroissance (176, 214).
exhaler (217, 218, 172, 227).
fermenter (176, 212).
frondaison (77, 207).
globule (242).
osmose (41).
ovaire (63, 98).
pulsation (135, 216).
relent (226).
visqueux (221).
sperme (262).

Des termes, enfin, appartenant à la psychologie, à la logique, à la métaphysique, tels :

conscience (202, 223, 256).
idée (252).
logique (252).
loi (252).
certitude (252).
système (252).

doute (253).
substance (253).
apparence (253).
nature (141).
humanité (141, 144, 147, 155).

témoignent que, malgré sa répugnance pour l'expression abstraite, surtout en poésie, il n'a pu complètement oublier sa formation philosophique.

On peut entrevoir, par ces quelques exemples, que le vocabulaire de Romains, à ses débuts, ne s'étend, en dehors de l'usage courant, que dans une direction: les termes scientifiques. Ce rapport entre la langue courante et une langue spéciale se modifiera peu à peu. La langue courante, en effet, s'enrichira de tous les termes que va fournir un champ d'observation de plus en plus vaste. Noms de rues, de villes, de pays *(Puissances de Paris, Voyage des Amants, Europe, Ode Gênoise, Homme Blanc)*. Termes de la conversation, dans les divers milieux sociaux ; jeunes écrivains et artistes *(Les Copains)*, petites gens de la ville *(Mort de quelqu'un)*, débardeurs et soldats *(Vin blanc de la Villette)*, paysans des Cévennes *(Cromedeyre-le-Vieil)*, habitués de la roulette *(Le Trouhadec)*, médecins et malades *(Knock)*. Et au cours de ce développement, les termes scientifiques, tout en persistant, s'ajoutent en moins grand nombre, et paraissent plus discrets. Le vocabulaire de Romains donne ainsi, de plus en plus, une impression de variété en profondeur plutôt qu'en étendue : à mi-chemin entre les quelques centaines de mots qui suffisaient à Racine, et la luxuriance de Rabelais ou de Hugo.

Les listes précédentes n'ont, naturellement, aucune

prétention statistique (1) et ne tendent qu'à évoquer certains aspects d'un vocabulaire. Et, plus que le nombre des mots, il importe de préciser leur emploi et leur valeur.

La principale vertu d'un mot est, pour Romains, la précision : celui qui emploie *venir* au lieu d'*aller* ne saura, selon lui, jamais écrire. Et ce besoin de précision ne lui vient pas seulement d'habitudes grammaticales fortifiées par la lecture ; il répond à plusieurs de ses tendances essentielles. Exigence du poète qui pense par images, qui voit le réel sous son aspect le plus concret et, tout en regardant par masses, sait, comme en ces vers, distinguer les moindres différences :

> « Dans la tranchée un ouvrier a peur. Sa pioche
> Dévie et cogne un tuyau noir gluant de glaise,
> Le bruit du choc galope à travers l'eau qui marche ;
> Les microbes grouillant le long de l'eau tournoient ;
> Et les atomes se cabrent le long du fer. »
>
> (V. U., p. 103).

Exigence du savant, entraîné au travail du laboratoire, qui ne confondra pas *atome* et *molécule*, *cellule* et *neurone*. Exigence du philosophe épris d'idées claires et distinctes, de concepts aussi définis que des formules mathématiques :

> « La nature, total de ce qui n'est pas l'homme » ;
>
> (210).

(1) Il est à peu près impossible de préciser, par des chiffres, l'étendue d'un vocabulaire (Cf. Vendryès. *Le Langage*, p. 223-223). En quelle mesure des noms propres comme Kalverstraat, Hospental, Tower Bridge en font-ils partie ? Où finit l'usage courant, où commence l'usage scientifique de termes comme *bulle, vapeur, aimant* ? De tels mots, d'autre part, et à plus forte raison, ceux du langage courant ont beau se présenter avec un seul sens : ils n'en sont pas moins chargés de souvenirs, d'images, d'idées, ou de sentiments qui, selon l'emploi de l'écrivain, en varient la valeur.

et qui, dans la juxtaposition de deux termes :

> « J'ai repris l'attitude auguste et naturelle
> Du vivant qui *résume* et *complète* la vie. » (197).

fait tenir toute une vision du monde.

La précision des mots appelle leur nécessité. Comment admettrait-elle ces termes bouche-trou, qui ne sont là que pour remplir un hémistiche ou une fin de vers, pour fournir les rimes *rose* et *chose, jours* et *toujours ?* La haine de ces mots inutiles est même, — on peut, dès maintenant, l'apercevoir — une des raisons qui ont fait renoncer Romains à la rime : les rencontres utiles de rimes s'étant, en quatre siècles de poésie classique, produites à peu près toutes. Par contre, le mot précis s'impose, même s'il choque par son caractère trop spécial ou son aspect trop peu harmonieux : impossible de le remplacer par un synonyme qui n'est jamais un équivalent absolu, ou par une de ces périphrases ridicules, comme char de feu au lieu de locomotive. Et si un terme scientifique, ou même plusieurs de suite, apparaissent comme le moyen le plus bref, le plus exact d'exprimer une idée, cette nécessité emportera toute autre considération. De là des vers inharmonieux mais précis, comme :

> « L'allure des passants n'est presque pas physique. » (39).
> *L'aimantation*
> De son corps debout
> Tient noué à l'homme
> L'élan *centrifuge*
> Des bêtes qui ruent,
> Sautent et galopent. (217)

De là, aussi, d'autres comme :

> « ... le crépuscule humain
> Se cristallise en arc électrique » (97).

> Toute la force insoumise qui fait grincer
> Les essieux, donne des spasmes aux ressorts maigres.
> Et qui bouscule l'air d'ondulations troubles. » (99, 100).

où les termes pris à la physique et à la mécanique s'insèrent au mieux dans le jeu des sonorités et du rythme.

La précision et la nécessité pourraient, semble-t-il, n'aboutir qu'à un style strictement scientifique. Mais il apparaît tout de suite (même si on fait abstraction de la valeur sonore des mots, et de leur emploi imagé ou figuré, que l'on étudiera plus loin), que le style des poèmes ou des *Copains* n'est pas celui de la *Vision extra-rétinienne.* Les mots y donnent une impression de plénitude heureuse. Les adjectifs sont plus que de simples épithètes ; ils ajoutent vraiment une idée, parfois inattendue :

« Il coule menu, tiède, gonflé »... (72)
d'un air hospitalier, câlin,
Possesseur ». (72)

De même les adverbes :

« Il se recroqueville autour, frileusement. » (73).
« Les corps, fidèlement, s'appuient aux mêmes chaises » (75).

Les verbes, dépouillés de compléments inutiles, jouent un rôle prépondérant : des pages entières se succèdent, faites uniquement de phrases verbales. Et entre ces mots, déjà pleins de sens par eux-mêmes, des rapports nouveaux s'établissent, avec les valeurs les plus diverses, soit graves :

« Etre une *omniprésence éparse* sous les *toits.* » (231).

soit comiques :

cossus, fessus, pansus.
(Les Copains).

soit même parodiques :

« et la fanfare attaqua l'Hymne Russe qui se défendit bien. » *(Les Copains).*

Rapports qui vont de la simple juxtaposition aux démarches de pensée les plus complexes.

Remarquons toutefois que, parmi ces rapports, les plus imprévus eux-mêmes restent clairs. Même en laissant aux mots quelque jeu, Romains ne cesse de les contrôler et de les astreindre à leur fonction d'échange, de communication entre les hommes. Il ne s'abandonne pas à leur caprice, et il ne semble pas qu'ils aient jamais suffi, comme pour d'autres écrivains (1), à lui inspirer un seul poème. Il ne croit pas davantage à la vertu de combinaisons verbales se créant comme d'elles-mêmes, où le mot appelle le mot, où le hasard tient lieu d'inspiration (2). Comme les écrivains classiques, il veut que les mots lui offrent, avant tout, un instrument exact et fidèle.

⁂

De cette soumission à la pensée les mots tirent une force singulière. Les plus simples étonnent, les plus usés reprennent vie. Et, sans que l'écrivain ait besoin de forcer leur sens, tous retrouvent, grâce à une inspiration neuve, une jeunesse imprévue.

Ainsi la vie des êtres collectifs, les phases de leur développement, et de leur progrès vers la conscience renouvellent l'emploi des verbes de pensée et d'existence. *Etre* redevient, par excellence, le verbe qui fait sortir du néant :

« Tu es (3). »

(1) Mallarmé, par exemple, dont certains poèmes, comme le *Démon de l'Analogie*, ont pour point de départ un mot qui s'est imposé à lui. (Cf. Thibaudet, la *Poésie de Stéphane Mallarmé*, p. 184.)

(2) Il a même critiqué une telle conception en nous faisant assister, dans les *Créateurs*, à la genèse d'un sonnet selon cette méthode, sous la plume du poète Strigelius.

(3) *Odes et Prières*, p. 167.

ou qui affirme un état du sujet :

« Je suis mélancoliquement (1). »

Exister exprime à nouveau (conformément à son étymologie) le changement brusque, le saut au delà d'un état antérieur :

« La salle existe. » (2)
« Ambert existe, d'un jet (3). »

La forme passive de *penser,* d'un usage restreint jusqu'alors, prend toute sa valeur maintenant que le poète sent l'individu se mouvoir au sein d'une pensée plus vaste :

« Je ne sais rien, sinon que la rue est réelle,
Et que je suis très sûr d'être pensé par elle (4). »

Des mots aussi usés que *créer* et *fils* ont, dans des expressions comme :

« Nous avons créé Dieu. »
« Dieu notre fils ».

la charge de formuler des rapports nouveaux entre l'homme et la divinité.

De même les actions et les diverses modalités des groupes renouvellent en ces exemples :

« Le bourg dîne plus tard, il dort moins (5). »
« Le village devient, et saura qu'il existe (6). »
« A quatre heures, Issoire était devenu la Place Sainte-Ursule. (7)

(1) *Vie Unanime,* p. 89.
(2) *Vie Unanime,* p. 66.
(3) *Les Copains,* p. 185.
(4) *Vie Unanime,* p. 49.
(5) *Le Bourg Régénéré.*
(6) *Vie Unanime,* p. 228.
(7) *Les Copains,* p. 214.

l'emploi des verbes les plus courants, en les reliant à des noms collectifs. Et il en est ainsi pour le participe « futur », le verbe « renaître » et même son participe inusité « rené », lorsque, dans ces phrases :

« Le plus faible d'entre eux rayonne, car il porte
Au fond de sa poitrine une émeute future (1), »
« L'âme a péri dans l'homme, et renaît dans le groupe (2). »
« Voilà qu'elle est renée et que sonnent les cloches (3). »

ils s'appliquent aux transformations incessantes des unanimes qui se désagrègent, meurent et renaissent.

Même les termes qui par nature, paraissent les moins concrets et évocateurs, bénéficient d'un tel mode de vision. Les partitifs, les indéfinis, les neutres ainsi employés :

« La campagne alentour n'est plus
Que *de la ville diluée*
Dans la nature. »

« Lorsqu'il y a de l'*âme* ou de la *chair* qui saigne. »

« *Quelque chose* d'ininterrompu
Où *ce* qui est la ville devient
De nuance en nuance mon corps (4) »

deviennent lourds de sens : à eux revient d'évoquer la continuité des choses et des êtres, dont les limites ne sont qu'apparentes (5). Et le jeu des prépositions, des possessifs et des pronoms personnels exprime en ces vers :

(1) *Vie Unanime,* p. 136.
(2) *Ibid,* p. 123.
(3) *Ibid,* p. 75.
(4) *Vie Unanime,* p. 113, 142, 175.
(5) De là, également, ce titre *Mort de Quelqu'un* pour un livre dont le héros est le moins déterminé des individus.

« Je m'ennuyais tant d'être seul *en moi* ;
Maintenant je suis une multitude »,
« Ce n'est plus *moi* déjà qui pense *dans moi-même.* »
« Elle (la ville) éprouve un léger tremblement dans *ses hommes.* »
« *Quelqu'un* qui n'est pas *moi* devient dieu *où je suis* (1). »

le va-et-vient continu, la diversité des nuances entre l'individu et l'être collectif.

Il n'est donc pas de partie du vocabulaire qui ne porte la marque des conceptions les plus neuves, des visions les plus personnelles de Romains et qui, sans la moindre violence faite à la langue, n'en soit singulièrement rajeunie. Et les quelques exemples qui précèdent, choisis précisément parmi les termes les moins évocateurs, les moins rares, les plus dénués de valeur sonore ou ornementale, laissent entrevoir en quel sens se fait ce rajeunissement. Il ne s'opère pas à partir du mot, trop simple ou trop réduit pour offrir autre chose qu'un jalon ou un point d'appui ; mais à partir de la pensée qui, rechargeant le mot, y fait passer un nouveau courant de forces.

⁂

L'étude de la forme et du groupement des mots donnerait lieu, croyons-nous, à des remarques analogues (2).

On est ainsi amené à constater, peut-être avec quelque surprise, qu'une vision neuve et complexe, telle que l'unanimisme, n'exige à peu près aucune nouveauté de morphologie, de syntaxe, ni de vocabulaire. Romains apparaît, vis-à-vis de la langue, beaucoup moins novateur qu'un poète romantique ou symboliste, ou qu'un romancier naturaliste. A cette attitude, qui est aussi celle de ses compagnons d'alors, Chennevière ou les poètes de l'*Abbaye*, il

(1) *Vie Unanime*, p. 149, 151, 92, 151.
(2) Cf. la note au début du chapitre.

semble que l'on puisse entrevoir des causes puissantes, dépassant de beaucoup les tendances particulières d'un écrivain.

Notons, au premier rang de ces causes, l'ampleur inquiétante prise, au cours du XIXe siècle, par certains mouvements de la langue. Malgré l'imprimerie et le développement de l'instruction, le langage parlé envahit la littérature, menace la forme des mots et la syntaxe ; et les nouveautés de la technique ou de la vie sociale exigent une création de mots incessante, qui est un véritable pullulement. Si ces mouvements se déploient en toute liberté, ils peuvent déterminer une transformation complète du français, une dégénérescence analogue à celle du latin à partir du IIIe siècle (1). Comment ne pas accepter, dès lors, les règles et les institutions qui les canalisent, qui maintiennent, du moins pour la langue imprimée, un usage, moins pur sans doute que celui du XVIIe siècle, mais qui n'en diffère pas sensiblement ? Cet usage assure entre les générations la continuité. Il fait que La Fontaine et Molière sont encore intelligibles et proches de nous. Et les écrivains d'aujourd'hui se doivent de le suivre, s'ils veulent, après plusieurs dizaines d'années, être encore entendus.

Mais pour être entendus, même de leur génération, ils ont à surmonter un autre péril. La plupart des changements récents : altération des formes, atteintes à la syntaxe, abus des mots nouveaux ou rares vont, en effet, dans un même sens. Ils menacent ce travail qui, depuis le XVIIe siècle, n'avait cessé de se poursuivre et qui avait assuré au français l'un de ses plus précieux avantages : la clarté. Une telle menace a pu laisser insensibles, à la fin du siècle précédent, les partisans d'un art pour initiés qui se souciaient peu d'ajouter à l'obscurité de la pensée, celle de la langue. Il n'en est pas de même, au début du XXe siècle, pour des poètes que la matière de leur inspi-

(1) ROMAINS, *Problèmes de langage*, Chronique de *l'Humanité*, 4 décembre 1920.

ration met en contact avec les plus vastes multitudes. Il faut qu'entre leur pensée et ces immenses masses d'hommes ils ne rencontrent, du fait de la langue, aucun obstacle. Il faut que leur emploi du français n'écarte aucune catégorie de lecteurs, ou d'auditeurs. Ils doivent s'adresser aux hommes d'aujourd'hui dans leur langue la plus courante, avec leurs mots de tous les jours. A cette condition seulement pourront-ils « conquérir » des âmes (1), « créer » des groupes, bref faire de l'art un moyen efficace et privilégié de communion.

Cette acceptation de la langue commune, à la fois courante et traditionnelle, implique, après les splendeurs verbales du Romantisme ou du Parnasse et les raffinements du Symbolisme, un changement radical dans la conception de l'art. Pour donner droit de cité à la foule des mots nouveaux, et pour rendre vie à tous les mots usés, pour créer ou recréer une telle matière, il ne suffit plus de simples arrangements sonores, en vue d'effets pittoresques, plastiques ou musicaux. Il faut que la pensée s'affirme comme une force véritable. Il faut qu'elle soit assez robuste pour tirer d'elle seule, par l'ampleur et l'intensité de ses conceptions, le pouvoir qui rajeunit la langue, ou qui lui donne une dignité nouvelle. Il faut qu'elle se déploie librement, antérieure aux mots, et que ceux-ci se prêtent à ses démarches les plus simples ou les plus complexes.

(1) Ce qui, on le sait, est pour les écrivains de l'*Abbaye* le but essentiel.

CHAPITRE III

L'EXPRESSION DIRECTE

L'expression directe, c'est-à-dire la façon en apparence la plus simple dont dispose le langage pour présenter un fait, un objet ou une idée, ne paraît pas, au premier abord, poser de problème esthétique. Il semble qu'il n'y ait pas — sans risque de contradiction — plusieurs manières de dire : « Il pleut » — « La rue monte » — « La matière est faite d'atomes ». Et, en effet, aucun prosateur ne répugne à de telles phrases, qui sont la raison d'être de la prose. Toute autre façon de s'exprimer, par allusion, image ou figure, peut y ajouter un élément de beauté ; mais il est rare qu'elle apparaisse comme le moyen unique, exclusif, sans lequel la pensée ne pourrait prendre corps. La prose, si elle s'abandonne à sa nature propre, paraît s'en défier et n'y recourir que malgré elle, comme à des voies plus détournées ou plus abruptes, restes d'un autre âge auxquels la pensée claire tend à renoncer.

Pour la poésie il en va tout autrement ; en particulier en France, au début du XXe siècle. Hugo avait bien présenté les faits les plus humbles, ou les conceptions les plus hautes, d'une façon à la fois simple et magnifique (1). Mais ses successeurs ne purent garder un tel équilibre. De nouveau l'expression des idées philosophiques retombe, avec Sully-Prudhomme, au mal originel qui, depuis les gnomiques et Lucrèce, la menace et qui est précisément le prosaïsme (2). Et la représentation de la vie familière, l'exposé des croyances morales aboutissent, dans les vers de *Coppée* consacrés aux Humbles (3), et surtout dans les *Œuvres complètes* d'Eugène Manuel (4) à une banalité et une platitude qui, d'elles-mêmes, s'offrent à la parodie de Courteline :

> « Lesseps un an l'avait employé pour son isthme ;
> Par malheur, il était atteint de daltonisme (5). »

(1) « Demain, dès l'aube, à l'heure où blanchit la campagne,
Je partirai. Vois-tu, je sais que tu m'attends... »
(*Contemplations*, IV, 14).
« C'était l'heure tranquille où les lions vont boire. »
(*Booz endormi*).
« L'être créé se meut dans la lumière immense. »
(*Contemplations*, VI, 26).

(2) « Les antiques héros admireraient notre âge
Pour le nouvel emploi qu'on y fait du courage,
Et nous leur citerions le vôtre avec orgueil. »
(*Le Banc, Poèmes modernes*, p. 174).

(3) « Mais sans pouvoir trouver un bon mot qui console,
Le militaire prit à son tour la parole ».
(*Le Banc, Poème moderne*, p. 174).

(4) « Je garderai ma foi robuste,
En dépit des penseurs nouveaux ;
Le Dieu que j'aime, le Dieu juste
Me jugera ce que je vaux.
Quoi qu'on rêve et quoi qu'on bâtisse
Pour le bien de l'humanité,
O Dieu, je crois à ta justice
Encore plus qu'à ta bonté. »
(Le Credo du pauvre homme,
Œuvres complètes, t. II, p. 196).

(5) Romains aussi a parodié, dans les *Copains*, les « vertueux alexandrins » à la manière de Coppée :
« Je languis à Nevers, trois, place de Barante,
Prends de ce pas le train de quatre heures quarante,
Je serai sur le quai dès neuf heures moins dix ». (87).

A la limite opposée, l'expression directe peut se trouver étouffée sous la végétation, la fantaisie ou même la rigueur du développement poétique, et se réduire à un minimum que certaines écoles font, de plus en plus, tendre vers zéro. C'est alors au lieu de la platitude, la préciosité, « cette fièvre quarte de notre littérature » (1), et l'obscurité, à ses degrés divers : l'objet, événement, individu ou, simplement, pensée, n'est désigné que par allusion, périphrase (2), allégorie, symbole. Il semblerait scandaleux qu'on l'exprimât directement. Une telle conception, venue des origines les plus lointaines de la poésie, quand elle était pure incantation, langage pour initiés, se retrouve dans les recherches de Mallarmé ou de Valéry, dans les difficultés et même les obstacles qu'ils accumulent pour forcer l'attention du lecteur. Et elle s'exaspère avec certaines tentatives récentes (dadaïsme, surréalisme) qui prétendent communiquer, par des suites de mots énigmatiques, des visions ou des rêveries dont c'est le propre de rester incommunicables (3).

Mais, entre ces deux extrêmes, la nécessité d'une expression à la fois directe et poétique a recommencé à se faire sentir. Les mêmes causes qui, au début du siècle, avaient orienté les écrivains loin de l'art érudit, oratoire ou allégorique, vers une vision ingénue et neuve du monde et d'eux-mêmes, les ramenaient non seulement vers la langue la plus claire et la plus courante, mais aussi vers l'expression la

(1) *Vie Unanime*, Préface de 1925, p. 18.

(2) Par exemple :

« Le flot sans honneur de quelque noir mélange »
« Qui désigne apparemment les cocktails complexes d'outre-mer. »
(Thibaudet, *La Poésie de Mallarmé*, p. 77).

(3) Telles ces lignes de Tzara :

« Un cristal de cri angoissant jette sur l'échiquier que l'automne. Ne dérangez pas je vous prie la rondeur de mon demi-langage, invertébré ». (L'Antitète, cité par Marcel Raymond : *De Baudelaire au Surréalisme*, p. 322.)

moins détournée et la plus accessible. Ainsi espéraient-ils rétablir, entre le poète et les autres hommes, le contact que le symbolisme finissant menaçait de rompre. De là les efforts les plus variés, de Verhaeren à Francis Jammes, Paul Fort et Anna de Noailles : efforts qui devaient, avec la génération suivante, aboutir à un véritable renouveau des moyens, même les plus simples, d'expression.

***

La simplicité, en une telle matière, n'exclut pas la grande diversité de ressources : toutes celles que fournit, comme d'elle-même, la langue, avec l'infinie variété de ses tours. Il se constitue ainsi, pour chaque écrivain, une stylistique différente : à défaut d'une étude d'ensemble, on peut du moins, pour ce qui est de Romains, en prendre, par quelques exemples, un rapide aperçu.

Ainsi le verbe, avec la complexité que sa conjugaison garde en français, offre, par le jeu des modes et des temps, des possibilités singulièrement souples. Le conditionnel indique une tendance à persévérer indéfiniment dans l'état actuel :

« Je resterais pour cet enfant là-bas, qui joue...
Je resterais pour la jeune fille qui chante
Quelque part, devant un piano sans bougie...
Je resterais pour un seul souffle » (1).

L'impératif transforme le monologue intérieur en dialogue du poète, soit avec lui-même :

« Quand encore une voix nous crie :
Lave tes mains et ton visage,
Mets tes vêtements sur ton corps (2). »

soit avec toute une foule d'interlocuteurs :

(1) *Un être en marche*, p. 116.
(2) *Ode Gênoise*, 2e partie.

« Retourne chez toi, homme blanc
Ecoute les tambours tremblants.
Entends le tam-tam circulaire...
Entends le grand rassemblement
Qui nous soulève et qui te chasse (1). »

et vivifie l'exposé d'idées abstraites. Les formes unipersonnelles évoquent une action qui se développe insensiblement :

« Il se fait lentement que je n'ai plus de peine (2). »

Et la plus usée de toutes, le gallicisme *il y a,* devient, si elle est employée à propos :

« Dès qu'au loin...
Il y eut brusquement tes murs dans mes regards (3). »

la plus juste pour annoncer une apparition soudaine, et résumer tout le contenu d'un regard.

Le maintien, l'alternance ou la variation des temps au cours d'un poème lui donnent sa tonalité propre. Telle *Ode,* consacrée à une impression actuelle, est entièrement au présent :

« Deux hommes cheminent là-bas...
Je n'attends rien, je ne veux rien
Que la paix de cette vallée. »

(*Ode,* I).

Le souvenir d'une action à plusieurs épisodes combine les diverses nuances du passé :

« Dis, à qui pensais-tu...
Quand tu partis tout seul ?
Tu n'avais emporté...
Tu cheminas longtemps... » (*Odes,* I).

Le rêve d'un voyage, en se précisant, mêle les diffé-

(1) *L'Homme Blanc,* p. 114.
(2) *Un Etre en Marche,* p. 151.
(3) *Prières,* p. 164.

rentes valeurs du futur, du conditionnel, du présent, et s'achève en visions assez fortes pour se passer de verbe :

« Mais que *diras-tu de ceci*
Qui *n'est* pas encore *arrivé* ?
Un jour on *partirait* de Londres ;
Le bateau *serait* à l'amarre.
Vois-le par un jour de Septembre.
Quatre musiciens mal vêtus
Monteraient aussi avec nous.
Ils *vont s'asseoir* tout à l'avant.
Nous *suivons* le milieu du fleuve,
Et nous *sortons* de l'Angleterre...
Toute une nuit dans la cabine.
Quelle aurore sur Amsterdam ! » (1)

Et, après l'éternel présent de la *Vie Unanime,* d'*Un Etre en Marche* ou des *Prières,* cette variété croissante dans l'emploi des temps exprime le mouvement d'une pensée qui, de plus en plus se déploie vers le passé comme vers l'avenir.

Mais, plus encore que par les mots simples, l'expression directe trouve, avec les valeurs diverses de leurs groupements (propositions ou phrases) le moyen de varier constamment ses tours. La négation traduit l'indétermination dans les couleurs, mouvements et contours, caractéristique de certains paysages unanimistes :

« Une nuée incolore...
Ne touchait pas à Paris.»
« Et rien n'a lieu nulle part (2). »

L'exclamation, trop souvent surabondante et mono-

(1) *Le Voyage des Amants,* p. 72, 73.

(2) *Odes,* p. 63, 72. Elle offre aussi, là où une affirmation paraîtrait massive et simpliste, les ressources de la litote et de l'ironie :

« Cette guerre....
Les ministres et les rois ne l'ont qu'à peine voulue. »
(*Ode Gênoise,* II).

tone chez les poètes lyriques, est, dans les *Prières,* la forme naturelle de l'apostrophe, de l'effusion :

> « Ma famille, c'est toi ! (1). »

du commandement ou de l'interdiction qui manifeste l'action magique du poète :

> « Il n'en faut plus ! Je n'en veux plus ! Je chasse tout (2) » !

Plus rare dans les œuvres suivantes, elle n'en prend que plus de valeur pour le souhait, la colère ou le regret. Elle exprime aussi, comme en ces vers où elle supprime le verbe :

> « Mais ce craquement !
> Un toit qui plie
> Sur un creux nouveau, sur un trou brusque ! (3). »

la soudaine apparition d'un ou de plusieurs événements.

L'interrogation enfin est, pour le poète, l'une des formes essentielles du dialogue avec lui-même, avec d'autres hommes ou avec des abstractions. Et les exemples suivants :

> « Suis-je pas continué
> Par quelque immense banlieue... (4) »
> « Mais pourtant que répondre
> A ce maître sans voix... (5) »
> « Qui sait encor comment agir en rêve ?
> Qui sait tenir l'invisible à merci ? (6). »
> « Est-il d'autre mouvement
> Que ce passage de voiles (7). »

(1) et (2) *Odes et Prières*, p. 105, 169.
(3) *Europe*, p. 81.
(4), (5) *Odes.*
(6) *Chants des dix années*, p. 154.
(7) *Chants des dix années*, p. 51.

montrent comment il en varie le départ et le mouvement.

***

A ces ressources s'ajoutent naturellement celles du rythme que nous considérerons plus loin. Ainsi la poésie va pouvoir, comme se le proposaient alors les autres arts — en particulier la musique ou la peinture — exprimer le plus fidèlement possible les nuances de la sensation, les variétés d'un contact, toujours immédiat et renouvelé, avec les choses.

Et en effet, — pour nous en tenir à la représentation du monde visuel — l'expression directe y prend les emplois les plus divers.

Le poète note un détail de topographie :

> « La rue monte. Puis c'est un escalier. Enfin
> Le trottoir s'aplanit, s'incline et redescend (1). »

de forme et de mouvement :

> « Des familles rectilignes
> Passent d'instant en instant ;
> Des familles poussent l'air
> Et l'écartent proprement (2). »

de couleur :

> « Deux hommes cheminent là-bas
> Dans la vallée où le coq chante ;
> Tous les arbres sur les collines
> Sont maintenant rouges et noirs (3). »

de lumière :

> « Il n'arrivait de lumière
> Que sur la table et sur moi
> Les quatre coins restaient noirs (4). »

(1) *Vie Unanime*, p. 174 .
(2) *Odes*, p. 53.
(3) *Ibid.*, p. 29.
(4) *Ibid.*, p. 61.

Et il apparaît tout de suite qu'une telle représentation des choses se distingue des procédés, trop souvent statiques, de la description (1). Bien loin d'arrêter le mouvement de la pensée ou du récit, elle s'y insère et le continue. Elle est essentiellement active, et recourt de préférence à des verbes.

Toutefois il est rare que le poète note ainsi des détails isolés. Tantôt il en réunit plusieurs (2), comme dans cette vision de navire de guerre :

« A main gauche, on aperçoit, par dessus bord,
Dans l'intervalle d'un treuil et d'un tuyau d'air,
Un navire courtaud qui fait trop de fumée (3). »

Tantôt, il exprime une vision neuve et immédiate des choses, par ces rapprochements inattendus :

« Les toits joignent la rue au ciel (4). »
« La fumée et la ville ont fini par se joindre (5). »

où le verbe *joindre* exprime tour à tour un rapport de position et un mouvement. Ou bien, comme en ces deux exemples :

« Et je ne vois rien qu'une branche
Qui fait un signe dans le ciel (6). »

(1) En particulier de la description naturaliste qui trop souvent — dans les romans de Zola, par exemple — interrompt le mouvement de l'œuvre, et dont la richesse n'exclut pas l'uniformité, avec la monotonie de ses verbes à l'imparfait.

(2) Il arrive même, surtout dans les premières œuvres, qu'il en accumule, non sans quelque excès :

« Tourmentés par l'odeur du fromage et du pain,
Les chiens dont le flanc colle à la terre battue
Baillent près du buffet qu'ils frôlent de leur queue. »
(*Vie Unanime*, p. 219).

(3) Europe, p. 71. Il en compose même tout un poème comme *Les quatre Canards du lac de Côme*.
(*Voyage des Amants*, p. 44).

(4) *Vie Unanime*, p. 37.

(5) *Un Etre en Marche*, p. 83.

(6) *Odes*, p. 76.

« Un oiseau dans les hautes branches
Me dispose de voir la mer (1). »

il résume tout un paysage en le ramenant, comme dans certaines estampes japonaises, à un détail essentiel.

Aussi de telles notations dépassent déjà la sensation pure. Avec quelques éléments fragmentaires, elles suggèrent tout un ensemble qui prend conscience de lui-même :

« Le troupeau, la maison, le village, à la fois
Deviennent conscients dans ma cervelle à moi.
Je sens sonner l'horloge, gambader les chèvres,
Et flamber l'âtre autour de la marmite noire (2). »

Le poète arrive même, par ce moyen, à étendre le champ habituel de nos sens. Derrière les fenêtres, les rideaux et les murs, il devine les mouvements et les attitudes :

« On joue du piano, là-bas,
De l'autre côté de la rue,
Je devine à tâtons que c'est
Une jeune fille vêtue
D'un corsage blanc, d'une jupe
Bleue, et d'un ruban à la taille (3). »

Par delà l'horizon, il sait que

« La terre tourne et montre au soleil d'autres villes
Dont les clochers illuminés sonnent de joie (4). »

Et de telles affirmations, atténuées souvent par le verbe *deviner*, pour l'expression *deviner à tâtons*, présentent tous les degrés par où l'intuition immédiate du réel devient une vision totale du monde.

(1) *Europe*, p. 46.
(2) *Vie Unanime*, p. 218.
(3) *Ibid.*, p. 45.
(4) *Ibid.*, p. 87.

Mais l'expression directe n'ouvre de telles perspectives que par sa fidélité même, en se maintenant près des formes, des mouvements, des souffles, de la lumière que le poète, avec toute sa génération, redécouvre avec amour. Démarche juste contraire à celle du Symbolisme, puisque, au lieu de suggérer par des sentiments le monde extérieur (1), au lieu de mettre entre les choses et lui l'écran du Symbole, le poète va droit aux choses, les regarde, les palpe (2) et, avec leur intermédiaire, réussit à traduire et même à créer des états d'âme.

⁂

Naturellement la représentation de la vie collective, essentielle à l'inspiration de Romains, ne se passe pas, elle non plus, de l'expression directe. Et celle-ci, même sous la forme qui paraît la plus dépouillée et la plus élémentaire, l'énonciation pure et simple des faits, peut y prendre les valeurs les plus diverses.

Il arrive au poète, par exemple, de présenter des faits, soit isolés :

> « Les marchands sont assis au seuil des boutiques
> Et regardent (3). »

(1) O. MANNONI, *Mouton Blanc* (Hommage à Romains), p. 50.

(2) Il serait facile, en effet de faire sur la notation des sons, des odeurs, des contacts (Cf. Madeleine Israël, *Jules Romains*, p. 89) des remarques analogues. Nous ne pourrons, de même, que signaler l'association de deux ordres de sensations (visuelle, auditive, etc.) dont les citations précédentes ont déjà fourni quelques exemples. Il semble qu'elle ne tende plus, comme chez Baudelaire, les Symbolistes ou même dans les premières œuvres de Romains, à exprimer des correspondances mystérieuses, mais qu'elle juxtapose simplement deux sensations pures, comme dans un orchestre deux timbres, d'un violon et d'un cor, également nets. Ainsi dans ces vers du *Voyage des Amants* (p. 33) :

« Le milieu de leur face barbue
Tient une pipe courte et fait un bruit de mots. »

(3) *Vie Unanime*, p. 27.

soit joints ensemble :

> « Les promeneurs s'assoient dans l'herbe, près de l'eau.
> Ils grignotent le pain, le jambon, les oranges,
> Et boivent le vin tiède apporté de là-bas.
> Des femmes disent : « Nous sommes bien. Il fait chaud (1). »

pris dans la vie quotidienne, comme faisaient les intimistes. Et, au lendemain du Symbolisme, l'énonciation de faits aussi humbles contribue à replonger la poésie dans la réalité la plus simple, accessible à tous. Mais, même dans ce cas limite, il est rare que de tels faits soient, comme chez les intimistes, présentés seulement pour eux-mêmes. Les boutiquiers assis, les promeneurs du dimanche vont devenir, dans la conscience du poète, les éléments d'un être qui les dépasse. De même la marche de l'Homme Blanc, piéton indistinct et anonyme des grandes villes modernes :

> « L'homme blanc pousse ses pas entre des murs et des roues.
>
> C'est le morose piéton des villes du siècle vingt.
> Il porte un complet veston d'une couleur indécise (2). »

prend, malgré la simplicité de l'expression, un sens général (3), et devient significative de toute une race, à une phase de son histoire.

La présentation de faits par séries, qui transportent constamment l'esprit à des points différents de l'espace ou du temps, fournit des ressources encore plus variées et plus neuves. Tantôt, comme dans ces vers de la *Vie Unanime* :

(1) *Vie unanime*, p. 117.

(2) *Homme blanc*, chant II, p. 65.

(3) Comme pour Hugo le geste du Semeur (*Saison des Semailles, le Soir*).

« L'essieu d'un tombereau grince et le cheval bute,
Au coin du mur un enfant pleure. Il s'est perdu.
Il croit que c'est fini pour toujours...
Beaucoup de femmes ont des crêpes...
Je cherche.
L'enfant pleure,
Le tombereau grince (1). »

elle donne l'impression d'éléments qui se côtoient dans l'ombre, qui ne forment pas encore un tout réel tant que le poète ne les a pas pensés ensemble, n'en a pas fait surgir un unanime. Tantôt, comme dans la série intitulée *Dynanisme,* elle exprime les diverses ondes qui se propagent à partir de l'action la plus petite :

« Un enfant qui jouait au milieu de la rue
A brandi son bâton de cerceau tout à coup, (2)
Par derrière un cheval venait au petit trot...
Le fiacre souplement bondit sur ses ressorts
Et recule. Un cocher qui suivait crispe alors
Ses mains aux guides, puis tire dessus... (3). »

Ou bien, comme dans l'*Homme Blanc,* elle suit dans ses différentes phases, la poussée de toute une race vers les terres nouvelles qui l'attirent :

« Ho ! Ho ! La pulsation. L'avance au pas. La rumeur...
Les plateaux. Le roulement des hauts lieux depuis l'Asie.
Cette langueur du vent d'Ouest. L'amas des choses dorées (4). »

Et, plus que des faits isolés, qui n'apparaissent qu'au regard d'un individu, de telles juxtapositions ou séquences semblent convenir à ces visions d'ensembles qui sont le propre de l'unanimisme.

(1) P. 19.

(2) Notons, au passage, ce germe d'un chapitre, dès maintenant célèbre, des *Hommes de bonne volonté* (tome I, chap. 17).

(3) *Vie Unanime,* p. 102.

(4) *L'Homme Blanc,* p. 53.

Mais surtout l'énonciation de faits, peu significatifs en apparence, quoiqu'ils soient riches de développements spirituels, transporte soudain le poète sur un plan supérieur. Ainsi, par les moyens les plus simples, réussit-il à suggérer l'éveil d'un être collectif :

« Ce sont des gens qui prennent l'air. Il n'y a rien.
Pourtant tout le long d'eux, tout le long du trottoir,
Quelque chose s'est mis à exister soudain (1). »

ou l'échange qui se produit entre deux êtres qui se rencontrent :

« L'homme lève la tête ; il regarde les hommes...
Les hommes n'ont rien vu, mais ils savent soudain (2). »

ou, par delà le cri pacifique du laboureur à ses vaches :

« Ho ! Ho ! Ce n'est qu'un cri de laboureur
Là-bas, pour les bêtes de sa charrue ;
Un Ho ! pour la blonde ; un Ho ! pour la brune,
C'est le cri le plus paisible du monde (4). »

l'antique appel du nomade à sa monture, dans le plus lointain passé d'une race.

Ainsi, comme pour l'évocation du monde extérieur, l'expression directe atteint à des résultats qui la dépassent singulièrement. Et elle y réussit avec les mêmes moyens que nous avons constatés dans l'emploi du vocabulaire : elle tient sa force moins des mots, du matériel de la langue, que de la pensée qui les charge et les anime, qui leur communique, par l'intermédiaire des êtres collectifs, un véritable pouvoir magique. Aussi le poète n'a pas besoin d'autres formes d'expression, aux moments décisifs où, en

(1) *Vie Unanime*, p. 38.

(2) *Un Etre en Marche*, p. 68.

(3) *L'Homme Blanc*. Remarquons l'analogie des tours (rien, pourtant ; rien, mais ; ce n'est que...) pour écarter les apparences et, par delà, atteindre le réel.

éveillant par quelques paroles un groupe à la conscience, il le crée. Telles ces phrases :

« Tu seras dieu comme les autres ; mais oublie
Les hommes que tu fus par la chair et le sang (1) ! »
« Tu seras divine au lieu d'être immense (2). »
« Il faut bien maintenant que tu sois un dieu (3) ! »

où il semble que la pensée, confiante en ses seules forces, se plaise à la formule la plus brève et la plus dépouillée, s'y trouve mieux à l'aise et plus efficace.

⁂

L'emploi de l'expression directe dans les autres œuvres de Romains ou chez ses compagnons d'alors, Chennevière et les écrivains de l'*Abbaye*, donnerait lieu aux mêmes constatations. Et ces résultats concordants fournissent des données assez précises, pour quelques-uns des problèmes qui se posaient, au début du siècle, à la poésie.

D'abord, il apparaît qu'il n'y a plus d'impossibilité matérielle qui limite la poésie, qui écarte un sujet ou un tour sous prétexte qu'il n'est pas poétique. Le poète a droit de dire : *il pleut*, et ne s'en prive pas :

« La pluie tombe sur le cinq-centième jour de la guerre... (4). »

Il prend même le droit de dire :

« Il y a un petit, petit défaut intolérable
Au poste cinq lampes que j'ai payées si cher pourtant.
J'y pense malgré moi ; j'y pense depuis ce matin... (5) »

Et, pour le dire, il trouve dans le rythme, ou dans les simples ressources de la phrase (ici, par exemple, la

(1) *Prières*, p. 116.
(2) *Ibid*, p. 130.
(3) *Ibid*, p. 138.
(4) *Europe*, chant III.
(5) *L'Homme Blanc*, p. 72.

répétition qui exprime une hantise) une diversité inépuisable. Ainsi, bien qu'il rende hommage à « l'héroïque effort » d'un Mallarmé ou d'un Valéry, peut-il s'engager dans une direction différente et, grâce à cette liberté de l'expression, annexer à la poésie une interprétation nouvelle du monde, des groupes humains et de l'individu.

Toutefois le gain pour la poésie serait médiocre, si une telle annexion se faisait seulement en surface. Or les observations qui précèdent laissent entrevoir que Romains ne s'en tient pas là ; que par la notation d'une forme, d'une couleur, d'un mouvement, il veut atteindre une réalité plus profonde, et que, par suite, l'expression directe tend à se dépasser elle-même. Mais ainsi elle rend manifestes ses limites au moment même où elle s'offre, par réaction contre l'art précédent, à supplanter toutes les autres ressources de la poésie. Presque partout (et il en serait de même, à des degrés divers pour les autres poètes d'alors) nous avons dû arrêter nos citations à l'endroit où, après avoir fourni le point de départ, elle se continue par une métaphore ou une figure, indispensable à la suite du développement. Elle menacerait donc, par un emploi exclusif, d'aboutir à une nouvelle rhétorique, celle de la simplicité et de la monotonie, et, faute de pouvoir les traduire, risquerait de laisser dans l'ombre des formes de pensée plus complexes.

CHAPITRE IV

LES IMAGES

De tout temps l'image est apparue comme le moyen le plus clair, le plus rapide, le plus expressif de traduire une pensée dont le mot, réduit au sens premier et littéral, ne peut fournir l'équivalent direct (1). L'Australien qui appelle un livre une moule, parce qu'il s'ouvre et se ferme comme les valves d'un coquillage, l'enfant qui confond un chandelier à trois branches avec une fourchette (2), le paysan ou le soldat romain qui a comparé à un vase *testa* la tête flanquée de ses deux oreilles, ont trouvé le mot qui dessine instantanément une forme ou, dans la multiplicité confuse des apparences, fait surgir un rapport aussi évident qu'inattendu. Et ces analogies, spontanées et naïves, ont pris, par la poésie et la prédication, un développement de plus en plus riche : les comparaisons homériques, les apologues du Bouddha, les paraboles des Evangiles ont, à la faveur d'une

(1) Nous prenons le terme d'image non pas au sens philosophique d'apparence visuelle, sonore, tactile d'un objet, mais au sens traditionnel de la critique littéraire. Nous la considérons donc comme une analogie ou — pour prendre le mot le plus général, comme un rapport soudain apparu entre deux termes, dont l'un au moins est concret.

(2) Cf. Roland DE RENÉVILLE, *l'Expérience Poétique*, p. 150.

ressemblance, esquissé d'innombrables scènes de paix et de guerre, déroulé de véritables petits drames. Ainsi voit-on, depuis la plus ancienne littérature écrite, se préciser les deux principales variétés d'images : la métaphore, ou transfert brusque entre deux termes (l'Aurore aux doigts de rose) et la comparaison, qui se plaît à de plus longs développements et, par des mots spéciaux (ainsi, comme, tel, etc...) rend sensible, jusque dans la liaison grammaticale, le rapport que la pensée a découvert.

Depuis, l'imagination primitive, enfantine ou populaire, n'a plus renoncé à un monde de création si spontané, si efficace (1). Et l'image littéraire, malgré d'innombrables transformations où chaque époque, chaque écrivain ont mis leur marque, n'a cessé — sauf à de rares intervalles — de révéler, entre les êtres et les choses, de nouveaux rapports. Ainsi, avec le déclin du Symbolisme et le retour à un art immédiat, a-t-elle, comme l'expression directe, retrouvé une place prépondérante. A la différence, en effet, du symbole qui, parmi toutes les variétés de relations, n'en retient qu'une, celle de l'idée à un Signe, l'image, par le contact soudain qu'elle établit entre deux termes, quels qu'ils soient — et l'étincelle qui en jaillit — apparaît, plus que jamais, comme l'instrument le plus apte à projeter sur un objet une brusque lumière, à saisir, dans sa fraîcheur la plus neuve, ce monde sensible que le poète du XXe siècle ne se lasse pas de redécouvrir.

Il semble même que, par son affinité avec les mouvements de pensée d'alors, l'image prenne une dignité nouvelle. Elle ne se contente plus, comme à certaines époques, d'ajouter aux choses et au discours un ornement, menu ou démesuré. Ce rapport, si imprévu et fugitif soit-il, qu'elle établit entre deux termes, ne paraît pas, en effet, tenir seulement au capri-

(1) Si une image s'use ou que l'on en perde le sens, dix autres la remplacent : à tête succèdent bobine, bille, patate, boule, citrouille, poire, etc...

ce du poète : il exprime, selon Claudel, « l'existence conjointe et simultanée de deux choses différentes » et témoigne que « chaque chose ne subsiste pas sur elle seule mais dans un rapport infini avec toutes les autres » (1). Et sur une réalité essentiellement mobile et ineffable, que les mots, malgré leur pouvoir d'évocation, ne sauraient exprimer complètement, l'image, ou plutôt la multiplicité des images, braque, selon Bergson, une série de projecteurs et, « par la convergence de leur action, dirige la conscience sur le point précis où il y a une certaine intuition à saisir » (2). Elle impose à la conscience l'espèce d'attention, le degré de tension nécessaire pour qu'elle arrive d'elle-même à l'intuition du réel.

Dès lors le rôle de l'image devient plus complexe. Elle tend moins à représenter des objets (3) qu'à produire ce choc « que la nature crée dans un esprit, lorsqu'il contemple tel de ses aspects » (4). Et, tout en évoquant le monde, elle prétend agir sur les êtres, les mettre en telle ou telle disposition. De là son emploi privilégié, pour les poètes qui, au début du siècle, voulaient à la fois rendre les choses immédiatement présentes et atteindre directement des âmes.

***

(1) *Art Poétique*, p. 46 et 48.

(2) BERGSON, *Introduction à la Métaphysique*, dans *La Pensée et le Mouvant*, p. 185. Dans une telle conception, plus les images sont nombreuses et disparates, empruntées aux ordres de choses les plus divers, plus elles sont efficaces, car on empêche « l'une quelconque d'entre elles d'usurper la place de l'intuition qu'elle est chargée d'appeler, puisqu'elle serait alors chassée tout de suite par ses rivales » (*Ibid.*, p. 186.)

(3) Bergson soutient même que l'image ne montre pas, et qu'elle met simplement la conscience « dans l'attitude qu'elle doit prendre pour faire l'effort voulu et arriver d'elle-même à l'intuition. » (*Ibid.*, p. 186.)

(4) Henri MATISSE, *Nouvelles littéraires*, 11 Octobre 1945. Cette formule, due à un peintre, témoigne une fois de plus de l'affinité entre la littérature et les arts plastiques, à l'époque où se reporte Matisse.

Il ne saurait être question, ici, de passer en revue les images créées par Romains. Leur nombre (1), pour les seules œuvres poétiques, dépasse deux mille (2). Il égale ou dépasse celui de tous les autres moyens d'expression. Elles se développent dans les sens les plus divers : qu'il nous suffise, dans quelques-unes de ces directions, de considérer les plus caractéristiques.

Ainsi le poète évoque la marche du temps, le déroulement des jours, des mois, des saisons :

« ...ces vieillards
En qui le temps s'allonge, étant l'ombre d'hier. »
(E. M., 13).
« J'arrive triste, cependant, et chargé d'heures
Comme un soleil couchant. » (E.M., 160).
« Ce chemin qui s'en va, jaune comme un Octobre. »
(E. M., 33).

le jeu de la lumière ou la fuite des astres :

« Je vais jusqu'aux recoins
Comme un soleil couchant. » (E.M., 160).
Vous glissiez l'un contre l'autre
Comme deux astres fuyards. » (10 A., 93).

Il garde le souvenir de son Velay natal, du rude pays de basalte et de lave :

« Le temps montre et déploie des aspects brûlés et rompus.
L'événement y durcit comme une lave difforme ;
Et la route de l'homme est un couloir dans les scories. »
(10 A., 141).

(1) Je remercie mon ami J.-L. Crémieux, qui a bien voulu m'aider à les recenser et les mettre en fiches.

(2) Dont un millier pour la *Vie Unanime*, à elle seule. La moyenne varie pour les ouvrages suivants. Le total est encore de plusieurs centaines pour l'*Homme Blanc*. Mais, pas plus que pour le vocabulaire, on ne peut faire de véritables statistiques : la limite restant arbitraire entre l'image et d'autres moyens d'expression.

Il est attentif aux mouvements de l'air :

« Une gaieté pareille à l'haleine d'avril. » (V. U., 94).
« Laisse tout mon souffle qui te crée
Passer comme le vent de la mer. » (O. P., 170).

ou de l'eau :

« Le trottoir frémit
Comme l'eau d'un lac. » (E.M., 116).
« Cette mort-là serait douce comme l'eau pure. »
(V. U., 61).

Et par cent autres images, qui s'échelonnent depuis l'atome jusqu'à la nébuleuse, il dispose le décor du monde.

Il y distingue, avec l'œil du paysan et du botaniste, les aspects divers de la végétation. Elle lui fournit, soit des formes bien définies :

« Ma vie autour de moi s'étire ; elle devient
Plus mince vers le bord comme les feuilles d'eau. »
(O. P., 103).
« Voyage tordu comme cep. » (10 A., 38).

soit des rapprochements moins précis :

« La joie
N'étonne plus et semble une fleur naturelle. » (V. U., 90).

où l'indétermination crée la surprise. Mais surtout, comme en ces vers :

« La terre a la fraîcheur d'une jeune corolle
Que la vitesse arrose et qu'elle épanouit. » (V. U., 196).

« Mais la voix monte à travers tout
Comme une plante brise-pierre. » (10 A., 42).

le poète se plaît aux phénomènes les plus simples et généraux, par où se manifestent quelques mouvements essentiels.

Le monde animal lui offre des images plus nombreuses. Les unes évoquent des formes :

« Des tonneaux sur la berge arrondissent l'échine. »
(V. U., 182).

ou des contacts :

« Mais le soir touche à nous comme un naseau humide. »
(10 A., 11).

D'autres, moins déterminées, s'appliquent à des sentiments :

« ...il ne passe
Que des frissons bas et peureux comme des chiens. »
(E. M., 84).

Et d'autres fixent, comme en ces vers :

« Des mots, comme les frissons d'un corps au réveil,
Ondulent... » (V. U., 68).

« Ecoute le dehors qui pépie et murmure. » (V. A., 11).

des gestes, des attitudes, des actions que le poète a pu observer ou même, comme en cet exemple :

« Ma vie est là, toute petite,
Comme un oiseau saignant des ailes
S'effare au centre du désert. » (E. M., 154).

imaginer en dépassant, selon sa tendance familière, les limites trop étroites de la sensation.

L'infinie diversité de l'outillage humain offre un champ non moins vaste. Romains y choisit des objets de toutes tailles et de toutes formes :

« Les bicyclettes glissent comme des aiguilles
Dans de l'étoffe. » (V. U., 165).
« Les jambes que possède un mécanisme sûr
Se relèvent ensemble et retombent ensemble.
On croit voir manœuvrer une immense tondeuse. »
(V. U., 135).

de tous âges et de tous pays :

> « L'horizon montagneux
> Me serrait comme un casque. » (O. P., 24).
> « O nuits en métal noir
> Qui étiez faites comme les gongs et les cloches. »
> (10 A., 31).

Mais il admet aussi les plus récents :

> « Nous allons vers demain et nous quittons hier
> Comme un train qui s'ébranle et qui sort de la gare. »
> (V. U., 240).
> « Quand le soleil aura descendu sans secousses
> Comme un ballon captif dont le câble s'enroule. »
> (V. U., 117).

comme pour invoquer l'époque actuelle et lui demander son témoignage.

Si variés que soient ces exemples, il semble que l'on puisse leur trouver un caractère commun. Même les plus imprévus ne nous changent pas de notre milieu habituel : dans le décor que fournissent les quatre éléments, nous retrouvons la végétation et les animaux familiers, et les objets les plus usuels. Le poète n'a besoin ni de cristal, ni de marbre, ni des raretés que le Parnasse ou le Symbolisme empruntaient au blason ou aux techniques les plus subtiles. Continuant la tradition homérique, il prend ses images à même la vie quotidienne. Mais, en la parcourant dans les directions les plus diverses, à la lumière de l'intuition immédiate, il la découvre, l'explore tout entière et s'annexe ainsi un véritable monde.

Les exemples qui précèdent, même multipliés, ne pourraient que dénombrer ce monde : ils ne suffiraient pas à le définir. Ils ne peuvent en effet, se répartir, comme pour l'univers d'autres poètes, en catégories naturelles, englobant des séries bien limitées de phénomènes, visuels, sonores, etc... où l'on introduit même des subdivisions : lumière, couleur, relief, etc... Rarement les images de Romains offrent des traits aussi simples. Et il semble que l'on doive, pour en chercher le sens, suivre une tout autre direction.

Ainsi, qu'il s'agisse de la marche du temps ou des astres, des mouvements de l'eau, de l'air, de la végétation ou de la vie animale, on constate que presque aucune des images relevées précédemment n'évoque un objet, un état ou une qualité fixe. Même celles qui devraient donner une impression d'inertie, puisque le poète les tire de l'outillage humain, une cheminée, une route, représentent, comme en ces vers :

> « Les cheminées debout font tournoyer en l'air
> Leur fumée, et menacent de fouetter le fleuve. »
> (V. U., 183).
>
> « Comme un fil souple au bout d'une aiguille d'acier
> Les routes s'insinuent à travers les limites
> Et cousent vivement les morceaux d'étendue. »
> (V. U., 214).

moins des états que des gestes, des actions, des tendances. Elles plongent dans cette mobilité, cette durée vivante qui apparaît à la pensée d'alors, celle de Bergson par exemple, comme le fait essentiel, l'étoffe même de la réalité. Aussi peuvent-elles venir de n'importe quel point du monde ou des êtres, et revêtir une variété imprévisible : elles sont l'expression immédiate, sans cesse et inlassablement renouvelée, d'un univers en perpétuel devenir, dont une représentation statique n'offrirait qu'une vue inexacte et déformée.

L'homme, naturellement, emplit de sa présence un tel monde. Il y apparaît, comme en ces exemples :

> « Europe !
> Comme un bras nu de paysan
> Plonge dans un boisseau d'avoine
> J'ai fouillé dans ton épaisseur. » (10 A., 27).

« L'univers marche ayant la tête dans un sac. »
V. U., 33).

« Le jour restait dehors
Comme un homme étranger. » (O. P., 16).

« Tower-Bridge en deux, dont les moitiés supplient
le ciel. » (10 A., 41).

sous les éclairages et les prises de vue les plus divers. Ses gestes ou attitudes s'organisent pour composer de véritables scènes :

« Et c'est avec effroi que je porte mon sang
Comme une fille en pleurs cache son enfant mort. »
(O. P., 153).

« Sens le doux avenir
Te souffler sous la joue
Comme un petit enfant
Qu'on embrasse dix fois. » (V. A., 36).

Et des scènes du même relief peuvent, comme en ces vers :

« Et je dormirais aux bras
D'un rêve grand comme un dieu. » (O. P., 74).

« Le regret le plus lourd
Danse dans le fourgon. » (V. A., 29).

évoquer des faits ou des sentiments d'ordre purement spirituel.

Aussi Romains peut-il, comme les poètes symbolistes, renversant le sens habituel des images, recourir à l'abstrait pour évoquer le concret (1). Des degrés apparaissent, d'ailleurs, laissant entrevoir, entre les deux ordres, tous les intermédiaires. Certains termes restent encore proches des données sensibles :

« Mais la chaussée et les trottoirs,
Le ciel les avait devant lui
Comme une offrande solennelle. » (V. A., 55).

(1) Nous avons vu, au chapitre précédent, s'affirmer la tendance contraire : aller droit aux choses et, par elles, suggérer des états d'âme. Ainsi apparaît, une fois de plus, la complexité de l'art de Romains.

D'autres s'engagent en plein monde intérieur :

« Des chemins nous sont remis
Comme d'étranges pouvoirs. » (10 A., 109).

Et ce monde se manifeste par des images comme celles-ci :

« Les hommes
Ressemblent aux idées qui longent un esprit. »
(V. U., 39).

« Et nous, jaillis de plus loin, comme un aveu plus hardi. » (10 A., 40).

dans ses diverses dimensions, avec la même réalité que le monde sensible.

On voit donc avec quelle agilité les images dessinent, sous la plume de Romains, quelques-unes des tendances de son univers. Monde où les formes sont déjà des gestes, d'une action qui s'ébauche et se développe. Et cette action peut se révéler par des apparences, visuelles ou autres. Mais elle les dépasse. Le poète la considère en elle-même, avec cette sympathie qui le fait pénétrer et cheminer à l'intérieur des choses et des êtres. Il la présente dans sa généralité la plus grande et, l'imprégnant de pensée humaine, en dégage le sens spirituel.

***

On entrevoit ce que les images, ainsi orientées, peuvent apporter à l'expression de la vie unanime. Toutes celles-ci, par exemple :

« ...en rangs si distendus qu'un ordre
Jeté soudain leur donne un vibrement de cordes. »
(V. U., 69).

« Le rythme sort de lui comme un rayonnement. »
(V. U., 121).

que le poète tire des phénomènes d'ondulation, de rayonnement, etc... apparaissent singulièrement aptes à figurer les mouvements des groupes, les changements qui se font dans leur masse et leur âme. De même l'eau offre sa mobilité, son ruissellement, sa fluidité :

« Des sources coulent par les couloirs
Et se répandent sur les trottoirs
En giclées d'hommes. » (V. U., 128).
« Et tes rangs noirs partent de moi comme un reflux. »
(O. P., 163).

pour traduire les mouvements d'hommes qui se rejoignent, le milieu humain où l'individu baigne, l'union mystique entre les êtres. Les phénomènes d'osmose, de saturation, de porosité, de dissolution interviennent, comme en ces exemples :

« Voilà que par osmose
Toute l'immensité d'alentour le sature. » (V. U., 41).
« ...fondre dans la mort
Comme de l'or dans l'eau régale. » (V. U., 244).

et expriment la fusion de l'individu dans le groupe, du groupe dans un ensemble plus vaste. Mais d'autres y concourent également. Ainsi, par ces vers :

« ...Cette brume moite
Où je voudrais monter comme un feu qu'on allume. »
(O. P., 154).
« Tu n'es que cette brume où monte ma fumée. »
(O. P., 154).

le poète convoque, pour les mêmes effets, la brume, la fumée, les nuages.

La vie végétale ou animale fournit, dans la même direction, une infinie variété d'analogies. Les mouvements de l'herbe, l'abandon d'une plante à la pesanteur évoquent le jeu des forces qui parcourent un groupe :

« Ils se redressent tous, comme un gazon couché
Qu'on arrose. » (V. U., 100).
Les rues, grappes de métiers. » (10 A., 132).

Les organes des êtres vivants éveillent de multiples correspondances dans la vie collective :

« Le désir d'embrasser sert de bras à la foule,
Elle en saisit son Dieu pour l'appliquer contre elle. »
(V. U., 86).

« Il se fait des poches de foule
Qui pendent molles et tremblantes,
Et le pouce y enfoncerait. » (V. A., 15).

Et leurs mouvements, comme en ces exemples :

« J'entendrai comme un essaim noir
Tourner une absence innombrable. » (O. P., 76).
« Voilà l'heure enfin, âmes d'hommes, hirondelles,
Voici l'heure de vous rassembler en criant. » (10 A., 149).

manifestent les analogies entre les groupements d'êtres, à tous les étages du réel.

Les diverses manifestations de la vie humaine ont, naturellement, un rôle privilégié. Les unes, comme nous venons de le voir pour les animaux, évoquent des organes ou des fonctions :

« Une levée aux doigts plus croches
A saisi les adolescents. » (10 A., 83).

D'autres, des gestes ou des expressions :

« Le troupeau glisse au bord de la ville ;
Il coule menu, tiède, gonflé,
Comme une larme sur une joue. » (V. U., 72).
« Quand la ville, grand sourire de l'horizon,
Est apparue... » (V. U., 128).

D'autres enfin, comme en ces vers où parle une ville :

« Et j'ai froid, comme si mon cœur se morcelait. »
(V. U., 89).

traduisent des pensées strictement individuelles et peuvent être considérées plutôt, ainsi que nous le verrons plus loin, comme des variétés de la personnification. Ces assimilations d'un groupe à une personne humaine manifestent, on le sait, la tendance essentielle de l'unanimisme. Ainsi voyons-nous ce monde d'images graviter autour d'une pensée centrale, qui est sa raison d'être.

Un tel mouvement — les exemples précédents l'ont suffisamment laissé entrevoir — semble singulièrement complexe. Il n'est peut-être pas impossible, néanmoins, d'en dégager les principaux modes.

Certains rapprochements :

« Emmanchée au couchant une lame d'azur
Se pose sur le tronc de la ville et l'entame. » (V. U., 186).
« Vivre en tant de morceaux que le rythme des choses
Ne puisse m'obliger à bondir dans son van. » (V. U., 204).

créent — comme c'est le propre des images — la surprise, mais moins par une intuition brusque que par un effort de vision ou, comme en ces analogies :

« Nous avons décharné le monde
Fait par fait, soleil par soleil,
Mais les lames fortes des sciences
S'ébrèchent contre le squelette.
Quand on les retire, elles ont
Une senteur d'astres pourris. » (V. U., 35).

par une obstination à suivre l'image, une volonté de métaphore continue. D'autres, moins laborieux :

« Et le groupe, amusé par les zigzags des sons,
Laisse courir son cœur après ces papillons. » (V. U., 132).
« Un tunnel va nous gober. » (V.A., 132).

donnent une note spirituelle, humoristique, à la manière d'un Jules Renard (1). Ceux-ci enfin :

(1) De telles images se multiplient dans les œuvres en prose, en particulier les récits comiques. Ainsi dans *Les Copains* :
« Le vin... s'échappa comme une brusque diarrhée. » (P. 9).
« La salle le pondit comme un œuf. » (P. 10).

« Mon corps n'est pas une charpente boulonnée
Dans l'enchevêtrement d'un corps supérieur. »
(V. U., 201).

« Les mouvements de la matière et de la vie
Ont le pas grave, et sentent qu'ils sont les aïeux
Des mouvements hâtifs dont frémissent les hommes. »
(V. U., 216).

ont surtout une valeur démonstrative et rappellent la formation philosophique du poète. Mais, si varié que soit le mouvement de la pensée dans ces divers exemples, ils manifestent la présence de l'écrivain, sa volonté qui violente, comme pour les rapprocher malgré eux, les deux termes de la comparaison.

Une telle tendance se montre surtout dans les premières œuvres. Mais, dès la *Vie Unanime,* on peut en dégager une autre, qui s'affirmera de plus en plus. Il semble, en effet, que dans ces vers :

« Ses forces, maintenant, il leur pousse des ailes,
Elles sont des alouettes que le soleil
Rend folles et qui montent vers lui en chantant. »
(V. U., 106).

« Les mots que je te dis...
Ils pénètrent en rangs dans les têtes penchées,
Ils s'installent brutalement ; ils sont les maîtres,
Ils poussent ; ils bousculent ; ils jettent dehors
L'âme qui s'y logeait comme une vieille en pleurs. »
(O. P., 165).

le poète laisse sa vision se développer toute seule et foisonner, s'abandonne aux mouvements, aux poussées, aux frémissements que lui-même suscita. Et ces images plus spontanées ne paraissent pas les moins efficaces.

Il en est de même lorsqu'elles touchent, de plus près encore, à sa vie personnelle. Alors aussi il donne libre cours à sa sensibilité secrète :

et les 18 images sur la forme des départements français, etc. Plus généralement, on pourrait vérifier que la nature des images varie avec le ton de chaque œuvre.

« Elle (la petite ville) émeut délicatement, comme une femme
Qu'on vient d'apercevoir, qu'on se sent près d'aimer ;
Et qui vous donne dans un seul de ses regards
Le soin d'approfondir son âme et son passé. »
(V. U., 229).

à ses souvenirs d'enfance :

« Comme un pâtre devant sa lande incendiée
Recule en regardant la flamme s'élargir,
Les dieux qui nous cernaient font un pas en arrière. »
(O. P., 97).

à sa rêverie qui parfois évoque des figures gracieuses :

« ...un piano recommence
Sans fin la même mélodie
Qu'on voit paraître et disparaître
Comme à travers une forêt. » (V. U., 169).

mais plus souvent, comme en ces vers :

« Suis-je pas continué
Par quelque immense banlieue
Que le soleil de l'été
Ne pourrait pas réjouir ;
Où les mouvements du monde
Se hâteraient sans me voir,
Comme dix mille ouvriers
Que rappelle une sirène ? » (O. P., 40).

se plaît aux visions toutes proches, et façonne le grand paysage urbain qu'il a constamment sous les yeux. Et par cet abandon heureux les images entrent, d'elles-mêmes, dans l'ensemble de la vie psychique, suivent le courant de pensées, le « fleuve » du moi qui, tout en avançant, se souvient, s'émeut, rêve (1).

(1) Ainsi pourrait-on, par la seule étude des images, concevoir, selon Freud, Marie Bonaparte ou Bachelard, toute une psychanalyse de Romains, qui pénétrerait dans sa vie subconsciente ; mais d'où, vraisemblablement, tout élément morbide, tout « complexe d'Œdipe » serait absent.

***

Volontaire ou spontané, on voit combien ce « tournoiement majestueux d'images », ainsi incorporé et vraiment consubstantiel à la vie du poète, ajoute non seulement à l'expression directe du monde, mais au monde lui-même.

L'image qui établit entre deux termes des rapports aussi inattendus, ne rafraîchit pas seulement notre vision des choses : elle les recrée et les reconstruit. Tous les rapprochements que nous avons cités, d'autres encore tels que ceux-ci :

« ...La nature,
Le grand buvard fait de ciel
Et de terre qui résorbe
Le rêve individuel. » (V. U., 211).
« Il nous fallait un été
Bâti sur quatre pilastres,
Une journée en coupole
Où le pas fût un écho. » (10 A., 116).

témoignent que le poète, après les splendeurs et les grandes fresques de l'imagination romantique, après les visions subtiles et fuyantes du symbolisme, va dans le sens des peintres constructeurs et, plus généralement, d'une génération intellectuelle qui, tout en restant près du réel, prétend l'organiser, l'élaborer par une intervention efficace de l'esprit : abstraction, construction, synthèse.

Mais en puisant — comme on l'a vu par tant d'autres exemples — l'un des termes du rapprochement dans le plus profond de sa sensibilité et de sa mémoire, dans les plus secrets de ses rêves, il laisse transparaître, au travers de l'image, comme autant de confidences presque involontaires qui sont, avec l'annexion à sa pensée de tout l'univers sensible, l'autre butin de ces grandes aventures spirituelles.

CHAPITRE V

LES FIGURES

L'image, si nombreuses qu'en apparaissent les ressources, n'est pas le seul moyen de dépasser l'expression directe. La pensée, du moment qu'elle ne se satisfait plus du sens littéral des mots, peut leur imposer d'autres emplois, et se lancer avec eux dans d'autres directions. Elle les fait passer du concret à l'abstrait, ou inversement. Elle étend ou restreint, renforce ou affaiblit leur sens. Par l'ironie ou l'antiphrase, elle les amène à signifier leur contraire. Par la syllepse et l'ellipse, elle les dépasse ou même les supprime. Elle prend ainsi les mots comme de simples points de repère, sur un trajet toujours imprévu. Et, faisant violence à eux-mêmes ou à leurs rapports, elle atteste sa force continuelle de jaillissement et de création, son impatience vis-à-vis d'une matière imparfaite, d'un outil sans cesse à reviser.

De telles opérations, si complexes qu'elles paraissent, ne sont pas récentes. Les idiomes les plus anciens en gardent les traces. Les langues indo-européennes et sémitiques en offrent toutes les variétés, personnifiant les divers aspects de la nature : la Lumière du Jour, le Brillant (1), exprimant par des choses une idée abstraite (2) ou une action imma-

(1) Dios, Phoibos, devenus en grec des noms de divinités.
(2) Pecunia, le bétail qui a pris en latin le sens de « bien », « fortune ».

térielle (1) : on peut y suivre, dans toutes ses phases, ce travail de la pensée sur une matière qu'elle ne cesse de pétrir. Et, de nos jours, la langue commune témoigne qu'un tel travail n'est (pas plus que pour les images) l'œuvre exclusive des écrivains. Sans doute contribue-t-elle à affaiblir les mots, soit par simple usure (gêne, charme), soit par la violence de l'exagération (mille fois, porter aux nues). Mais elle sait aussi bien, quand il le faut, se faire discrète et voilée. Elle juge avec réserve (ce n'est pas un aigle) ou malice (il n'a pas inventé le fil à couper le beurre). Et, autour du malheur, elle déploie par des tours comme : c'est fini — il n'est plus — il a cessé de souffrir — il est tombé au champ d'honneur — ses périphrases d'atténuation et de consolation.

La littérature, non moins que la langue commune, a de tout temps recouru à ces façons détournées d'exprimer la pensée, que les rhéteurs et les grammairiens ont appelées tropes ou figures, et qu'ils se sont plu à répartir en catégories, en divisions plus ou moins subtiles. Mais, comme il est arrivé pour les images, ces façons détournées ne sont pas restées de simples moyens d'expression : elles sont devenues — du moins les principales d'entre elles — des démarches de la pensée elle-même. L'allégorie a fourni aux moralistes, aux prédicateurs, aux poètes du moyen-âge (et, à leur suite, aux imagiers et aux peintres) une représentation vive et édifiante des Vertus, des Vices, des principaux aspects de la vie morale ; et l'on sait assez l'emploi que la poésie du XIXe siècle a fait d'une figure voisine, le symbole. De tout temps, enfin, les figures ont rendu possibles, par des rapprochements de termes comme :

> « Les silences amicaux de la lune (2). »

ou :

> « Le vert paradis des amours enfantines (3). »

(1) Les *voies* de l'Eternel.
(2) Virgile, *Enéïde*, II, 255.
(3) Baudelaire, *Mœsta et errabunda*.

les transmutations surprenantes, les passages brusques d'un étage à l'autre du réel.

Aussi, pas plus que les images, les figures ne doivent être considérées comme des ornements adventices. Entrées depuis longtemps dans la vie mentale, elles répondent à des exigences non moins impérieuses. Elles opèrent, sur l'homme et le monde, un travail d'organisation, de transformation dont les remarques précédentes laissent entrevoir l'importance. Et si, après un emploi presque abusif du symbole, la poésie, au début du siècle, s'est retournée vers des moyens plus directs d'expression, il suffit que surgisse une représentation complexe des groupes humains et du monde pour que, de nouveau, les figures aident la pensée poétique à prendre corps.

Nous avons relevé ailleurs (1) l'usage traditionnel que Romains a fait des figures : en particulier de celles qui, comme l'antithèse, par une disposition spéciale des mots ou de l'idée, donnent à celle-ci plus de force ou de relief. De tels emplois, pas plus que certaines images, ne dérivent de sa conception propre des hommes et des choses. Ils représentent la part d'influence ou même (par exemple pour les figures comiques) de fantaisie qui se glisse entre la pensée et l'écriture. D'autres, au contraire, plus étroitement liés à sa vision propre, contribuent à en fournir l'expression la plus juste et la plus vive.

Ainsi la comparaison et la métaphore ne sont pas, pour Romains, les seuls moyens de donner une représentation concrète des faits spirituels. Et, sans recourir à l'analogie, ou, du moins, sans la préciser ni la développer, il trouve, de l'esprit à la matière, bien d'autres passages. S'il lui arrive d'écrire directement:

« Nous ne permettrons pas à l'âme d'avoir mal. »
(V. U., 242).

(1) Chapitre I.

des alliances de mots comme :

« Mon âme s'accumule contre mon front. » (E. M., 184).

ou :

« La salle est vide encor d'esprit. » (V. U., 64).

présentent, d'une façon plus expressive, l'idée d'une substance contenue dans un récipient. Et de tels rapports peuvent même en ces exemples :

« La pension rêve de soi dans tous les crânes. »
(E. M., 84).

« Je formais un désespoir
Dont mon corps avait besoin. » (O. P., 63).

s'établir entre des termes plus particuliers, qui rendent l'alliance de mots plus forte et plus brusque.

L'âme prend ainsi forme. On la voit, en ces vers :

« C'est aux confins de nous que les lampes ont lui
Par une volonté dont je tiens le milieu. »
« Les songes qui saoulaient ma tête
Redescendent au fond de moi. » (O. P., 46).

avec une surface, un milieu, un fond. Elle peut également, comme en ceux-ci :

« Mon âme en haut de moi s'allonge. » (V. U., 177).
« J'avais alors une tristesse
Pareille à celle d'aujourd'hui,
Plus basse même, plus étroite,
Tout entière bornée aux murs. » (O. P., 85).

se dilater ou se rétrécir ou, ailleurs :

« Foule ! Ton âme entière est debout dans mon corps »
(O. P., 169).
« Une joie agrandit mon corps (1). » (O. P., 136).

(1) Remarquons, dans plusieurs de ces exemples, l'emploi de l'indéfini *un* qui, placé à côté d'un mot abstrait (volonté, tristesse, joie) le matérialise.

prendre une position et même modifier les dimensions d'un être.

Dès lors tous les mouvements de l'âme, se déployant comme dans l'espace, peuvent s'exprimer en termes concrets. Elle « jaillit çà et là » (1), s'élance hors du sommeil et du silence. Elle a des gestes, des trajets, des changements de forme et d'état qui, notamment dans *Mort de Quelqu'un,* constituent la substance même de l'œuvre. L'image de Jacques Godard, qui « existe à peine par les autres », flotte un instant dans la mémoire de ses anciens camarades et « profite de ces charités du souvenir ». Dans le Velay, chez ses vieux parents, elle « emplit la grande cuisine »et, l'été, ils la font « revenir tout doucement, entre eux, entre le timon du char et la chaise disjointe » (2). Après la mort, elle « se glisse » parmi les rêves, va d'un voyageur à l'autre, « se mêle à tout », se laisse dissoudre », puis soudain « se ramasse » (3). Aux obsèques, elle « profite de la cohue » où elle est « comme prise par la main » (4). Et il en est de même jusqu'à la fin du livre, où le mort, paraissant une dernière fois, parle et se plaint au passant qui, seul encore, pense à lui. Ainsi l'image de Godard, lutin agile, va et vient d'une âme à l'autre, d'un individu à un groupe. Et ces mouvements, qui tous s'expriment par l'alliance d'un verbe avec un terme concret, dépassent l'emploi habituel d'une simple figure, la métonymie ; ils impliquent une opération d'une portée plus vaste.

De telles alliances de mots, en effet, ne tendent pas seulement, comme chez d'autres poètes, à suggérer, par le concret, une réalité posée, dès l'abord, comme immatérielle. Elles appréhendent la spiritualité, lui donnent une apparence visible, tangible. Elles continuent le travail de l'imagination primitive, pour

(1) *Mort de Quelqu'un,* p. 117.
(2) P. 8, 10.
(3) P. 94.
(4) P. 165.

qui le double se distinguait à peine du corps ; ou médiévale, qui donnait à l'âme une forme corporelle. Selon la même tendance, mais avec d'autres moyens, empruntés à l'observation scientifique, et avec une précision presque brutale (1), elles représentent la marche d'une idée, les aventures d'un souvenir. Elles manifestent, par ces rencontres entre termes venus de l'espace et termes venus de la conscience, l'une des conceptions essentielles de Romains, celle qu'il se fait des rapports entre la matière et l'esprit : l'espace, selon lui, n'étant pas, « par nature, plus étranger que le temps à la structure de la réalité spirituelle » (2).

***

Aussi la démarche inverse, de la matière à l'esprit, n'est pas moins familière au poète, et elle fait éclore d'autres figures également variées et imprévues.

Les vers suivants :

« ...le couloir
Me tend de l'espace à piétiner. » (E. M., 93).
« La tranchée approche ses murs. » (E. M., 26).

éveillent, par le choix du verbe, l'idée d'un mouvement qui n'est pas un simple déplacement dans l'espace, mais une offre ou une réponse de la matière à l'être conscient. D'autres, tels que ceux-ci :

« Les frissons de l'éther partent en trépignant. » (V. U., 97).
« Un effluve accourt du rez-de-chaussée. » (V. U., 170)

animent le mouvement, lui donnent forme et geste. D'autres enfin, comme :

(1) Cf. « Un brouillard épais où grouillaient des rêves » (p. 123) ou « l'étalement visqueux du sommeil » (p. 126) et les commentaires de Leo Spitzer dans *Le Français moderne*, octobre 1935.

(2) *Nouvelle Revue Française*, août 1939, p. 186.

« La lueur aide un arbre à vouloir le printemps. »
(V. U., 98).
« Ni les arbres qui n'ont jamais assez de feuilles
Pour lécher les rayons et sentir la lumière. » (E. M., 35).

semblent pénétrer la vie végétale et rendre conscientes les tendances les plus obscures de l'être.

En suivant la même direction le poète imprègne d'humanité la matière inerte ou vivante. Les mouvements ont des attitudes et des sentiments :

« Sur le trottoir les mouvements sont droits et glissent ;
(E. M., 11).
Le plaisir de durer leur donne des frissons. »

Les cellules sont ivres, l'air inquiet, le soleil plein d'amour :

« Chaque cellule devient ivre
Et veut danser pour elle seule. » (E. M., 31).
« Et par l'air inquiet qui cherche un équilibre. »
(V. U., 211).
« Et les jardins dont le soleil aime les murs. »
(V. U., 113).

Et même, avec des vers tels que ceux-ci :

« La campagne végète avec recueillement » (V. U., 57).
« Le dehors a pensé...
Il fait divin. Il fait clair de lune. » (V. U., 50).

la nature est pénétrée d'impressions religieuses, et, par delà l'individu, des formes nouvelles de pensée s'ébauchent.

Dans de telles figures le choix ou le retour spontané de termes comme : mouvement, pulsation, palpitation, tension, énergie, effort, désir, sont significatifs. Ils impliquent des tendances, de continuels changements d'état, et, sous les aspects les plus divers, les manifestations d'une force unique. Et les verbes qui les unissent et jouent le rôle essentiel montrent, plus clairement encore, comme en ces vers :

« Et *changent* en désir de puissance et d'étreinte
Toute la force insoumise qui fait grincer
Les essieux... »
« Il (le mouvement) se *transforme* en eux...
Puis il *devient* le pas vif des adolescents...
Il *devient* la pulsation vertigineuse... » (V. U., 112).

ce que ces alliances de mots ont de spécifique. Il ne s'agit plus, comme dans les images, d'une analogie, d'un rapport de ressemblance. Le poète découvre et chante des transformations soudaines, de brusques passages d'un ordre d'activité à un autre : de la tension à la clarté, de la force au désir, de « l'inerte dehors » à « l'intérieur » (V. U., 227). Et les figures sont l'instrument de choix qui révèle, ou même qui détermine ces transformations.

Sans doute retrouve-t-on, dans ces divers exemples, l'une des tendances les plus anciennes de l'esprit humain, par où il donne vie, sentiment, intention à tous les phénomènes naturels. Mais l'on n'y reconnaît ni l'animisme ingénu du primitif, ni l'enthousiasme lyrique du romantisme. Ils révèlent un animisme volontaire, qui n'est pas dupe de lui-même, par où le poète refait, en sens inverse, le trajet que précédemment, de l'esprit à la matière, nous l'avons vu suivre. Et ils expriment une conception inhérente à l'unanimisme, dont nous avons ailleurs (1) étudié le détail, selon laquelle, des juxtapositions d'atomes aux structures cellulaires, aux sociétés animales, aux groupes humains, la réalité se dispose en une série d'étages, en une hiérarchie d'ensembles, que la pensée ne cesse, par un continuel va-et-vient, de parcourir.

***

Les rapports entre le moi et les êtres collectifs, leurs variations mouvantes que le poète ne se lasse d'éprouver et de traduire, suscitent, naturellement, d'autres variétés de figures.

(1) Tome I, 2e partie, chap. 8.

Ainsi se représente, en ses différents aspects, la fusion du moi dans un ensemble. Tantôt, comme en ces exemples :

> « Une foule d'intrus m'envahit et m'habite. »
> (V. U., 149).
>
> « La ville me caresse avec un bruit de fiacre. »
> (V. U., 158).

où l'individu reste passif et s'abandonne à l'unanime, le choix des verbes (caresse, envahit) indique la diversité des actions qu'il peut subir. Ailleurs, au contraire :

> « Ma conscience ira jusqu'où vont tes fumées. »
> (V. U., 178).
>
> « Je veux les trois chevaux dans mon être désert,
> L'homme, le tombereau plein de meulière rouge
> Au fond de moi. » (V. U., 156).

l'emploi de verbes de tendance ou le retour constant du verbe *vouloir* avec des compléments imprévus, témoigne du rôle actif du moi. Et lorsque, d'une façon ou de l'autre, la fusion s'est faite, comme en ces vers :

> « Je n'ai plus de passé, d'avenir ni de sort,
> J'ai de la joie et du bon néant dans la gorge. »
> (V. U., 165).
>
> « L'ombre que je deviens monte et se continue
> Avec un dieu plus gros d'éclairs que la nuée. »
> (E. M., 136).

l'emploi de la négation qui supprime la vie individuelle, et le rapprochement de termes comme « bon néant » et « gorge », « se continue avec un dieu » montrent la profondeur et la rapidité d'une action d'où le moi va sortir transformé.

Dès lors, en effet, c'est l'identité complète entre l'individu et l'être collectif. Et, comme dans tout mysticisme, elle s'exprime par l'emploi du verbe *être*, qui sert de copule entre les termes les plus inattendus. Car le poète ne se contente pas d'écrire :

« Je suis un peuple en fête, un dimanche d'avril. »
(V. U., 140).
« Et je suis du bonheur en marche vers le soir. »
(V. U., 154).

où il s'en tient encore à des sentiments généraux. Le souci de traduire l'impression immédiate, même la plus fugitive, l'amène à ces identifications plus précises et concrètes :

« N'étant plus moi, je ne sens plus ce qui me touche ;
Ma peau, c'est le trottoir de la rue et le ciel. »
(V. U., 154).
« Mon âme, c'est la rue au soir qui se recueille. »
(V. U., 155).

Et, pour rendre sensible le passage de toutes les forces, de toutes les vibrations qui le traversent, comme en ces vers :

« Sur les deux épaules
Je suis pris
Par des crics.
Une grue
Me jette aux chalands
Et je pars. » (E. M., 122).

il doit, renonçant au verbe *être* qui suggère encore une idée intermédiaire, servir lui-même de sujet au verbe passif ou d'objet au verbe d'action. (1)

De tels exemples, où la transformation opérée par les figures se fait non pas sur n'importe quel être ou n'importe quelle force, mais sur celui-là même qui écrit, ont une valeur privilégiée. On peut y suivre,

(1) Il en serait de même pour les états opposés, exprimés par un vers comme :
« Mais tout m'a parcouru sans se mêler à moi. » (E. M., 152).
pour ces moments de « sécheresse » que, comme tout autre mystique, traverse le mystique unanimiste, et où lui font défaut les sentiments de présence et de communion.

en effet, plus clairement qu'ailleurs, la démarche de sa pensée. Le poète a réellement participé aux mouvements d'une ville et d'un peuple, un soir, une nuit, un dimanche d'avril, à tel point que sont tombées les limites entre lui-même et l'être collectif. Sur le quai du port, il a si profondément ressenti l'énergie de la grue et la chute du sable que les mouvements lui sont entrés jusque dans la chair. Ainsi des alliances de mots comme : « Je suis un peuple en fête », « Une grue me jette », ne résultent pas d'une simple combinaison imaginative. Elles sont la formule qui, résumant une expérience, élimine une idée intermédiaire (les limites abolies entre des êtres, la propagation des ondes de la machine au promeneur) et laisse en présence, à leur grande surprise, un sujet et un attribut, un verbe et son objet. Et le choc entre ces deux termes, qui fait la nouveauté de la figure, exprime, d'une façon immédiate et la plus fidèle, la rapidité et l'intensité de l'expérience.

Les figures précédentes, qui créent des rapports nouveaux entre deux termes : esprit — matière, individu — unanime, procèdent directement de quelques-unes des conceptions essentielles de Romains. Il en va de même, à plus forte raison, pour la figure unanimiste entre toutes : la personnification. Elle prend naissance, en effet, au centre même de sa pensée. Elle en manifeste le thème principal : l'éveil des êtres collectifs à la vie personnelle. De là ses formes constamment variées, des plus traditionnelles aux plus neuves.

Ainsi l'invocation ramène la poésie aux sources du lyrisme, à l'époque où le poète, encore prêtre et magicien, mettait en œuvre les formules les plus aptes à atteindre un être supérieur, dieu, génie ou esprit, et d'abord la plus efficace de toutes, celle qui consiste à prononcer son nom. Elle exprime, au début de l'unanimisme, notamment dans ces vers des *Prières :*

« Ma maison ! prends pitié de la chair où je suis. »
« Toi, village en fête, toi, village en foule,
Très puissant tassement de toi sur la place... »

l'attitude à la fois lyrique et mystique du poète en présence d'une réalité proche, mais qui le dépasse. Elle s'adresse aussi, par la suite, à tout ensemble infiniment vaste dont il voudrait éveiller la conscience. De là cette « conjuration », ces appels :

« Europe ! Je n'accepte pas
Que tu meures dans ce délire,
Europe ! Je crie qui tu es
Dans l'oreille de tes tueurs. » (10 A., 40).

« Rue Montmartre, Rue Cannebière,
Oxford Circus, Rue Frédéric.
Je vous désigne nommément... » (10 A., 84-85).

soit à l'Europe entière, soit à ses groupes les plus vivants, les plus puissants, pour les réveiller de la guerre et les tirer de leur « sommeil vassal ».

De même l'évocation n'est plus le simple rappel nostalgique du passé ou des pays lointains, où se complut le romantisme. Elle retrouve sa vertu ancienne — des magiciens à Homère, Eschyle ou Virgile — de manifester l'invisible, de ranimer ce qui n'est plus. De là son emploi solennel, par un personnage privilégié, qui formule, au nom et avec la force de tout un groupe, les paroles nécessaires. Ainsi Romains, intervenant comme poète, c'est-à-dire en tant que créateur et mainteneur de groupes, rappelle aux tueurs de l'Europe « mille choses délicieuses » et reste

« garant et gardien
De deux ou trois choses divines. » (10 A., p. 42).

La variété la plus oratoire de la personnification, la prosopopée, retourne, elle aussi, à sa destination véritable. Ce n'est plus, comme pour les romantiques, un simple procédé de développement, ingénieux ou grandiose, par où le poète donne voix et pensée à ce qui par nature, est réfractaire à la parole ou à la conscience ; la matière, un monument, un ver de terre. Pas davantage l'artifice de rhétorique par où Rousseau et, à sa suite, tous les moralistes d'avant et d'après guerre ont fait parler un être en lui prêtant leurs propres pensées. Elle donne forme à des sentiments, à des réalités qui dépassent l'individu, qui même, comme dans le *Phédon,* peuvent s'opposer à lui et exiger son sacrifice. Elle devient ainsi le moyen naturel d'expression, pour un être collectif rendu conscient de lui-même.

Et sans doute l'artifice reste-t-il visible en ce poème de la *Vie Unanime :*

Le crépuscule en moi devient des mélodies. » (69).
« Pendant les heures de travail et de clarté,
Je n'avais pas le temps de songer à ma vie...

où les pensées de la Ville sont encore trop proches d'une pensée d'individu. Mais il disparaît si, comme en ces vers :

« Retourne chez toi, homme blanc !
Nous ne t'avions rien demandé...
Tu nous as sept fois apporté
Ton malheur, ton inquiétude.
Ta puissance, tu l'as gardée. » (H. Bl. 113).

ou :

« O vous les autres, là-bas, les hommes des autres races,
Entendez ce que vous dit en vérité l'Homme blanc.
Il vous dit qu'il ne peut pas s'empêcher de vous aimer. »
(H. Bl., 122).

il s'agit d'exprimer les tendances essentielles d'un ensemble d'hommes, tel qu'une race, et d'en rendre sensible à l'oreille la parole intérieure. La prosopopée achève alors l'œuvre de l'invocation et de l'évocation : aux réalités d'un ordre supérieur qu'il a pu appeler, conjurer, rendre présentes, le poète donne un visage, une voix. Et, s'effaçant lui-même, il n'est plus, telle la prêtresse sur son trépied, que l'organe par où ces réalités se manifestent.

La personnification reprend ainsi une fraîcheur, une force nouvelle, que lui donnent les groupes eux-mêmes, et la foi du poète. Aussi apparaît-elle comme un moment essentiel de son inspiration. Les invocations des *Prières* créent, littéralement, les dieux à qui elles s'adressent. Les évocations d'*Europe* maintiennent un être collectif contre ceux qui veulent sa mort. La prosopopée des Races dissipe les haines, les préjugés de l'Homme Jaune ou de l'Homme Noir, justifie la main-mise de l'Homme Blanc sur la terre. Et la force de telles figures ne se cantonne pas dans le monde des mots et des rythmes. Elle pénètre jusque dans celui des sentiments et des actions. Elle dispose à la piété, ranime des souvenirs et même, comme par l'*Ode à la Foule,* agit sur les êtres de chair qu'elle façonne.

*
**

De telles formes de la personnification ne valent que par leur solennité, aux moments où le poète est rempli de ferveur religieuse. Elles ne peuvent exprimer la vie quotidienne des groupes, leurs rapports mouvants avec les individus. D'autres variétés de la personnification apparaissent donc nécessaires. Moins visibles, plus proches des faits et de leur expression directe, elles se fondent davantage dans l'ensemble d'un développement.

La plus simple de ces variétés, la description d'un groupe, de ses attitudes et de ses mouvements, ne se distingue de l'expression directe que par ce postulat de l'unanime, senti comme une réalité distincte, comme une personne. Nous en avons rencontré, au cours de cette étude ou de la précédente, de nombreux exemples. Les uns, comme ceux-ci :

« Elle (la place des Vosges) en tire les corps qu'il lui faut (60).
« Il (le salon) va lever un homme, puis un autre, puis une femme. » (151).

expriment l'interversion (1) que le poète établit entre deux termes, l'être collectif devenant le terme qui agit, et l'individu celui qui subit. Et les suivants :

« La fête l'interpelle et plaisante. » (V. U., 134).
« Alors la pension, levant les têtes, chante :
Un air qu'elle a chanté sous le plafond des classes. » (E. M., 43).

par la description du « comportement » de l'être collectif, le rendent présent et, avec des moyens moins solennels que l'évocation, l'appellent à l'existence.

Le poète essaye même d'en pénétrer les pensées, par un effort de sympathie, comme il ferait pour un personnage individuel. Ainsi, en ces vers :

« Elle se dit : « Qu'est-ce que l'univers ?
A qui ressemble-t-il, celui qui le gouverne ?
Si le monde n'était qu'une ville infinie ? » (V. U., 109).

il entreprend de donner forme aux sentiments confus d'une foule dans un musée. Ailleurs :

« L'enterrement souffrait de désir. » (M. Q. 161).
« Et le groupe, trouvant bon d'être soi, écoute. » (P. P., 110).

il semble atteindre à une vraisemblance plus grande. Mais la réussite est peut-être plus heureuse encore dans des passages tels que ceux-ci :

« Oubliant qu'au delà des murs
Il y a la ville et la terre...
Le groupe si vieux, si petit,
Qui sèche, qui ne vit plus guère,
Rêve tout haut que Dieu, c'est lui. » (V. U., 81).

(1) Comme, plus haut dans l'exemple :
« La tranchée approche ses murs. »

« Son âme prend plaisir à connaître. Elle écoute la musique... Le chant des instruments ne lui arrive pas ; ou ce qui lui arrive n'est plus un chant, ni un bruit, ni rien de pareil. » (P. P. 68).

où l'écrivain dépasse l'analyse et, par l'intermédiaire des groupes, s'élève à une intuition poétique ou métaphysique du monde (1).

La diversité de ces moyens, leur résultat plus ou moins heureux, tous ces tâtonnements laissent entrevoir la grandeur de l'enjeu qui s'offre à Romains. Il ne suffit plus, comme au temps des tropes, de varier par des ornements, par de « beaux détails », le discours en prose ou en vers. Il faut imprimer les marques de la vie personnelle à ce qui, jusqu'alors et par essence, y semblait le plus réfractaire : aux formes, même les moins conscientes, de la réalité collective. Et la figure qui, avec autant d'efficacité que l'image, sert d'instrument pour une telle entreprise n'est pas un simple artifice littéraire. Elle est inhérente à la pensée, elle exprime l'une de ses tendances les plus constantes et profondes. Elle constitue l'armature d'œuvres entières : du *Bourg Régénéré* à l'*Homme Blanc* s'édifie, tenace, ininterrompue, découvrant des perspectives toujours plus vastes, une grandissante personnification.

Ainsi, qu'il s'agisse de passer de la matière à l'esprit ou inversement, de fondre l'âme individuelle dans un ensemble ou de donner à un ensemble une âme analogue à celle des individus, on aperçoit le rôle éminent des figures, et ce qu'elles ajoutent aux moyens précédemment étudiés. Ce que l'expression directe ne pouvait faire qu'en se dépassant, en se niant elle-même ; ce que les images ne pouvaient pas

(1) Cf. : « Il n'y a plus de vallon,
Plus de soleil, plus de vent :
La ville pense le monde. » (E. M., 83).

toujours obtenir par les seules ressources de la suggestion et de l'analogie, — les figures tendent à l'opérer par ces transformations soudaines, par ce passage brusque d'un plan à d'autre, si caractéristiques de l'unanimisme. Elles arrachent l'individu à ses façons habituelles et égocentriques de penser et de sentir, et l'amènent à un point d'où les différences entre matière et esprit, individu et être collectif, s'atténuent ou même s'effacent, pour celui qui tente de se rendre « concentrique à un groupe » et y réussit, « à force de mysticisme » (1).

(1) *Puissances de Paris,* conclusion.

CHAPITRE VI

LE MOUVEMENT DE LA PENSÉE.

Les différents moyens d'expression que nous avons dû dissocier par l'analyse ne peuvent, en réalité, être considérés isolément : on ne rendrait compte, ainsi, ni de leur importance relative ni de leur « mode d'insertion ou de floraison » (1) dans un développement, en vers ou en prose. Il faut donc essayer de les remettre dans le courant de pensées où ils ont pris naissance, et se plonger avec eux, dans ce courant même.

L'entreprise paraît d'abord contradictoire. L'écrivain, surtout le poète (2), y défie le critique, car il sait, mieux que personne, par quels caprices du hasard, quels cheminements obscurs de la pensée, quelle attraction secrète des mots et du rythme a passé le poème, et, l'œuvre achevée, il hésite à s'y reconnaître, à y voir tous les sens que d'autres, désormais, prétendent y découvrir. Le philosophe n'est pas plus encourageant : qu'est-ce, pour lui, que se remettre dans le courant de pensées d'un autre homme, sinon passer par toutes les mêmes impressions, émotions, images, idées et, par un miracle d'intuition, coïncider avec lui ? Encore si, comme pour certains écrivains, on pouvait, par l'examen des ma-

(1) Préface de la *Vie Unanime*, édition de 1925.

(2) Par exemple Valéry, dans *Questions de Poésie* (*Variété III*).

nuscrits, suivre dans le détail les démarches, les tâtonnements du labeur poétique : mais ici, pour diverses raisons, une telle ressource est impossible, et l'on ne peut interroger que le texte imprimé, définitif, qui déjà semble détaché de son auteur.

« L'analyse textuelle » s'est, heureusement, constitué peu à peu des méthodes qui lui permettent d'examiner une page comme « au microscope » (1) et d'y suivre, sans de trop grands risques d'erreurs, le mouvement de la pensée. Ainsi, peut-être, sera-t-il possible d'évaluer et de situer, dans ce qu'ils ont de plus personnel à Romains, les précédents moyens d'expression.

Considérons, par exemple, les trois premières strophes de l'*Ode à la Foule qui est ici :*

« O Foule ! Te voici dans le creux du théâtre,
Docile aux murs, moulant ta chair à la carcasse ;
Et tes rangs noirs partent de moi comme un reflux.
Tu es.
Cette lumière où je suis est à toi.
Tu couves la clarté sous tes ailes trop lourdes,
Et tu l'aimes, ainsi qu'une aigle aime ses œufs.

La ville est là, tout près ; mais tu ne l'entends plus ;
Elle aura beau gonfler la rumeur de ses rues,
Frapper contre tes murs et vouloir que tu meures,
Tu ne l'entendras pas, et tu seras, ô Foule !
Pleine de ton silence unique et de ma voix. »

Nous avons signalé ailleurs la hardiesse de conception de ces vers que le poète a écrits directement pour des auditeurs assemblés dans un théâtre. Essayons, dans le détail de l'expression, d'y suivre sinon la genèse de la pensée elle-même, du moins quelques indices de ses démarches.

O Foule ! Te voici. Type de l'invocation unanimiste. Au lieu de s'adresser à des individus, aux

(1) Cf. Les *Analyses textuelles* de S. Etienne et ses élèves, à l'Université de Liége ; le *Style au Microscope*, de Criticus ; et depuis l'*Explication française* de Rudler, tous les travaux analogues, dans les Universités françaises ou étrangères.

hommes et aux femmes qui sont ici, le poète les ignore, les dépasse et, se plaçant d'emblée sur un plan supérieur, pose l'être collectif dès les deux premiers mots, qu'il détache et isole du reste du vers.

Dans le creux du théâtre. Au lieu d'un nom, et de sens général, tel que *salle,* le mot *creux* exprime de façon plus tangible l'essence du lieu, l'espèce de cavité qu'il présente.

Docile aux murs. Alliance de mots, du type relevé précédemment, où une qualité d'ordre spirituel s'exerce, d'une façon inattendue, à propos d'une masse, en train de prendre forme.

Moulant ta chair à la carcasse. Développement de l'idée précédente, par une image évoquant à la fois la forme du théâtre, avec ses étages comparables aux côtes dans la cage thoracique, et la foule qui s'y applique, comme, à des os, une chair. Et les allitérations (m, l, r,) évoquent, elles aussi, les mouvements qui se modèlent sur la forme du lieu.

Et tes rangs noirs partent de moi comme un reflux. Nouvelle image, qui entraîne l'esprit dans une autre direction, et qui pose, en face de la foule, le poète sur la scène. Préparée par la notation : *tes rangs noirs,* qui oppose la salle obscure à la scène éclairée, elle évoque surtout les rangs de l'orchestre, qui semblent s'éloigner de la scène en vagues successives (que traduit la division tripartite du vers) et sombres. Tout en témoignant de l'aptitude de l'eau (1) à exprimer les mouvements, les ondulations d'une masse humaine, elle apparaît comme l'une des rares que le poète, essentiellement terrien, ait empruntées à la mer. Et l'emploi de l'indéfini un *reflux* donne, à ces mouvements dans l'obscurité, plus de mystère.

Tu es. Rajeunissement du verbe le plus simple qui (2), comme par une formule magique, donne l'existence à l'être collectif. Et cette formule, ainsi

(1) Cf. ch. IV.
(2) Cf. ch. II.

que, plus haut, l'invocation *O Foule,* se détache et s'isole du reste du vers.

Cette lumière où je suis est à toi. L'opposition du poète dans la lumière et de la salle obscure, amorcée par l'image précédente, s'exprime ici directement, mais, par un progrès de la pensée, se résout : la lumière de la scène est pour la salle, pour la foule qui l'emplit.

Tu couves la clarté sous tes ailes trop lourdes. Nouveau progrès : cette lumière non seulement appartient à la foule, mais est créée par elle, par son désir de voir. Elle est donc née de la foule qui, comme un oiseau, la couve. Et l'image est caractéristique de celles par où le poète évoque moins des formes et des états que des actions (1).

Et tu l'aimes, ainsi qu'une aigle aime ses œufs. La pensée donne à ce développement de l'image toute sa force en allant, d'emblée, à l'oiseau le plus puissant et peut-être le plus tendrement attaché à ses œufs. Elle la soutient, au cours des deux vers, par une série de consonances : t, l, r ; é, ai. Elle met en relief le mot essentiel, *tu l'aimes,* en le détachant et l'isolant comme, plus haut, *O Foule* ou *Tu es.*

La ville est là, tout près ; mais tu ne l'entends plus. Retour à l'expression directe, pour poser à nouveau un être collectif. Mais ce retour n'est qu'apparent. Car, sous la simplicité des mots, vont se développer deux personnifications : celle de la Foule, que le poète continue à invoquer, et celle de la Ville, à la fois proche et lointaine. Le vers met seulement en présence, par deux verbes, ces deux êtres personnifiés, dont l'opposition va remplir les vers suivants.

Elle aura beau gonfler la rumeur de ses rues,
Frapper contre tes murs et vouloir que tu meures,

La notation expressive des mouvements, soutenue par le jeu des sonorités (allitérations, rimes intérieures et finales ; rumeurs, rues, murs, meures) continue la personnification de la ville.

(1) Cf. ch. IV.

Et vouloir que tu meures. L'opposition progresse entre les deux êtres collectifs, dont l'un apparaît éphémère. De nouveau elle se manifeste simplement par deux verbes.

Tu ne l'entendras plus, et tu seras, ô Foule ! Reprise, mais avec un changement de temps qui rend l'idée plus pressante. Formules d'interdiction et de commandement douées, comme *Tu es,* d'une force magique. L'invocation *O Foule* se détache et s'isole encore, mais, cette fois, à la fin du vers.

Pleine de ton silence unique et de ma voix. Alliance de mots complexe où l'on peut démêler :

le contraste *pleine de silence,*

le rapprochement *silence unique* qui tend à créer un sentiment unanime (le mot *unique* se détachant par la césure reportée au huitième pied).

L'opposition *ton silence, ma voix,* qui remet en présence le groupe et le poète, l'un s'imposant à l'autre et le façonnant par la parole.

Par ces quelques vers il semble donc possible de suivre l'un des trajets familiers de la pensée de Romains. Elle ne prend pas son élan, comme tant d'autres, vers des jeux d'idées, de mots ou de rythmes. Elle se maintient et se meut parmi des objets : le creux du théâtre, les murs, la chair, la carcasse, le reflux, la lumière. Au milieu de ces objets elle pose des êtres, la ville, la foule, le poète, qui se meuvent, frappent, luttent ; dont le silence n'est pas moins réel que la rumeur ; et sur lesquels peut agir une parole. Et ces objets, ces êtres ne lui fournissent pas des motifs pour un développement oratoire, décoratif ou musical, mais une matière véritable, authentique, dont la représentation serait déjà, à elle seule, suffisamment évocatrice.

Mais, devant une telle matière, la pensée de Romains ne reste pas simplement passive. Elle ne se maintient près du réel que pour agir sur lui et, par une série de prises, le transformer. Pour y réussir, elle se dépouille de tout ornement, de tout artifice. Elle se durcit en mots simples et pleins, noms, pronoms, verbes. Elle se tend en un rythme tranchant, qui découpe chaque alexandrin et n'en varie la structure que par des arrêts et des départs, brusques comme des explosions. Et surtout, avec ces mots et ce rythme, elle engage deux opérations décisives. Elle va chercher, dans le monde entier, des formes, des mouvements, des actions (un thorax, un reflux, un oiseau qui couve) que, pour leur ressemblance, elle ramène comme autant de témoins, d'auxiliaires de son entreprise. Et elle recourt aux invocations, aux formules qui conjurent, interdisent, ordonnent ; aux personnifications qui animent et transfigurent, et qui aboutiront, à la fin de l'*Ode,* à faire surgir, d'une masse d'abord confuse, un être réel et divin.

Franchissons maintenant une vingtaine d'années et examinons quelques vers de l'*Homme Blanc,* dans ces strophes du premier chant, où le poète évoque, une fois de plus, son Velay natal, et le considère au temps des labours :

« La terre travaille au pas de laboureurs invisibles,
Le terroir frémit en rond comme un tambour effleuré.
Rien qu'un rocher pour moi dans la fougère et l'herbe courte
Mais le vibrement du sol sous les brindilles accourt
De chaque aune de terroir que le soc a mesurée.

Mille pas d'hommes lointains recommencent les labours.
Le terroir retient son chant, murmure à bouche fermée ;
Ni les charrues ne se voient, ni l'heure marchant au ciel.
Mais telle rougit la peau sous une tendre morsure,
C'est tout le sol peu à peu qui va changer de couleur.

Les montagnes du pourtour règnent à plusieurs ensemble
Comme des événements qu'un temps vaste distribue.
L'horizon forme un conseil d'égaux ou de compagnons.
Montagnes. Siècles plutôt à consistance de monts.
Le canton que vous ceignez garde un air de campement.

C'est votre feu de bivouac qui brûle au centre, et Septembre
Flambe déjà par un bout comme un sapin abattu.
Tandis qu'un travail de socs crépite dans le terroir ;
Tandis qu'un peuple caché qui pèse sur les charrues
Fait foisonner son labour entre douze monts pareils. »
(Chant I, p. 39-40).

La terre travaille au pas de laboureurs invisibles. Figure qui, animant la terre et l'associant au travail des hommes, pose, dès le début du poème, les deux thèmes du développement. La césure au cinquième pied prolonge indéfiniment le second hémistiche, qu'allongent encore les deux derniers mots, comme pour rendre plus lointains les laboureurs invisibles.

Le terroir. Reprise du premier thème par un terme de sens plus limité, et de sonorité plus rustique.

Frémit en rond comme un tambour effleuré. Image qui continue à animer la terre, et que l'expression *en rond* présente de la façon la plus simple, presque la plus naïve. Elle offre l'analogie, familière au poète, entre les mouvements à l'intérieur d'un ensemble et les ondulations concentriques (1) à partir d'un corps qui vibre ; mais le mot *effleuré* maintient dans le lointain le pas des laboureurs.

Rien qu'un rocher pour moi dans la fougère et l'herbe courte. Après deux vers de figures et d'images, un vers de simple notation, à peine relevé par l'ellipse. Mais les trois détails notés résument l'essentiel du paysage, et les mots *pour moi* posent discrètement, ainsi que dans *Saison des Semailles, le soir*, le poète comme témoin.

Nouvelles allitérations (r, l,). La césure au sixième pied varie, pour la troisième fois, le rythme. Et l'épithète *courte,* en se détachant à la fin du vers, prend toute sa valeur.

Mais le vibrement du sol sous les brindilles accourt. Retour au phénomène vibratoire, mais présenté

(1) Rendues sensibles par les allitérations t et r des deux vers.

dans sa généralité la plus grande, par un terme abstrait (1), et animé par le verbe *accourt*. Le mot *brindilles* reprend et précise *herbe courte* et, par le jeu de la finale muette suivie d'une consonne, détache le verbe *accourt* qui forme, avec *courte* du vers précédent, une rime diminuée (2). La suite des sons *s* et *l*, la répétition du groupe *br*, la césure à peine sensible au septième pied, la structure symétrique des deux hémistiches (2 + 3 + 2) contribuent à rendre sensible le vibrement.

De chaque aune de terroir que le soc a mesurée. Nouvelle image, s'ajoutant à toutes celles que Romains a empruntées au travail du tissu. Et nouveau passage du plan humain à un plan supérieur, d'où la terre labourée n'apparaît plus que comme une étoffe que l'on découpe. Reprise du mot *terroir*, mis en valeur par son alliance inattendue avec *aune* et par sa place à la césure. Les deux termes, par leur couleur ancienne, reculent déjà dans le passé la scène, pour lui donner son aspect éternel. Et le mot *soc* a la charge, à lui seul, d'évoquer le travail des hommes qui, décidément, restent invisibles.

La division du vers en deux hémistiches nettement distincts, complétée par les deux arrêts symétriques au 3e et au 10e pied, prépare l'idée du travail régulier que vont développer les vers suivants, tandis que les mots *terroir* et *soc* ramènent, en fin de strophe, les deux thèmes essentiels du développement.

Ainsi ces deux thèmes, de la terre et des laboureurs, ont progressé par notations, figures, images, et soutenus par le rythme ; et la seconde strophe va accentuer cette progression en personnifiant la terre, qui chante et dont la « peau » rougit sous la morsure du soc.

Les montagnes du pourtour règnent à plusieurs ensemble. Dans cette troisième strophe la vision,

(1) Vibrement paraît préféré, pour des raisons de métrique et de sonorité à *vibration*.

(2) Voir le chapitre suivant, sur la versification.

jusqu'alors fixée sur le terroir, le dépasse et atteint le cadre des montagnes du Velay, disposées en cercle autour de Saint-Julien, le village natal du poète.

Règnent à plusieurs ensemble. Amorce de la comparaison qui se développera au troisième vers. Une impression d'ampleur se dégage des sonorités graves, des syllabes muettes précédées du groupe *gne* qui, déterminant de véritables césures, allongent le vers indéfiniment.

Comme des événements qu'un temps vaste distribue. Cette nouvelle image prépare le recul dans le passé, l'évocation de l'Homme Blanc arrivant aux Cévennes, qui fera la matière du premier chant. Elle établit, ainsi que l'alliance de mots *temps vastes,* une analogie familière au poète, entre les données de l'espace et celles du temps. L'impression d'ampleur se continue par le jeu des consonnes et des syllabes muettes qui donne toute sa valeur au mot *événement,* et par les allitérations du second hémistiche.

L'horizon forme un conseil d'égaux et de compagnons. Développement de l'image du premier vers. La disposition circulaire des montagnes et leur hauteur sensiblement égale a suscité cette image qui, en suggérant une réunion comme celle des douze pairs ou des chevaliers de la Table Ronde contribue, elle aussi, à l'éloignement dans le passé.

Montagnes, Siècles plutôt à consistance de monts. Double ellipse qui dresse, comme des cimes, les deux termes essentiels : montagnes, siècles. Et nouvelle alliance entre données de l'espace et du temps, par où se continue le recul dans le passé.

Le canton que vous ceignez garde un air de campement. Invocation, préparée par le vers précédent (où *montagnes* et *siècles* apparaissent désormais comme des vocatifs), et qui change à nouveau le mouvement de la strophe. Le verbe *ceignez* rappelle la disposition circulaire des montagnes. L'opposition de *canton* et de *campement,* avec l'identité de leur première syllabe, accentue, elle aussi, le mouvement du présent vers le passé, vers la première apparition de l'Homme Blanc, et prépare l'image du bivouac, qui va remplir le début de la dernière strophe.

...Tandis qu'un travail de socs crépite dans le terroir. Retour, jusqu'à la fin de la strophe, de l'idée dominante. Mais l'image du feu, des deux vers précédents, se prolonge, et le bruit des socs, lui aussi, donne l'idée d'une crépitation, rendue sensible par le choc des sons soc-crépite.

Un travail. L'article indéfini ramène l'idée du travail, invisible, que l'on devine seulement.

Dans le terroir. Quatrième reprise du mot *terroir* (mais cette fois à la fin du vers) et des harmoniques dont il s'accompagne.

Tandis qu'un peuple caché qui pèse sur les labours. La reprise de *tandis que* évoque, elle aussi, la régularité, la continuité, du travail.

Un peuple caché. Nouvelle affirmation par où le poète laisse invisible et se contente de suggérer la présence de l'homme. Mais cette présence, et même son poids, apparaissent jusque dans les allitérations : qu'un peuple qui pèse.

Fait foisonner son labour entre douze monts pareils. Image, familière au poète, pour évoquer une matière (ou une idée) qui se répand, qui se multiplie ; mais elle s'applique ici, par une alliance de mots neuve, à une action, celle du labour.

Entre douze monts pareils. Le mot *douze* n'exprime pas seulement le besoin de précision du poète. Il achève l'image de la strophe précédente, et suggère décidément, avec l'adjectif *pareil,* la vision des douze pairs.

Ces vers apparaissent, eux aussi, chargés de matière, la plus riche et la plus lourde : le terroir, les labours, les hommes, les montagnes. Et, malgré l'effacement du poète, ils laissent deviner l'amour profond et contenu qui l'unit à son pays natal. A une telle matière les ressources, même les plus variées, de l'expression directe ne suffisent pas : aussi foisonnent les images et les figures qui transportent l'esprit sur les plans les plus divers, découvrent ce qui est caché et, sous la réalité actuelle, font surgir le passé même le plus lointain.

La pensée ne peut donc se développer qu'à une cadence lente, en déroulant des strophes égales et lourdes, sur le modèle du labour. Elle se refuse au pittoresque et, donnant aux mots le maximum de poids et de force, recherche la plénitude du sens. Ainsi agit-elle, dans ses plus secrètes tendances, à l'image du Velay lui-même, comme pour rivaliser avec la solidité et la précision dure de son basalte.

⁂

Malgré la différence de date, de ton et d'ampleur, il semble que le travail de l'expression laisse entrevoir, dans ces deux pages, des démarches de l'esprit analogues.

Si, par exemple, nous essayons d'y saisir la pensée à son point de départ, avant même qu'elle soit formulée, il semble que, chaque fois, nous soyons amenés aux mêmes constatations. Elle n'est partie ni d'une conception abstraite, ni d'une simple rêverie de poète : elle s'est faite vision. Elle s'est représenté les groupes humains non comme des entités, mais dans le creux du théâtre, dans un cirque de montagnes, bref dans la réalité la plus proche, la plus concrète, que peu à peu elle nomme et dénombre, tâte et palpe, sur laquelle aussi elle va mouler ses mots et ses rythmes.

Mais nous savons déjà — et ces deux pages le rappellent encore — que la pensée de Romains ne se borne pas à jouir de ces apparences. Elle les dépasse, en une série d'opérations variées et audacieuses. Ainsi l'*Ode à la Foule,* par les images, les invocations et le rythme, ébauche la création de l'animal étrange qui a pour carcasse les étages du théâtre et pour chair la masse des corps assemblés. De même, dans l'*Homme Blanc,* si elle s'applique à un paysage de labours, elle va d'emblée à ce qu'il contient d'invisible. Elle rend sensibles les ondes qui courent à travers le terroir ; et, opérant une véritable transmutation, elle fait, sous la scène pacifique, apparaître les bivouacs d'un camp primitif.

Cette activité de la pensée, appliquée à une matière, à un objet, animé ou inanimé, qui lui résiste, s'accommoderait mal, semble-t-il, d'une composition purement oratoire, d'une rhétorique régie moins par la nature des choses que par la volonté de convaincre ou de séduire. Mais elle ne peut davantage accepter les divagations de la fantaisie, des successions incohérentes, telles que :

> « Cinéma calendrier du cœur abstrait.
> 18 — Purgatoire annonce a grande saison
> Le gendarme amour qui passe si vite
> Coq et glace se couchent sous l'œil galant
> Grande lampe digère vierge marie
> Rue Saint-Jacques s'en vont les petits jolis
> Vers les timbres de l'aurore blanche aorte
> L'eau du diable pleure sur ma raison. »
>
> (Tristan Tzara).

qui floriront entre 1910 et 1927. Et il suffit de se reporter aux deux pages précédentes pour y apercevoir un type bien différent, d'organisation.

Ainsi l'*Ode à la Foule,* au lieu de développer une idée, ou un sentiment, en une suite de strophes égales et régulières, dresse, dès le premier vers, la foule en tant qu'être et, par une série d'attaques, agit sur elle pour l'éclairer de conscience. De l'une à l'autre de ces attaques, aucune transition, aucune attache artificielle, mais une progression secrète ; elles s'en prennent tour à tour au groupe dans l'ombre, au groupe tendu vers la lumière, au groupe dans le silence. Et, au terme de cette progression, après ces appels de plus en plus impérieux et brutaux à l'existence et à la conscience, le poète pourra invoquer l'être collectif devenu divin.

Le début de l'*Homme Blanc,* sans s'astreindre aux règles du lyrisme classique, se conforme, lui aussi, à un ordre véritable. Les vers se succèdent selon un rythme égal, que commande le mètre de quatorze pieds. Et les strophes, avec leur même nombre de vers, et la répétition des mots essentiels (*terroir, labour*) se disposent, à l'imitation du cercle de montagnes, en assises concentriques, découvrant des perspectives de plus en plus vastes.

Ainsi, répugnant à la fois à la composition traditionnelle et aux incohérences récentes, la pensée de Romains trouve, dans les choses mêmes qu'elle façonne ou transforme, un principe d'organisation, naturel et interne. Mais une telle tendance, si elle est déjà visible dans le détail d'une page, nous entraîne bien au delà, vers l'ensemble dont aucune page ne peut se détacher, et qui va donner à chacune sa pleine signification.

DEUXIEME PARTIE

LA POESIE

INTRODUCTION

Quelle que soit l'importance croissante de son œuvre en prose, Romains apparaît avant tout et esssentiellement poète. Ses premiers ouvrages, sauf le *Bourg Régénéré,* sont des poèmes. C'est aux vers qu'il a confié la vision primitive et les thèmes initiaux de l'unanimisme. Si, dans la suite, il les a développés par le conte, l'essai, le théâtre en prose ou le roman, il a de nouveau, à intervalles réguliers, recouru aux vers comme à l'instrument le plus adéquat et le plus digne. Et cette fidélité, alors que d'autres écrivains, d'abord poètes, devenaient exclusivement prosateurs, n'est pas l'un de ses traits les moins caractéristiques.

L'œuvre poétique de Romains, s'est développée sur une période de plus de 30 ans et comprend actuellement onze ouvrages (1) qui, malgré leur parenté, pré-

(1) La *Vie Unanime* (1904-1907). — *Le Premier Livre de Prières, Un être en Marche, L'Armée dans la Ville* (1908-11). — *Les Odes* (1912). — *Le Voyage des Amants* (1913). — *Europe* (1916). — *Amour couleur de Paris* (1918). — *Cromedeyre* (1911-1918). — *L'Ode Génoise* (1923-1924). — *L'Homme Blanc* (1925-1936).

Il convient d'y ajouter *L'Ame des Hommes* (1905), le *Poème du Métropolitain* (1905), et quelques autres poèmes dispersés dans des revues.

sentent chacun un aspect particulier et bien distinct. De la *Vie Unanime,* en effet, qui les annonce tous, à l'*Homme Blanc* qui les résume, ils participent, soit dans leur ensemble, soit dans le détail de leur structure, des genres les plus différents. Ils s'y conforment, les mélangent ou les transforment selon des modes si divers et complexes que — la poésie dramatique mise à part et gardant ses lois propres — on ne peut les grouper que pour la commodité de l'exposé.

Malgré leur diversité, ces œuvres présentent, quant à la versification, des caractères communs. Quelques-uns apparaissent dès la *Vie Unanime.* D'autres se dégagent au cours des poèmes suivants. Et ils sont devenus assez précis pour qu'en 1922 Romains ait pu, avec son ami G. Chennevière, les définir et les rassembler en un véritable code, le *Petit Traité de Versification.*

CHAPITRE I

LA VERSIFICATION

Le langage, en prenant la forme du vers, subit un changement décisif. Par le retour régulier d'égales rangées de mots, il s'astreint à la mesure et rend sensible la présence du Nombre. Par le retour, à intervalles égaux, de mêmes accents ou de sonorités analogues ou même identiques, il introduit entre les mots, et peut-être entre les choses, un principe d'harmonie. Par ce double retour, ce qui n'était qu'un souffle, en apparence évanescent, destiné à périr dès qu'il a été proféré, la Parole, prend la densité et la résistance du marbre, rivalise avec les timbres les plus éclatants ou les plus suaves, s'offre à des symétries comparables à celles de l'architecture ou de la musique, impose au flux confus des apparences la succession ordonnée du rythme. Ainsi élaborée, la parole atteint, sur les hommes et même les autres êtres, son plus haut degré de pouvoir. Et des effets si extraordinaires ont pu paraître autrefois d'origine divine : les premiers vers des Grecs semblaient dictés par Apollon, les versets de la Bible par l'Eternel.

Une telle transformation du langage ne peut se faire sans opposer au poète de multiples résistances qui, peu à peu éprouvées et devenues conscientes, ont constitué, dans chaque langue, les règles de la versification : règles conformes soit à la nature des choses

— ici, la structure sonore de chaque idiome — soit à une habitude devenue peu à peu une seconde nature, soit aux deux à la fois. Et pendant longtemps ces règles, apparaissant comme la codification de l'expérience, furent acceptées par les poètes qui voyaient en elles la rançon de leur pouvoir. Ainsi en fut-il, en grec et en latin, pour le groupement des pieds et, dans chaque pied, la distribution des voyelles brèves et longues ; en français, surtout depuis Malherbe, pour le nombre des syllabes et la disposition des rimes. Pour le français en particulier, ce minimum d'obligation semblait — à défaut, comme en d'autres langues, d'un vocabulaire ou d'une morphologie spéciale — le seul moyen qui pût donner son organisation propre au discours poétique.

On sait comment, au cours du XIXe siècle, ce minimum d'obligation a été mis en cause. Les théoriciens ont dénoncé tout ce qu'il contenait encore d'arbitraire, tant pour la mesure des vers que pour la classification des rimes. Le romantisme, non content d'assouplir l'alexandrin par la variété des césures, l'a disloqué par l'abus de l'enjambement, qui aboutit à supprimer toute régularité métrique. Par contre, en recourant à la rime rare, érudite ou même vide de sens, il a dénoncé, sans y apporter de remède radical, ce qu'elle avait d'artificiel. Enfin, aux alentours de 1900, des techniques, de plus en plus assouplies, ont prétendu apporter aux deux éléments d'obligation, mesure et rime, le coup de grâce, par le principe, en soi contradictoire, du vers libre. Et il en est résulté ces suites de mots capricieuses, qui peuvent n'être pas dénuées de rythme, mais que, seules, la décision du poète et la disposition typographique distinguent de la prose.

L'expérience a confirmé que le vers libre ne peut, malgré toutes ses ingéniosités, se constituer une technique indépendante de la fantaisie individuelle. Elle a confirmé à nouveau, par l'exemple de Valéry, que l'obligation, loin d'imposer au poète une gêne, lui fournit un excitant, lui permet de façonner la plus dure des matières. Mais Valéry, en respectant la règle jusque dans ses conventions les plus arbitraires, ne risquait-il pas de la remettre elle-même en question ? Il restait donc à la fonder de nouveau sur la nature des choses et les exigences de l'oreille, telles que les avait faites le début du XXe siècle.

***

De l'*Ame des Hommes* à l'*Homme Blanc,* Romains s'est constamment astreint à la règle du Nombre, qui impose au vers une mesure définie, immédiatement sensible à l'oreille ; et, dans le *Petit Traité de Versification* (1), il la présente comme la règle primordiale. Il en a vérifié, par l'expérience des versifications grecque, latine, allemande aussi bien que française, les raisons profondes, qui ne sont pas encore complètement sorties du mystère (2), et qui dépassent de beaucoup le caprice des individus. Si simple, en effet, qu'il apparaisse aujourd'hui, l'accord de la Parole et du Nombre ne s'est fait que par tâtonnements, par un lent travail d'accommodation qui a varié selon les époques et les langues, qui n'est pas encore achevé, et où l'on peut — même en considérant les systèmes en apparence les plus proches (3) — démêler au moins deux directions.

Ainsi, tout au long de la poésie grecque et latine, la mesure n'a pu se dégager nettement de certaines

(1) Ce n'est pas ici le lieu de faire l'étude et la discussion approfondie de cet ouvrage : nous ne pouvons qu'en dégager les principes et montrer leur accord avec les tendances générales de l'art de Romains.

(2) Elles gisent dans ces régions, encore mal explorées et à peine conscientes, où la représentation devient mouvement et cadence, et, par une sorte de contagion, se généralise.

(3) Nous laissons de côté, naturellement, le verset venu de la Bible et repris avec éclat par Claudel, où la mesure se conforme seulement au souffle de la respiration.

conditions, inhérentes au milieu où se déployait la parole. L'oreille, plus sensuelle peut-être, et plus sensible, dans le plein air du théâtre, de l'Agora ou du Forum, aux valeurs sonores, aux inflexions différentes de la voix selon que, s'attardant plus ou moins sur telle ou telle partie d'un mot, elle fait jouer sur lui l'ombre ou la lumière, s'est plu à peser chaque voyelle de ce mot, à la juger brève ou longue, et, de cette différence de durée ou de qualité, elle a fait un élément essentiel de la mesure. La succession ou l'alternance de ces sonorités brèves et longues a donné lieu à des types variés de groupements, les pieds, dont les limites ne coïncident pas avec celles des mots. Et le vers qui en constitue la somme, et qui toujours combine au moins deux types de pieds, n'est jamais de longueur uniforme : un vers de six pieds, comprend indifféremment 13, 14, 15, 16 ou même 17 syllabes. Il se définit moins par ses dimensions que par sa structure interne et, pour ainsi dire, organique, par une succession de temps forts et de temps faibles, de battements comparables à des pulsations. Et en combinant selon certaines lois leurs syllabes toniques et atones, les vers anglais ou allemands présentent, encore aujourd'hui, un type analogue de structure.

La prononciation française, en rongeant les mots latins par leur terminaison et leurs voyelles intérieures, en les hérissant de consonnes, en portant d'une façon uniforme le mouvement de la voix vers la fin du mot qui seule apparaît en lumière, a rendu impossible un tel type de versification. Et l'oreille, renonçant à peser des sons, n'a plus considéré dans les mots que leurs dimensions, ne les a plus mesurés que par leur élément le plus facile à saisir et à dénombrer, la syllabe. L'unité rythmique, le pied, s'est donc confondue avec la syllabe et, perdant toute valeur concrète, est devenue « une simple unité abstraite de mesure » (1). Chaque type de vers a pris une longueur uniforme, définie par le nombre de ses

(1) *Petit Traité de Versification*, p. 32.

syllabes. Et il ne se détermine complètement que par l'ensemble dont il fait partie, à l'instant où il « s'insère dans une suite de vers soumise à un rythme défini » (1).

Pour la succession de tels vers la règle de la mesure apparaît également primordiale : « un système de vers est d'abord un système de mètres » (2). Ainsi dans un système à mètre unique, c'est la succession pure et simple des mêmes mètres qui constitue l'effet rythmique : les vers doivent donc y rester reconnaissables en tant qu'unités, et garder entre eux une séparation qui coïncide le mieux possible avec les articulations du discours (3). De même dans un système périodique où les vers, « au lieu de former une succession indéfinie » (4), se distribuent en groupes égaux, c'est à la fois leur mètre et leur nombre qui constituent les éléments du système, ou strophe. Et c'est en variant ces deux éléments et leurs combinaisons que l'on peut, selon le *Petit Traité,* renouveler sans cesse la technique ; par exemple en ajoutant aux types traditionnels — qui sont faits presque exclusivement de mètres pairs et ne dépassent pas l'alexandrin — des types où entrent, soit des mètres impairs, soit des vers de plus de douze pieds, soit même — en mariant le vers de 14 pieds avec celui de 7 ou de 9, le vers de 15 pieds avec l'alexandrin ou le décasyllabe — des groupements encore plus inattendus.

Par de telles dispositions la versification française élimine de ses lois tout élément concret et quali-

(1) *Ibid.,* p. 33.

(2) *Petit Traité,* p. 14.

(3) D'où l'interdiction, en principe, de l'enjambement, où l'articulation métrique ne coïncide pas avec l'articulation logique. L'enjambement n'a servi, au XIXe siècle, qu'à « masquer et défigurer un mètre traditionnel dont on redoutait la monotonie ». Il ne peut être toléré qu'à titre d'exception, comme condition d'un effet, car c'est dans la rigueur de la règle que « l'irrégularité » prend son prix et son sens. » (p. 88).

(4) *Petit Traité,* p. 92.

tatif (1) et impose à la matière sonore une souveraineté unique, celle de la Mesure. Il en résulte pour le poète, l'auditeur ou le lecteur un sentiment d'obligation, fondé sur le principe le plus simple, le plus clair, le plus facile à formuler et, en même temps, le plus abstrait : le Nombre. En justifiant, dans toute sa pureté et sa rigueur, ce principe abstrait, en le rétablissant, contre les partisans du vers libre, et contre certains théoriciens, comme la condition primordiale du rythme poétique, Romains se replace dans le mouvement même de notre langue et de notre poésie (2).

Comme son nom l'indique, la rime ne se distingue pas, primitivement, du rythme ; et, dans le déclin des versifications savantes, elle est apparue le moyen le plus simple, le plus efficace de rendre sensible, même à l'oreille la moins raffinée, la mesure du vers. En français, notamment, elle semble en accord profond avec la prononciation : de même que la voix, par l'accent tonique, éclaire uniformément la fin des mots, de même la rime, par son retour régulier, éclaire uniformément la fin des vers. Mais en même

(1) Romains constate (*Petit Traité*, p. 33 et 52), l'échec de toutes les tentatives pour fonder une loi métrique sur la qualité de la syllabe ou sur les « accents du vers ».

(2) De là sa rigueur sur tout ce qui concerne la mesure : la question de l'*e* improprement appelé muet (qui joue dans notre vers un rôle si complexe et qu'il n'est pas facile d'élucider) et les déformations actuelles, par contractions, amuïssements et apocopes, de la prononciation. Il prétend ainsi maintenir le principe d'une « diction normale, respectueuse de la matière des mots » et affirmer, vis-à-vis de la nature, les droits de l'art. Il refuse, par exemple, de prendre pour un alexandrin ce vers :

« Comme nous trempions nos doigts dans la source riante et belle »,

qui escamote l'*e* de *comme* et de *source* et contracte la diphtongue de *riante*.

temps, à la loi purement abstraite de la mesure elle ajoute un élément concret, d'ordre musical, qui rend au poète quelques-unes des ressources sonores des anciennes prosodies. Et par son alternance de syllabes à la fois semblables et constamment nouvelles, tour à tour éclatantes ou sombres, elle peut traduire et jalonner, avec fidélité et souplesse, les mouvements de la pensée même la plus complexe.

Romains accepte le principe de la rime, comme l'un des éléments traditionnels de la versification française ; et plusieurs de ses œuvres de début sont entièrement rimées. Mais il lui semble que ce principe n'a plus sa force d'autrefois. Les combinaisons de rimes, telles que les a limitées la prosodie classique, ne sont pas inépuisables ; les plus utiles et expressives se sont elles-mêmes usées. La succession trop régulière de sonorités semblables finit, même si l'on rend moins rigides les lois de leur retour, par engendrer la monotonie. Et les divers artifices par lesquels le XIXe siècle a essayé d'y remédier (rimes rares, assouplissement de la rime et retour à l'assonance) n'ont fourni au problème que des solutions provisoires et insuffisantes. Aussi les œuvres postérieures à la *Vie Unanime* et le *Petit Traité* ont-ils apporté au principe de la rime une extension et des applications telles qu'il en sort complètement transformé.

La rime, en effet, étant l'homophonie de deux syllabes finales, c'est-à-dire, à la fois de la voyelle et de la ou des consonnes qui la précèdent ou qui la suivent, on peut concevoir, entre ces divers éléments, toute une série de rapports. L'élimination, par exemple, des lettres qui ne se prononcent plus et n'ont plus qu'une valeur orthographique, modifie les rapports traditionnels entre rimes masculines et féminines, entre singulier et pluriel (1). L'homophonie, limitée

(1) On peut, par exemple, selon Romains, faire rimer vertu et tuent, sou et dessous, parures et moururent, blême et Bethléem (rime mixte).

à la voyelle et à la consonne d'appui, donne lieu aux diverses variétés de rimes imparfaites, féminines (multitude, amertume), masculines (repentir, définitif), mixtes (Europe, roc). L'introduction d'un son de consonne nouveau, à la syllabe muette finale, produit les rimes par augmentation (amorti, domestique) ou diminution (étoiles, toit. (1)) L'inversion des consonnes adjacentes donne lieu à la rime renversée (julep, archipel). La rime enfin peut avancer d'un ou de plusieurs pieds vers l'intérieur soit de l'un, soit des deux vers (avance simple ou double). Et par ces diverses variétés, elle sort des limites trop étroites où l'avait enfermée la prosodie classique et même romantique, et peut désormais fournir des combinaisons à peu près inépuisables.

La complexité de ces combinaisons entraîne plusieurs conséquences. La rime, n'exigeant plus l'homophonie complète de deux syllabes finales, n'est plus cette sorte de crochet qui, maintenant ensemble une série de vers, paraît s'adresser moins à l'oreille qu'à la mémoire ; ni — comme dans les proverbes, dictons (Noël à son balcon, Pâques à son tison), slogans ou même la poésie post-romantique — un artifice qui ajoute le choc des sons au jeu des pensées. En avançant à l'intérieur des vers et même en joignant deux ou plusieurs mots d'un même vers, elle perd son rôle métrique, ce battement de métronome, que même les plus grands poètes n'ont pas toujours évité et qui, si le vers se conforme à la loi de la mesure, est devenu, surtout pour l'oreille moderne, inutile. Dès lors elle ne donne plus lieu à une sensation automatique d'attente et devient imprévisible. Elle cesse d'être soumise à une loi fixe et rigide et, pour prendre les termes du *Petit Traité,* constitue un élément non plus d'obligation, mais d'option. Et, par la souplesse nou-

(1) Romains considère qu'il y a rime par diminution lorsque, comme dans le second exemple (étoiles toits), le vers masculin suit le vers féminin (*Petit Traité,* p. 66).

velle de ses rapports de sonorités, elle acquiert désormais une valeur exclusivement musicale.

*
* *

Ces rapports eux-mêmes, fondés essentiellement sur l'homophonie des voyelles, n'épuisent pas la série des combinaisons sonores. Et l'on peut établir entre les syllabes finales, même si les voyelles diffèrent, toute une autre série de rapports fondés sur l'homophonie des consonnes adjacentes. La rime n'apparaît plus dès lors que comme un cas particulier d'un fait beaucoup plus général, pour lequel le *Petit Traité* propose le terme d'accords.

Toutes les combinaisons auxquelles donne lieu la rime vont donc se reproduire, comme sur d'autres registres, par le moyen des accords. L'homophonie de la consonne d'appui ou de la consonne finale ou des deux à la fois produit les diverses variétés d'accords simples : masculin (bonheur, mort), féminin (sentinelle, nulle), mixte (seule, sol) et d'accords imparfaits (suc, sort ; fraîche, frappe ; roc, route). Les accords peuvent se faire par augmentation (cor, carte) ou par diminution (porte, part), ou être renversés (riche, chère). Ils subissent également des changements de position, qui se ramènent aux règles de l'avance simple ou double, c'est-à-dire à l'intérieur d'un ou de deux vers. Ils peuvent enfin se produire à l'intérieur d'un même vers (Amour couleur de Paris).

On voit quelles ressources cette variété de rapports offre aux poètes, et combien il serait inexact de prendre pour des vers blancs — c'est-à-dire se succédant sans aucun lien sonore entre les syllabes finales — de telles suites métriques. Elles apparaissent, au contraire, unies par un lien harmonique « à la fois plus étroit et plus continu » (1) que dans la prosodie traditionnelle. Ce n'est plus, en effet, cette succession quasi mécanique qui, soumettant les vers à l'alter-

(1) *Petit Traité*, p. 117.

nance des rimes masculines et féminines, n'établit aucun autre rapport de sonorité entre ces couples de rimes successives. Et l'on peut, comme en ces vers :

« De la hutte encaissée un chemin part sans ombre ;
Il rampe sur la plaine, puis monte et se cambre,
Le clair groupe, un instant, trouve que c'est lugubre,
Ce chemin qui s'en va, jaune comme un octobre.
Mais la lumière envoie une force aux vertèbres.
Il sourit au chemin sans âme où l'on est libre (1). »

concevoir de véritables progressions qui, par des intermédiaires continuellement variés, mènent d'une sonorité sombre et sourde à une sonorité claire et aiguë. Et si, à ces progressions de même mètre on ajoute le jeu des divers mètres et des diverses strophes, on se trouve encore en présence d'une diversité infinie de combinaisons (2).

Sans doute ces accords, que l'on peut considérer comme une variété de l'allitération, ne constituent pas des faits nouveaux. Ils ont été employés plus ou moins consciemment par la plupart des poètes (siffle, souffle ; à gage, gorge (3) ; geste auguste (4). Ils vont dans le sens de la versification française puisque, comme la rime, ils se basent sur l'homophonie (au moins partielle) des syllabes finales. Leur introduction dans la technique, au même titre et dans les mêmes conditions que la rime, n'en a donc que plus de valeur puisqu'elle se fait non par « une préférence personnelle ou une vue abstraite de l'esprit, mais par l'extension et l'aboutissement normal » (5) d'un principe traditionnel. Et en ajoutant à la rime, assouplie

(1) *Un Etre en Marche*, p. 33.

(2) Les *Techniques modernes du Vers Français* de Jean Hytier ont multiplié encore ces combinaisons en démêlant, même entre consonnes différentes, toute une série de rapports.

(3) La Fontaine, *Phébus et Borée*, avec homophonie à la fois de la consonne initiale et de la syllabe finale.

(4) Hugo, *Saison des Semailles, le Soir* (*Chansons des Rues et des Bois*).

(5) *Petit Traité*, Introduction.

et transformée, ce nouvel ensemble de rapports variés et subtils, la technique du *Petit Traité* ne s'oppose pas à la versification classique, elle la complète et l'enrichit « par voie de bourgeonnement ». Contre les théoriciens du vers libre ou du vers blanc, elle soumet ces rapports nouveaux à des règles. A la suite du symbolisme elle développe, par les accords comme par la rime, les ressources musicales de la langue.

En outre du nombre et de l'accord (avec sa variété de la rime), le *Petit Traité* distingue encore d'autres éléments, soit d'option (position de la césure, rapport entre les dimensions de la strophe et les mètres qu'elle combine) soit de liberté (accents, quantité des syllabes). Ceux-ci, par définition, ne peuvent être codifiés et diffèrent selon chaque écrivain et chaque œuvre. Ils n'en ont pas moins un rôle essentiel dans la formation du rythme et en varient à l'infini les inflexions. Et, par l'ensemble complexe et souple des divers éléments d'obligation, d'option, de liberté, il semble que le rythme puisse exprimer les mouvements les plus divers de la nature, de l'âme ou de la vie sociale et rendre manifestes les intentions, même les plus secrètes, du poète.

Ainsi la *Vie Unanime,* bien que sa technique ne se soit pas encore complètement dégagée et s'essaye en plusieurs directions, présente dès ce premier poème :

> « L'essieu d'un tombereau grince, et le cheval *bute,*
> Au coin du mur un enfant pleure. Il s'est *perdu.*
> Il croit que c'est fini pour toujours, que son *père*
> Meurt englué parmi les grouillements *épais*
> De la foule.
> Beaucoup de femmes ont des *crêpes,*
> Le ciel est du charbon broyé sur de la *craie,*
> L'entonnoir de la rue est mousseux de bruits *âcres,*
> L'univers marche ayant la tête dans un *sac,*
> Je cherche.
> L'enfant pleure.
> Le tombereau grince.

une progression remarquable. Des allitérations (englué, grouillements — charbon broyé), des rimes ou accords intérieurs (pour toujours, père — englué, épais — ciel, broyé, craie) multiplient entre les mots les rapports sonores. A l'intérieur des hémistiches, la disposition des accents, que l'on peut noter ainsi d'après la place de la syllabe accentuée dans le vers : 2, 6, 7, 11, 12 — 4, 8, 12 — 2, 6, 9, 12 — 1, 4, 10, 12 — 3, 8, 12 — 2, 6, 8, 12 — 3, 6, 9, 12 — 4, 8, 12 — 2, 6, 11, 12, varie constamment et, entrechoquant au premier vers tomber*eau* *grin*ce, che*val* b*ut*e, contribue à exprimer des sensations de grincements et de heurt. Mais la diversité des alexandrins, en apparence réguliers, n'est pas moindre. Les césures, qui avancent dans les trois premiers vers et reculent dans les deux suivants et les deux derniers, éclairent quelques mots essentiels : grince, pleure, toujours, englué, foule, marche, cherche, pleure. L'enjambement du troisième et du cinquième vers, allongeant le précédent, rend sensible la situation de l'homme englué dans la foule. Enfin la coupure de ce vers, et celle du dernier — toutes deux traduites, pour l'œil, par la disposition typographique — concourent, comme tous les autres éléments rythmiques, à l'impression heurtée que veut produire le poète : tous juxtaposent une série de faits isolés où seule, l'homophonie des syllabes finales ou des pénultièmes établit un commencement d'harmonie.

Les vers suivants :

> Amour couleur de Paris.
>
> Une flamme à peine heureuse
> Naît dans le haut de la rue ;
>
> Une lumière publique
> Offerte au profond azur ;
>
> Un feu doré tout de même
> Qu'assiège un fin brouillard gris ;

Une flamme assez heureuse
Amour couleur de Paris.

par où s'ouvre une courte série de poèmes écrite en 1918 révèlent un état de la technique de Romains déjà différent. Les allitérations plus nombreuses (*d*ans le haut, *d*e la rue, *d*oré tout *d*e même), les rimes imparfaites (Par*is*, publ*i*que, gr*is*, lumi*èr*e off*er*te ; do*ré*, m*ê*me, assi*è*ge) ou renversées (rues, azur) et les accords terminaux (Pa*r*is, heu*r*euse, *r*ue) et intérieurs (amou*r*, couleu*r* de Pa*r*is) qui se superposent à ces rimes accentuent — et c'est le propre de cette nouvelle « manière » (1), le caractère musical de l'œuvre. Le choix, pour ces rimes ou accords, de sons étouffés et comme grisâtres concourt à l'impression d'une lumière douce dans la brume. Et surtout l'emploi d'un mètre court (2) et de vers qui se suivent soit isolément soit, tout au plus, par couples, exprime le mouvement même de la pensée qui pose une série de touches légères, par de brefs assemblages de mots, presque sans verbes : ainsi veut-elle suggérer les progrès de cette lumière, dans le fin brouillard caractéristique de Paris. Mais elle ne peut laisser ces touches simplement juxtaposées, elle les relie par le retour de mêmes mots, de mêmes rimes et en ramenant à la fin de chacun des cinq poèmes, comme le refrain d'une complainte, le mystérieux vers initial.

La strophe suivante

« Quand ils sont à la distance où des yeux peuvent se voir,
Sortant de l'armée des morts un poète mort nous parle.
Les confins du haut azur ressemblent à ses prunelles.
Un intervalle du monde est moins subtil que sa voix. »

qui, à la fin de l'*Ode Gênoise* détache de l'armée des défunts un poète mort, se conforme strictement au *Petit Traité* dont elle est contemporaine. Le choix du vers de quatorze pieds, la régularité des mètres et même des césures — assouplie, il est vrai, par la

(1) *Mouton Blanc*. octobre 1923, p. 62.
(2) Mètre impair de 7 pieds, particulièrement cher au poète.

variété dans la disposition des accents — manifestent la solennité de l'instant. Le jeu des sonorités, de plus en plus complexe, rassemble tous les éléments dénombrés précédemment : rimes imparfaites (voir, voix), accords (prunelles, parle), valeur de l'*e* muet final sur lequel se détachent les consonnes voisines (peuv*en*t s*e* voir, poèt*e* mort, ressembl*en*t à un interval*le* *de* monde). Mais le fait dominant semble ici le grand nombre des rimes intérieures (yeux, peuvent, se ; armée, poète ; morts, mort ; l'armée, parle) et surtout des accords également intérieurs (*d*istance, *d*es ; peu*v*ent, *v*oir ; ar*m*ée, *m*orts, *m*ort, sor*t*ant, poè*t*e ; *p*oète, *p*arle ; a*z*ur, re*ss*emblent ; *l*es, ressem*bl*ent, prune*ll*es, *m*onde, *m*oins ; in*t*erva*ll*e, su*bt*il ; inter*v*alle, *v*oix) : comme si ces rapports subtils et libres devaient le mieux convenir à l'étrangeté de l'évocation.

Si brèves et incomplètes que soient ces remarques, il semble qu'elles laissent entrevoir dans quel sens s'est orientée la technique du poète. En 1923 comme en 1908, on constate qu'il est resté fidèle, strictement, au principe de la mesure, et qu'il paraît avoir une préférence pour les suites de vers de même mètre. Cette fidélité même le dispense de la rime en tant qu'élément métrique ; aussi la remplace-t-il par le jeu de plus en plus complexe et musical des rimes imparfaites et des accords, avec une prédilection croissante pour les accords intérieurs. Mais ni le mètre ni les accords ne sont pour lui, comme ils ont pu l'être pour d'autres poètes, le point de départ ou une fin en soi. Même le vers-refrain d'*Amour Couleur de Paris* implique, avant l'accord de sonorités, l'accord de sentiments. Et il n'est pas téméraire de supposer que les bruits de la rue et le cri de l'enfant, dans la *Vie Unanime,* ou la vision du poète mort, dans l'*Ode Gênoise,* ont précédé et commandé le mètre et les accords. Le rythme, pas plus que les autres éléments de la langue, n'apparaît ici le principe initial. Il fait que la pensée prend corps ; il peut lui être consubstantiel, il ne semble pas qu'il lui soit jamais antérieur.

***

Le *Petit Traité* reste volontairement descriptif et normatif : il s'en tient aux conditions techniques par où peut s'obtenir, particulièrement en français, le rythme poétique. Sur ce rythme lui-même, sur sa nature et ses fins, il s'abstient de spéculer. Il découvre néanmoins, dans cette direction, quelques perspectives que l'on peut, en les éclairant par l'ensemble de l'œuvre de Romains, essayer de dégager.

Ainsi dès ses premières lignes il pose, dans sa généralité, le fait du rythme. Non pas, sans doute, dans la nature où, même si on le constate et le formule — par exemple pour la circulation du sang et la respiration — il reste à peu près rebelle à l'intervention de l'homme. Mais dans les différents arts où, qu'il s'agisse de son, de couleur, de motif ornemental, le rythme peut se définir « la répétition, à intervalles égaux, d'un fait sensible ». Et il semble, en effet, que cette brève définition en contienne les éléments essentiels, et s'applique aussi bien aux arts de l'espace qu'aux arts de la durée ; à l'architecture qui répète symétriquement une surface ou un volume, aussi bien qu'à la danse qui imprime aux pas une même mesure, aux attitudes et aux groupements des danseurs une même loi. Et l'on sait quelle efficacité le retour régulier de mêmes nombres et de mêmes sons donne au rythme musical, avec quelle violence ou quelle persuasion il impose aux corps une même cadence, aux esprits une pensée identique, comment il transfigure les êtres et les choses en y introduisant l'ordre et l'harmonie.

Nous avons entrevu que, pour Romains, ce retour régulier du nombre et du son est également au principe du rythme poétique. Le nombre, en arrachant la pensée aux mouvements capricieux de la rêverie, la met au pas cadencé, range ses mots en blocs égaux et compacts, sur lesquels le temps ne pourra plus mordre. Le son, par ses suites complexes d'accords, lui imprime un mouvement, des oscillations qui lui révèlent, entre les mots comme entre les choses, des analogies, des correspondances imprévues. Et la parole, qui traduit en clair les commandements du nombre et les suggestions du son, leur donne, les chargeant de sa propre magie, un surcroît de pouvoir, par où elle pénètre les hommes, et surtout les groupes d'hommes, en apparence les plus rebelles.

Là, sans doute — on le devine — gît pour Romains l'essence du rythme. Et si le *Petit Traité* ne le dit pas, le reste de son œuvre le chante. Troupes qui se distinguent de la foule et en prennent conscience, ayant réalisé « l'ordre, baiser des Nombres » ; régiments qui, soulevés par le roulement des tambours ou l'éclat des fanfares, disloquent, rue par rue, une ville entière ; salles qui, dociles au martèlement du piano ou aux inflexions de la voix, se laissent bercer et emporter au pays des rêves — témoignent, en maints endroits, de cette aptitude du nombre et du son à façonner un être collectif, à modeler son corps, à faire naître en lui des sentiments simples, puissants, sans commune mesure avec les individus qui les composent. Mais à ces effets, purement musicaux, le vers en ajoute d'autres ; et nous savons, par les études précédentes, que le poème a d'autres ambitions. Il ne lui suffit pas de rendre manifestes des mouvements et des pensées de masses ; il veut susciter et créer des êtres et les éveiller à la vie consciente, et, pour une telle action, le rôle du rythme est décisif. Ainsi les strophes de l'*Ode à la Foule* assènent les formules de présence, d'invocation, d'amour. Ainsi allons-nous voir, sous les formes les plus variées mais pour des fins identiques, agir d'autres rythmes.

CHAPITRE II

LA POÉSIE IMMÉDIATE

La présente étude, ainsi que la précédente, nous a fait constater, à maintes reprises, une tendance constante de Romains à se maintenir en plein concret, loin de tout système et de toute abstraction. Qu'il considère une rue ou un paysage, qu'il soit dans sa chambre, à l'auberge ou dans un train, il regarde les êtres et les choses tels qu'ils lui apparaissent, dans la fraîcheur première et la pureté de la sensation. Une telle façon de percevoir, que lui-même a souvent appelée immédiate, nous a paru en accord avec certaines attitudes de l'art et de la pensée d'alors, notamment avec l'impressionnisme et l'intuition bergsonienne. Et elle semble singulièrement apte à saisir les aspects changeants de l'être, son flux perpétuel.

Mais comment donner à ce flux, souvent capricieux, impétueux, incohérent, l'ordonnance et la régularité du poème, l'unité du livre ? Déjà, quand les romantiques avaient chanté les mouvements les plus violents, les moins ordonnés de leur sensibilité, le problème s'était posé ; et, s'ils avaient gardé un minimum d'armature logique et la régularité rythmique, ils avaient renoncé, sauf pour l'épopée et le théâtre, à la composition d'ensemble d'un livre : *Méditations, Harmonies, Recueillements, Chansons* juxtaposaient des poèmes, en vertu d'une impression commune, d'un titre général, d'un ordre pseudo-chronologique ou même sans motif aucun. Et à mesure que l'on avance dans le siècle, on voit peu à peu disparaître la régularité et la logique. Le poète s'abandonne, par exemple dans les *Illuminations,* au délire de l'inspiration et de la « voyance », ou bien note ses impressions, de plus en plus fugitives, dans des suites sans lien et de plus en plus restreintes, comme pour rivaliser avec les trois lignes inégales du hai-kaï. Le problème dépasse même l'art littéraire et se pose pour tout impressionnisme, en musique ou en peinture : les *Séries* de Claude Monet (1), les *Reflets, Images, Estampes, Jets d'Eaux* semblent, à l'envi, dissoudre les formes, les volumes, les thèmes et s'en tenir aux assemblages les plus provisoires, les moins prévisibles, de couleurs et de sons.

La réaction devait se produire. Annoncée en peinture par Cézanne et les peintres constructeurs, elle se fait provocante avec les compositions géométriques du cubisme. Et si, en littérature, le vers libre et le délire gardent leurs adeptes, il s'agit désormais, pour les autres écrivains novateurs, d'organiser l'intuition immédiate, de la faire entrer, sans la déformer, dans un ensemble cohérent, rythmé et qui, en particulier pour Romains, constitue véritablement un livre. Une telle recherche ne pouvait d'emblée aboutir. Et il semble possible, à travers un premier groupe d'œuvres, d'en suivre les tâtonnements.

***

Un exemple caractéristique, apparaît dès la *Vie Unanime,* en particulier aux premières pages, intitulées *Avant.* La préface achevée, le poème plonge en pleine rue, avec des vers que nous avons déjà cités :

L'essieu d'un tombereau grince...

(1) *Cathédrales, Meules, Londres, Venise, Nymphéas,* etc.

qui juxtaposent, sans ordre apparent, des impressions diverses : un essieu qui grince, un enfant perdu dans la foule et qui pleure, des femmes vêtues de noir, le ciel sombre. Ainsi, sans autre commentaire que celui des images (englué, grouillements, charbon broyé, entonnoir, mousseux, tête dans un sac) il parcourt divers aspects du réel et s'efforce d'en prendre et d'en donner le contact direct. Même, le dernier vers, avec ses trois verbes divergents, renonce à ordonner ce chaos primitif, où baignent les êtres et les choses. Sans doute, une telle façon de les présenter, sans intervenir pour les expliquer ou y mettre un ordre artificiel, n'est pas absolument neuve. On en trouverait des exemples dans certaines *Contemplations* de Hugo (1), *Romances* de Verlaine, ou *Illuminations* de Rimbaud, toutes poésies qui tendent, elles aussi, à saisir, à même son jaillissement, le réel ; mais sans que jamais la volonté de l'écrivain ait été aussi forte de s'effacer devant l'objet, d'en prendre et communiquer la perception immédiate.

Un seul mot, du dernier vers, indique son état d'esprit : Je cherche. Les poèmes suivants précisent l'objet de cette recherche. Et, si l'on excepte le second, qui en annonce expressément le but (comme on serait content si l'on avait un dieu !), ils sont faits d'impressions successives ou — en donnant au mot son sens le plus simple — d'expériences. Romains éprouve la sensation d'une âme qui s'avance, qui transfigure le boulevard, traverse les murs de sa chambre, les rend perméables à la souffrance d'un enfant voisin. Il entend un piano, une pendule, le sifflement des trains et se sent « à cheval sur les forces ». Il voit « toute la longue rue exister à la fois », et les êtres fondre « leurs formes et leurs vies », dans un ensemble plus vaste qui manifeste « dieu le long des maisons ». Ainsi, comme l'indique le titre de chacun des poèmes (emprunté à une phrase

(1) Par exemple *Eclaircie*, du Livre V, dont nous avons déjà signalé l'influence sur Romains.

d'un poème précédent), toutes ces expériences se tiennent. Elles sont autant d'approches qui, peu à peu, dévoilent au poète ce qu'il cherchait : une âme plus vaste, l'unanime, qu'il dépendra de lui de diviniser.

Et l'ensemble du livre présente la même disposition. Les poèmes, toujours unis par le lien du titre, évoquent tour à tour différents êtres collectifs (caserne, théâtre, café, troupeau, église), les échanges, les propagations entre ces êtres, et quelques phases notables de leur existence. La seconde partie, consacrée à l'*Individu,* montre tour à tour la fusion de l'âme individuelle dans l'Unanime, sa révolte, enfin son abandon total aux forces collectives. Et Romains, par ces lignes de la préface de 1925 :

« J'avais dès le début conçu le mouvement général de l'œuvre, et les grandes divisions qu'elle a gardées. Mais ensuite je m'abandonnai à l'inspiration. Chaque poème particulier naissait d'une circonstance, d'une émotion, d'une secousse que je recevais de la réalité ou d'un mystère qu'elle me révélait soudain et par qui je me sentais commandé. Le poème fini, je lui cherchais une place dans mon édifice. J'y arrivais sans trop de peine, parce que mon plan d'ensemble lui-même était aussi peu artificiel que possible. Il était déjà le résultat et le résumé d'une expérience. Il marquait par ses divisions les phases que j'avais appris à reconnaître dans cette relation passionnée de l'âme avec l'unanime qui m'occupait tout entier. »

confirme le rapport que le lecteur établit spontanément entre le détail de l'œuvre et le plan général.

Ainsi les poèmes expriment, chacun de la façon la plus directe, une « impression » ou un « mystère ». Et leur ensemble, disposé selon un plan conçu dès le début, forme une série continue (1) : il a son mouvement propre, son progrès, celui d'une recherche qui

(1) Il existait déjà, naturellement, des séries ou cycles de poèmes : de *La Légende des Siècles* aux *Trophées,* de l'*Intermezzo* de Heine aux recueils de Stephen George dont un ensemble comme *der Stern des Bandes* constitue, de poème en

peu à peu aboutit. Peut-être le livre, malgré cette organisation, n'est-il pas toujours conforme à ce qu'a voulu son auteur. L'évocation des êtres collectifs ne se fait pas sans commentaires (opposition du présent et du passé, d'ici et d'ailleurs, intentions attribuées aux unanimes, ou à l'univers) qui vont contre le principe de l'immédiat. Et le plan d'ensemble — où, après la phase de la recherche, les unanimes sont présentés d'abord en eux-mêmes, ensuite dans leurs réactions mutuelles ; où le Moi, suivant l'ordre logique de la thèse, de l'antithèse et de la synthèse, s'unit, s'oppose, enfin se fond dans le Nous, — garde encore, si peu artificiel soit-il, l'apparence d'un cadre. Peut-être même y a-t-il contradiction, ou rupture, à vouloir placer une impression immédiate dans un cadre qui lui est extérieur et la dépasse. Du moins le problème est-il posé et les œuvres suivantes vont-elles tendre à le résoudre.

Il semble que, malgré son titre, le *Poème Lyrique,* qui constitue la deuxième partie d'*Un Etre en Marche,* appartienne au type de poésie que nous étudions actuellement. Par son aspect et son mouvement général il fait penser, en effet, moins à un recueil lyrique qu'à un ensemble comme la *Vie Unanime.* Et, bien qu'il se distribue en cinq parties, il dessine une courbe unique, continue et sinueuse comme la promenade (1) qu'il retrace.

En effet, chacune des impressions analysées par l'auteur est assez proche, dans le temps, de la précédente et de la suivante pour qu'elles se replacent d'elles-mêmes, toutes ensemble, dans le courant conti-

poème, une véritable queste de Dieu (cf. K. Pinette, N.R.F., 1er sept. 41). Mais dans de telles œuvres, chaque poème forme un tout indépendant.

(1) Promenade qui est celle d'un individu, tandis que le *Poème Epique* de la première partie est la promenade d'un groupe.

nu de sa pensée, dans ce « fleuve » du moi qui le constitue. A la différence de la *Vie Unanime,* le thème général — ici, celui de la promenade — n'est donc pas un cadre. Il découpe seulement dans l'existence d'un individu, ce morceau de durée qui va du commencement à la fin de sa promenade. Il représente — plus littéralement encore que ne l'avaient entendu les naturalistes — une véritable tranche de sa vie (1).

Ainsi le poète conserve à l'impression immédiate sa pureté et la sépare, le moins possible, de la durée vivante dont elle remplit un des instants. Il n'opère pas moins, dans cette durée, un choix qui donne à l'œuvre un principe d'ordre et un sens. Il en élimine tout élément pittoresque ou social, aspect de la rue, des édifices, des boutiques, des passants, des voitures, et ne garde que l'essentiel de son sujet : les relations mouvantes, variant à chaque instant, du moi et du monde. A plus forte raison exclut-il tout souvenir ou projet, toute association d'idées ou de sentiments qui l'entraînerait hors de l'impression actuelle. Il semble donc que le poème avance dans un éternel présent, éclairé par une lumière implacable et monotone que n'adoucit aucune ombre venue du passé, ou de l'avenir, ou d'une zone moins claire de la conscience. Il ne peut pourtant soutenir jusqu'au bout cette gageure et doit laisser, de temps à autre le passé poindre, par les souvenirs proches rapportés de la promenade, par les images qui ne sont autres que des souvenirs plus lointains. Et ainsi se font jour, pour les œuvres suivantes, de nouveaux types d'organisation.

⁂

Le thème de la Promenade — sur lequel se déve-

(1) On pourrait d'ailleurs trouver à ce thème — avant que l'unanimisme lui ait donné cette forme spécifique — des antécédents, soit dans le roman naturaliste (par exemple *Une belle journée,* de Céard), soit dans la poésie intimiste (par exemple *A chaque Jour,* de F. Porché).

loppe également le *Poème Epique* d'*Un Etre en Marche*, que nous retrouverons plus loin — n'a, d'ailleurs, pas épuisé sa fécondité. Par la facilité qu'il offre de renouveler constamment les impressions, les pensées et les images, il est — nous l'avons vu — l'un des moyens naturels d'expression pour une poésie de l'immédiat. Ainsi, en se diversifiant et en prenant la forme d'un Voyage, apparaît-il, en 1913, au principe d'une nouvelle œuvre, le *Voyage des Amants,* série de quatre dialogues : avant, chemin faisant, à Amsterdam, au retour.

Le poème, naturellement, est fait encore, pour la plus grande part, d'impressions familières, telles qu'elles surgissent au choc du voyage. Mais elles sont ici nuancées par la bonne humeur des amants, par leur joie d'aller et de découvrir.

De là ces visions insolentes :

« Ce petit monsieur décoré
Qui promène un regard de singe
Sur une feuille de finance,
Ne lui laisse pas ignorer
Qu'il a le crâne en fer de lance (1). »

Ces images amusées :

« Tiens ! Regarde l'église
Et le clocher gonflé !
On dirait qu'un citron
Est tombé sur la flèche (2). »

« Nous avons pour nous porter
Un torrent de faces roses (3). »

qui ont la justesse rapide d'un haï-kaï. Et cette joie exprime l'union intime des amants qui voient ensemble ou l'un par l'autre, qui mêlent leur présence, et jusqu'à leur souffle, à tout ce qu'ils regardent (4).

(1) P. 31.
(2) P. 37.
(3) P. 47.
(4) P. 34, 38, 39.

Si gaiement qu'ils jouissent de la minute actuelle, ils tendent constamment — et du fait même de leur union — à s'en évader pour évoquer ou se communiquer leurs souvenirs, qui surgissent avec les figures les plus diverses. Tantôt l'évocation est assez précise pour rendre les choses véritablement présentes, pour les distribuer tour à tour, selon un mode de vision cher au poète, sur des plans différents qui s'étagent. Ainsi, quittant la Cannebière, ses cafés et ses foules, le couple découvre, à la montée de la colline, Marseille qui « cuit dans son creux » et, du sommet, « la mer, la terre mélangées », l'horizon pesant « comme un bol empli jusqu'aux bords » et Marseille qui n'est plus « qu'un peu de lie au fond » (1). Tantôt, comme en ces vers :

> « L'espace était surnaturel,
> L'espace était hostie.
> Une âme
> Le recevait par communion
> Tout entier dans une parcelle... (2) »
> « Alors la douceur de Paris
> Montait toute, place du Tertre.
> Le plus doux rêve de Paris
> Fumait alors autour de nous (3). »

la mémoire retrouve moins des apparences visibles que des états mystiques de communion (4). Mais, qu'elle évoque des formes ou des sentiments, le bénéfice est le même : le poète dépasse l'immédiat, l'éternel présent où il s'était confiné. En le grossissant du passé (5), en présentant tour à tour et avec la même

(1) *Voyage*, p. 14 et 15.

(2) P. 23.

(3) P. 57.

(4) Surtout quand il s'agit de Paris : comme si, pour le poète, de tels souvenirs faisaient plus intimement partie de lui.

(5) Le rôle du passé apparaît dès les *Odes*, quelque peu antérieures, qui seront étudiées au chapitre de la Poésie Lyrique.

fidélité les choses comme elles sont, ou comme les fait la magie du souvenir, il amorce une série de transmutations, de transfigurations qui jusqu'alors lui semblaient interdites.

Le présent est dépassé également dans l'autre sens, par la représentation de l'avenir qui prend, elle aussi, les formes les plus variées. Elle n'est, au début du poème, que l'inquiétude, l'impatience de partir. Elle devient, en wagon, l'attente des pays inconnus. Elle peut, en se précisant, rendre les choses futures aussi présentes que par un contact immédiat : tel ce « départ imaginaire » de Londres, avec « quatre musiciens mal vêtus » assis à l'avant,

> « Pour que le vent fasse flotter
> Leur musique sur le navire (1). »

Il lui arrive aussi de rester une vision, à la fois évidente et mystérieuse, à laquelle on peut seulement faire allusion, et dont on ne parlera que « quand le monde y sera préparé » (2).

Des éléments si divers, passion, ironie, images, souvenirs, anticipations, offrent cette fois, de la vie intérieure, une représentation sensiblement plus complexe. Aussi ne peuvent-ils s'ordonner, comme précédemment, selon une seule direction. Le poème passe de l'évocation des pays au projet de départ, au trajet en wagon, à la découverte d'Amsterdam, aux rappels de Paris, selon une arabesque aussi souple que la conversation et le voyage (3). Mais cette ara-

(1) P. 72.

(2) P. 76.

(3) Il arrive à cette arabesque de prendre une forme plus sinueuse encore, le souvenir évoquant un autre souvenir, comme en ces vers :

> « J'allais avoir du bonheur ;
> Lorsqu'il me vint la mémoire
> D'une rue en pente douce » (p. 20).

et la vision anticipée d'Amsterdam (p. 67) étant racontée au passé, telle qu'elle se produisit à l'adolescence du poète.

besque, qui finit par réunir, « comme deux serpents enlacés », le rêve d'autrefois et le souvenir d'hier, n'est capricieuse qu'en apparence. Sous la vérité des impressions et du dialogue, elle laisse deviner, selon les propres paroles de l'auteur, « une logique secrète, une géométrie cachée » qu'il a expressément voulues, et qui donnent à l'œuvre un type nouveau d'unité et de développement.

Malgré l'ampleur de ses thèmes et la nouveauté de ses accents, *Europe* se rattache étroitement aux œuvres précédentes. Elle aurait pu, portée par le sujet, se hausser à l'hymne funèbre, à la satire prophétique, même à l'épopée ; et elle tient, en quelque mesure, de chacun de ces genres. Mais, comme le *Poème Lyrique,* elle est avant tout une série, découpée en plusieurs mouvements (1), de visions et d'états d'âme. Et, ainsi que dans le *Voyage des Amants,* il y entre d'autres éléments que la sensation immédiate. Enfin elle se présente comme la suite tragique, donnée par la guerre de 1914, à cette exploration de l'Europe, que le *Voyage* avait si joyeusement entreprise.

Le développement prend, néanmoins, une forme encore différente, et chaque mouvement, un aspect et un rôle distincts. Ainsi, après le Prélude heurté, allant de la plainte à l'espoir et esquissant, par ses oscillations, plusieurs des thèmes qui par la suite vont s'opposer, le deuxième mouvement s'enfonce brusquement dans le passé, celui de deux individus, celui de toute l'Europe heureuse d'avant 1914 : évocation qui n'est, pas plus que celles que nous avons déjà rencontrées, un simple artifice littéraire, mais qui maintient le passé contre ses tueurs et, par lui, tente de chasser le « monde mauvais » d'aujourd'hui. Et,

(1) On pourrait donner comme titres à ces cinq mouvements : Prélude — Souvenirs — Le 500e jour — Le Front des Armées — Appel à l'Europe.

contre ce « monde mauvais » du cinq-centième jour de guerre, le troisième mouvement dresse de nouveaux sortilèges : tout l'immédiat qui entoure le poète, le peuple des « oliviers sans lois », la mer au loin tendue qui « n'est qu'une corde d'azur », bref tout le « véritable univers » qui ignore l'événement périssable, tout le présent d'où se dégage d'éternel.

Mais, à mesure que le fléau se prolonge, la vision du poète, tout en restant dans l'immédiat, ne cesse de s'élargir. Il considère, dans les « bars éteints », dans les gares de tous les pays, l'ensemble des séparations et des départs, et suit, « de glissoire en glissoire », les itinéraires de tous ces hommes envoyés à la même mort. Il voit ensemble tous ces trajets et leur unique aboutissement : un être immense, déployé sur mille lieues, qui attire à lui toute la substance de l'Europe et en fait « l'ordure de son ventre ». Et il retarde jusqu'à l'extrême limite le moment de l'appeler, de le désigner par ce nom de « Front des Armées » que prononcent toutes les bouches, qu'impriment toutes les feuilles et tous les livres ; comme si, par ce retard, il donnait plus de force à sa dénonciation finale et la chargeait d'une valeur d'exorcisme.

En face de cet être, le poème en dresse un autre, encore plus vaste, et que, dès son titre, il a chanté avec amour : l'Europe. Le Prélude l'a annoncée, les mouvements suivants l'ont pénétrée, explorée en tous sens, dans le passé, le présent, l'éternel. Et, pour maintenir sa présence, ils l'ont invoquée.

La dernière partie en fait défiler une suprême série de visions, toujours aussi précises, mais prises de plus haut encore : toutes les flottes, toutes les hordes, qui convergent vers la guerre, toute la substance de l'Europe qui s'affaisse, les plus humbles et les plus charmants de ses villages qui se tassent peu à peu, se vident, meurent « de loin, homme à homme ». Il suit, pas à pas, les progrès de cette mort, à laquelle échappent, seules, des foules, diminuées mais dignes encore de leur grand nom. Il les désigne nommément, les réveille, les évoque, les invoque et, pour les rappeler à la conscience et à leur devoir, multiplie les formules de conjuration et d'incantation.

Ces appels, ces adjurations ont d'autant plus de force pathétique qu'ils sont plus brefs et qu'ils surgissent non pas de développements oratoires, mais des êtres eux-mêmes et des choses. En effet, le poème, écartant tout commentaire, toute considération abstraite et idéologique, évitant jusqu'au mot « guerre » (1), reste obstinément, d'un bout à l'autre, une succession de sentiments, de visions et d'images. Mais les dimensions de la matière, à la fois dans l'espace et dans le temps, imposent à cette succession une forme nouvelle. Ce n'est plus la courbe continue de la promenade ou l'arabesque capricieuse et ornementale du voyage ; mais cinq suites d'évocations rapides, elliptiques, sans transition, comme dans le monologue intérieur ou dans un film, et reliées seulement par l'unité et le rythme d'une pensée, ou plutôt d'une présence grandissante qui leur est commune à toutes : l'Europe. Ainsi l'immédiat se dépasse. Par les impressions d'un seul individu, il rend présent l'un des plus vastes êtres collectifs. En taisant l'idée, il la suggère. Par la simple comparution des faits, il est plus fort que la plus véhémente des protestations (2).

Malgré leur diversité, les quatre ouvrages que nous venons de parcourir présentent, semble-t-il, des affinités nombreuses et, notamment, une conception commune de la poésie et de la technique.

Ils confirment d'abord ce que l'étude de quelques

(1) Il ne paraît que deux fois, au début du Prélude et de la troisième Partie.

(2) Sans doute faut-il, puisque *Europe* a paru en décembre 1916, faire à la Censure sa part. Mais elle n'a pu que fortifier une tendance, déjà fondamentale chez le poète, à un art elliptique et suggérant les idées par la peinture du concret.

fragments laissait entrevoir : la poésie de Romains plonge à même le réel. La *Vie Unanime,* le *Poème Lyrique,* le *Voyage des Amants, Europe,* ne déroulent pas des considérations sur la vie collective, les variations du moi, le voyage, les horreurs de la guerre, mais une série d'expériences, de chocs, de mystères éprouvés par le poète et exprimés tels qu'il les éprouva. Jusque dans son développement, son mouvement et même ses dimensions, la notation poétique de ces expériences garde leur soudaineté, leur brièveté poignante. Tout y est fait « de sensations, d'attouchements, de pincements de plaisir ou de douleur, tout y est concret avec une pureté exigeante, avec l'acuité du point et de l'instant » (1). Et même si le détail de l'expression, en particulier dans la *Vie Unanime* et le *Poème Lyrique,* tourne vers l'abstrait, le poète sait éviter tout développement philosophique ou oratoire qui, par son sens et ses proportions, l'écarterait de l'immédiat, qui arrêterait ce « jaillissement du réel et de l'âme » (2) où il voit l'essence de la poésie.

Pour s'en tenir au réel, le poète ne s'attarde pas, comme tant d'écrivains qui se piquent de réalisme, à l'observer du dehors et à l'imiter par une sorte de photographie. Pourquoi s'épuiserait-il « à connaître par le dehors une réalité que l'âme éprouve et sonde par le dedans ? » (3). Il veut donc atteindre l'intérieur des êtres, saisir leurs rapports invisibles : l'âme qui s'avançant vers les passants transfigure le boulevard, — les pensées de l'homme seul ou de deux amants qui explorent la terre, — les villages vidés de leur substance par la succion d'un être plus vaste et innombrable. Ainsi, loin de copier la nature,

(1) Préface aux *Œuvres Poétiques* de G. Chennevière, p. 20.

(2) Réponse à l'enquête de E. Henriot, *A quoi rêvent les jeunes gens.*

(3) Conférence sur la *Poésie immédiate,* donnée au Salon d'Automne et recueillie dans *La Vérité en Bouteilles,* pages 12 et 13.

il « exprime le monde » (1). Il « fouille, découvre, suscite, par un mode de connaissance que l'on pourrait appeler intuition » (2), et qui est à la fois autonome et illimité. « Nous ne pensions pas », écrit Romains vingt ans plus tard en évoquant les tendances de sa génération, « que le poète dût aller moins loin que le philosophe dans le secret des choses, mais nous l'obligions à y aller lui-même. Nous l'invitions à approfondir infiniment son expérience, et non point à mettre en formules dorées les conclusions des sages. Le poème s'avançait vers l'intérieur du monde comme une bête très sensible qui flaire et qui palpe » (3). Et il en résulte une « révélation perpétuelle » (4).

Quelle différence entre un tel art, qui à bon droit peut se proclamer « immédiat » (5), et un impressionnisme ? La même, selon Romains, « qu'entre une sieste à l'ombre, sur l'herbe, et une exploration. Choix de la direction, essai perpétuel du chemin ou de la piste, vigilance, excitation, pressentiment, désir au lieu de docilité, recherche au lieu d'attente, découverte qui s'organise peu à peu » (6). Et nous avons vu de quelle importance est pour lui cet effort de choix, de recherche, d'organisation, comment il en a varié les modalités selon chaque œuvre. Par des dispositions telles que le monologue intérieur, le dialogue, l'arabesque, le déroulement et le groupement cinématographique des visions et des images,

(1) (2) (4) *La Poésie immédiate,* dans la Vente en Bouteilles, p. 12 et 13.

(3) Préface aux *Œuvres Poétiques* de Chennevière, p. 20. Remarquons l'accord de ces formules, de vingt ans plus récentes, avec les précédentes et avec celles de Duhamel à la même époque, par exemple dans les *Propos Critiques.*

(5) Comme l'indique la Conférence du Salon d'Automne citée plus haut, ce terme n'est pas particulier à Romains ; il s'applique à toute une génération poétique, celle d'Arcos, Chennevière, Duhamel, Durtain et Vildrac.

(6) Préface aux *Œuvres Poétiques* de Chennevière, p. 21.

— dispositions en accord avec les formes les plus récentes de pensée et d'art —, il a substitué peu à peu, à un plan extérieur et arrêté d'avance, un développement interne. Les impressions immédiates, sans rien perdre de leur fraîcheur, s'y ordonnent comme d'elles-mêmes et deviennent solidaires. Tout en gardant « l'acuité du point et de l'instant », elles rendent sensible le temps qui se déroule et manifestent, par delà l'individu, un ensemble qui le dépasse mais ne vit que par lui.

L'évocation de tels ensembles paraît être la fin dernière de tout cet effort de structure. Et, jusque dans le détail de l'expression, rien n'y semble indifférent. Que le poète emploie ces simples alliances de mots : « l'Europe, mon pays », la France, « terroir de mes pensées, terrain de ma tribu », ou cette image :

> « Le continent grouille par terre, comme un sac
> De serpents enfumés qui s'éveillent et mordent.
> Des villes, au hasard, éclatent sous leurs dents (1). »

qu'il suive, par le mouvement des vers, la marche de l'événement, l'itinéraire des hommes ou la succion des villages ; qu'il dispose, avec le maximum d'efficacité, les formules d'appel, de conjuration ou d'exorcisme, tout semble commandé par l'être collectif qui dicte ces images, ces figures et ces rythmes, qui par eux se crée et se hausse au plan de la Parole.

La poésie immédiate peut-elle y réussir avec ses seules ressources ? Il semble que, pour un tel objet, elle tende, en maints endroits, à se dépasser elle-même et appelle d'autres formes poétiques.

(1) *Chants des Dix Années*, p. 12.
(2) *Ibid.*, p. 31.

CHAPITRE III

LA POÉSIE LYRIQUE.

La poésie immédiate, qui nous est apparue comme primitive et inhérente à l'unanimisme, ne se limite pas, naturellement, aux quatre livres que nous venons de considérer. Elle emplit également les autres œuvres de la même période, les *Prières, l'Armée dans la Ville,* les *Odes,* et emplira encore les plus récentes, s'affirmant ainsi comme un moyen essentiel de connaissance et d'expression. Mais les ouvrages précédents, si caractéristiques soient-ils d'une telle poésie, laissent place, par instants, à une tendance différente. Il arrive que leur continuité, qui exprime un courant incessant de pensées et d'images, semble, pour ainsi dire, faire halte (1). Les vers, au lieu de suites ininterrompues, forment des groupes métriques distincts, qui s'astreignent à des combinaisons de nombres et de sonorités : ainsi voit-on réapparaître tous les caractères d'une poésie à formes fixes.

Une telle disposition ne répond pas seulement à une convenance technique, à un simple besoin de varier la distribution des mètres et des sons : elle manifeste une tendance autrement profonde et qui, selon les temps et les lieux, a pris les formes les

(1) Par exemple : *Vie unanime,* pp. 148, 229 — *Un Etre en Marche,* pp. 106, 138 — *Voyage des Amants,* pp. 56-57 — *Chants des dix Années,* pp. 48-51, etc...

plus variées. Elle apparaît dans l'Ode pindarique et les poèmes du même type (1), nés d'une fête ou d'un rite, qui façonnent un groupe par la musique, la danse, la parole ; mais aussi dans l'Ode légère, qui invite une réunion de joyeux convives à célébrer le vin et l'amour. Elle se retrouve dans le lyrisme des *Psaumes,* continué par les *Hymnes* et les *Proses* de l'Office catholique, où l'âme se recueille pour s'entretenir avec son Dieu ; mais aussi dans la volonté persistante, et souvent désespérée, — de la Renaissance au romantisme et au symbolisme — de fixer ce qui passe, la rose qui va se flétrir, le souvenir d'un être qu'on ne verra plus. Et que ce soit par un hymne, une prière, une « méditation », une « contemplation », il semble que la vie, de l'individu ou du groupe, tende à interrompre son cours, à transfigurer l'éphémère en le haussant au plan de l'éternel.

Pour s'y hausser avec lui, le langage a dû prendre un tour plus solennel. Il ne suffit plus d'endiguer le courant poétique par une suite continue de mètres égaux, avec les doubles bornes des rimes plates. Il faut des systèmes clos, à l'intérieur desquels la pensée tantôt se concentre, repliée sur elle-même, tantôt se déploie comme par une série de courbes ; ces systèmes s'étageant par degrés, pour que ces mouvements soient une ascension. Depuis longtemps la strophe a fourni le type le plus complexe et le plus résistant d'une telle structure. Née du majestueux va-et-vient du chœur dans l'Ode pindarique et la tragédie athénienne, elle est apparue comme la figure même du mouvement périodique, qui règle les phases d'un rite ou les élans d'une âme comme elle règlerait les révolutions d'un astre. Et, sans doute, au cours des siècles, détachée du groupe, du rite, de la musique, de la danse d'où elle tenait une partie de son pouvoir, la strophe s'est-elle trouvée réduite

(1) Par exemple le *Chant Séculaire* d'Horace, les *Odes Pindariques* de Ronsard, les *Hymnes* de la Révolution, les grandes *Odes sociales* de Hugo ou de Lamartine.

aux seules ressources du langage. Mais, forte de tout le travail qui, de Ronsard à Mallarmé et Valéry, s'est fait sur le sens, le son et le rythme des mots, elle a recréé en elle-même tous les éléments d'une fête et d'une danse invisible. Et elle a redonné à la parole sa pleine signification, sa plus antique force incantatoire.

Ainsi la poésie lyrique semble avoir atteint l'opposé de son point de départ. Issue d'un rite, d'une « pause » périodique de la vie sociale, elle aboutit, au début du XXe siècle, à exprimer les nuances les plus fugitives de la vie individuelle. Et en lui confiant ses pensées propres, la nouvelle génération poétique va la transformer une fois de plus.

La conception des *Prières* peut, au premier abord, sembler étrange : invoquer un couple, une famille, une maison, une rue, un village, une ville ! Mais cette seule énumération nous introduit déjà dans le monde familier de Romains et laisse entrevoir que les *Prières* expriment une tendance essentielle de son esprit. Et nous savons déjà que, par elles, il a tenté de pénétrer le plus avant possible au sein des êtres collectifs (1).

Pour mieux y réussir, elles plongent d'abord, comme les poèmes étudiés précédemment, en plein immédiat : la cuisine où la lumière brûle, le miroitement des bassines de cuivre, le sifflement des trains, le banc noir devant l'auberge, la famille qui se chauffe. Mais elles en dégagent, par exemple en ces vers :

« Dieu de toutes les nuits et de tous les réveils,
Toi, convive aux repas, toi, présent quand on meurt (2)... »

ou :

(1) Cf. *J. Romains et l'Unanimisme*, Première partie, chap. IV, et quatrième partie, chap. I.
(2) P. 144.

« La plaine sans maisons n'est là que par mes yeux
Et toute l'ombre meurt soudain quand j'ai passé. »

un sentiment de présence qui ennoblit les gestes les plus humbles comme les plus graves, qui agrandit la solitude de la campagne, aussi bien que celle de la ville. Comme en ces strophes du Poème d'introduction :

« Les murailles, le lit, la chaise, mon corps,
Même cette pensée un peu saoûle et triste,
Je ne sais quoi les soulève et les secoue,
Les secoue avec lenteur et les étonne,
Comme des passagers dans une cabine,
Balancés par une mer qu'ils ne voient pas. »

elles y démêlent un mystère palpable. Et cette force dont elles saisissent et approfondissent le réel n'est pas l'une des moindres raisons de leur efficacité.

La forme donnée à la prière n'est pas moins essentielle. Aucun des éléments du langage en vers que nous avons précédemment dénombrés, mots, images, figures, rythme (1), n'y apparaît indifférent : mais l'invocation, dont nous avons déjà entrevu le rôle actif dans l'unanimisme, les commande par excellence et les organise.

Elle n'y sert pas, en effet, de simple artifice pour varier grammaticalement la forme des mots ou feindre d'attribuer la conscience à des « objets inanimés », une maison, un lac, et leur poser d'inutiles interrogatoires. Elle est, comme en cette Prière :

« Vas-tu me prendre aussi, toi, le groupe ? (2) »

(1) La plupart se moulent dans l'alexandrin qui leur donne « la gravité archaïque et nécessaire d'un plain chant » (DUHAMEL, *Propos Critiques*) et se contentent d'un mètre unique. Et aucune ne se plie à une disposition en strophes égales, contraire à la liberté de l'effusion. Il en est de même, pour des rasons analogues, dans l'*Ode à la Foule*.

(2) *A un groupe*.

un appel non feint mais réel à des êtres, réels aussi, mais encore informes et qu'il s'agit de façonner ; ou, en cette autre :

« O vous tous à la fois, qui avez trop de noms... (1) »
« Toi, preneur patient des cœurs qui se croient seuls,
Maître du pas sans cause et du sommeil qui marche... (2) »

un effort du poète pour capter, comme par une antenne, les forces, même les plus mystérieuses, et les amener à passer en lui. Et, par des vers tels que ceux-ci :

« Pour être en frémissant tes yeux contre le monde (3) »
« O vous, plusieurs linceuls sur ma tête vivante (4). »
Vous, dix hameaux, tordus par toi qui tournes !
O la forme de toi, circulaire et saoûle... (5) »

elle n'établit pas seulement entre les mots les plus simples [où les possessifs, les appositions, les vocatifs sont véritablement créateurs (6)] des rapports inattendus qui renouvellent le langage : elle appelle à une forme de vie supérieure ces êtres que, jusqu'alors, nulle conscience n'animait.

Pour y réussir, l'invocation doit recourir au terme-clé de toutes les prières, à celui qui, entre les deux êtres, l'un invoquant, l'autre invoqué, établit une relation d'un genre unique : le mot *dieu*. Ce nom, avec toutes les résonances dont il s'accompagne, et le poids dont il s'est chargé depuis des siècles, est celui qui donne aux formules une efficacité que, si elles s'appliquaient à d'autres objets, on pourrait appeler magique. Il les emplit, comme en ces vers :

(1) *A la famille.*
(2) *A plusieurs dieux.*
(3) *Au couple.*
(4) *A plusieurs dieux.*
(5) *A un village.*
(6) Comme l'a vu Duhamel, *Propos Critiques*, p. 50.

« Et mes larmes, c'est toi, mon dieu, qui prends ta
source. (1) »
« Mon Dieu ! je te ferai penser contre le ciel. (2) »
« Il faut bien maintenant que tu sois un dieu... (3) »

d'une force insinuante et douce. Et, par les irradiations variées qui en résultent, il transforme l'être qu'il désigne et que désormais le poète peut adorer.

Romains retrouve ainsi, spontanément, les images, les élans, le rythme du langage mystique. Langage secret, où l'être invoqué n'est désigné que par un terme général, maison, groupe, rue, ou même un simple mot neutre, assez vague pour écarter le profane et permettre une intimité d'initiés. Cette intimité, que troublent par endroits des interrogations heurtées, des négations qui laissent percer l'inquiétude :

« Mais, n'est-ce pas ? toi qui passais à travers moi,
Tu n'es pas ailleurs ? Tu n'es pas plus loin que moi,
Tu ne m'as pas quitté, toi, ce que j'ai senti ? (4) »

ou des formes pressantes, presque jalouses :

« Reste ! Tu n'iras pas chez les autres, ce soir (5). »

va par degrés, aux moments les plus heureux, jusqu'à une fusion complète. Et le mouvement du vers, qui n'est autre que celui de la pensée, emporte, comme en ces adjurations :

« Oh ! submerge la chair et débouche les pores !
Je suis l'éponge heureuse. Entre, accumule-toi !...
... Baigne et dissous. Ronge et vide le dedans (6). »

(1) *Au plus grand dieu.*
(2) *A une rue.*
(3) *A un village.*
(4) *Au plus grand dieu.*
(5) *Ibid.*
(6) *Au plus grand dieu.*

l'âme individuelle, l'absorbe dans l'être collectif ou, comme en celles-ci :

« Nous monterons enlacés dans l'axe de la nuit (1). »
« Tu n'es que cette brume où monte ma fumée... (2) »
« Laisse monter en toi cette âme très pieuse. (3) »

fait monter ensemble les deux êtres dans la brume ou la nuit [chère aux mystiques (4)] qui les confond.

Malgré leur ésotérisme, il semble donc que les *Prières* laissent entrevoir quelques-uns des moyens dont se sert la pensée pour agir sur des êtres collectifs. Elles les appréhende, les nomme et, par ses invocations pressantes, leur donne le sentiment qu'ils se distinguent du milieu qui les entoure, et deviennent des personnes. En les appelant Dieux, elle traduit « sur le plan lyrique ou mystique... la disproportion des dimensions et des forces (physiques et psychiques) entre les groupes et l'individu, et le changement d'ordre de grandeurs quand on s'élève d'un plan à l'autre » (5). Et elle les enrichit d'une masse de sentiments et d'images, les rend dignes d'amour et même d'adoration et tend à s'absorber en eux par union mystique. Les *Prières* réunissent ainsi, par un privilège singulier, deux tendances depuis longtemps divergentes, l'action magique et le mysticisme (6). Et, comme l'*Ode à la Foule,* elles offrent quelques-uns des exemples les plus caractéristiques de la création par la parole.

(1) *A un groupe,* III.

(2) *Au plus grand dieu.*

(3) *Ibid.*

(4) Cf. Jean Baruzi, *Saint Jean de la Croix et l'expérience mystique,* p. 307-323 et Rolland de Réneville, *l'Expérience poétique,* passim et notamment p. 124.

(5) J. Romains, *Essai de réponse à la plus vaste question,* N.R.F., Août 1939.

(6) Divergence qu'ont fait apparaître récemment les recherches les plus variées, des *Deux sources de la Morale et de la Religion,* de Bergson, à l'*Introduction à la Poésie française,* de Thierry Maulnier.

Après les effusions et invocations des *Prières* et de l'*Ode à la Foule*, les *Odes* offrent une forme différente, et moins tendue, de lyrisme, à la fois urbain et intime (1). Le lecteur le moins averti peut y accéder, sans reconnaître en des strophes comme celle-ci :

> « Viens ! Je te mènerai
> Par de nouveaux détours
> Sur une place ronde
> Où se meurent des rues. » (II, 6).

les thèmes ou la technique de l'unanimisme. Ils y sont présents néanmoins, mais comme voilés par toutes sortes de prestiges.

La ville, par exemple et le village y paraissent, mais sous les formes les moins palpables, estompées par l'aurore et le crépuscule, la brume ou le « nuageux clair de lune ». Alors il semble que « rien n'ait lieu nulle part » (2) et, dans le silence d'une place déserte ou d'un village « mort de sommeil » (3), l'aboiement d'un chien, le cri d'un train, la sirène d'un remorqueur ou, moins précise, « une sorte de rumeur universelle » (4) reste seule à révéler l'être collectif. Mais surtout le poète le dégage de ces impressions, encore extérieures, et l'introduit au plus profond de lui-même. Le hameau natal ou la colline de Montmartre surgissent dans sa mémoire, avec le recul émouvant du passé, l'aspect immatériel des choses qui ne sont plus. Ils paraissent aussi entrés en lui qu'une joie ou une douleur, mêlés aussi étroitement à sa substance la plus secrète, prêts à forcer jusqu'à son sommeil et ses rêves. Et bien qu'elles restent au bord de ces profondeurs, suprême refuge

(1) Un tel lyrisme apparaissait déjà, par endroits, dans la *Vie Unanime* et *Un Etre en Marche*.

(2) *Odes*, III, 6.

(3) II, 2.

(4) III, 2.

de l'individu, et qu'elles en repoussent les délires (1), les *Odes* savent, par une allusion ou simplement un mot (2), en communiquer le mystère.

Il leur suffit, en effet, de prononcer, comme en ces exemples :

> « Une *brume* a transi
> Ce premier jour d'automne... (II, 6).
> Je dormirais cent jours
> Porté sur des *rumeurs*... » (III, 4).
> Par la brusque *mémoire*
> Des matins d'autrefois... (II, 4).
> La tête mal réveillée
> Ne peut rien contre les *songes*... (III, 7).

les mots *brumes, rumeur, mémoire* ou *songe,* d'en déceler, par la place dans le vers, la force significative et musicale, pour qu'ils retrouvent leur plus antique vertu. Dès lors, par delà les combinaisons limitées de l'expression directe, ils se prêtent, comme d'eux-mêmes, aux opérations plus complexes que nous avons précédemment essayé de décrire. Par des alliances telles que celles-ci :

> « Une rumeur oublieuse
> Emporterait toute peine... (III, 9).
> « Des masses de brume et d'oubli. » (III, 10).

ils dégagent, entre le moi et le monde, des mélanges imprévus, des accords dont les résonances se prolongent, des « correspondances » qui, plus encore que chez Baudelaire, dépassent les apparences sensibles. Et cette « alchimie verbale » peut aboutir, avec ces vers :

(1) Contrairement aux poètes qui viendront ensuite, par exemples les « dadaistes » et les « surréalistes », Romains reste classique et s'en tient aux zones les mieux éclairées de la vie consciente.

(2) Ainsi en cette fin de strophe :

> « ...Et je dormirais aux bras
> D'un rêve grand comme un dieu... » (III, 9).

« Une brume pareille à l'âme
Semble rêver ce que je vois.
Toute chose a pris la couleur
Du sommeil et de la mémoire. » (II, 1).

à des analogies ou même une identité véritable, qui, effaçant les nuances et supprimant les contours, transfigure les choses et les rend semblables à des idées de l'esprit.

Dans de telles métamorphoses, le rythme joue un rôle essentiel. Il est peu d'œuvres de Romains où la musique des allitérations et des accords (1), la régularité des mètres (2) et des strophes (toutes de quatre vers) le rendent aussi sensible. Par cette disposition rythmique si nette, si simple, les impressions les plus fugitives prennent corps, s'ordonnent comme d'elles-mêmes à la fois selon les lois du nombre et de la logique. Ainsi, dans la première *Ode* du livre I, l'énoncé des faits ou des états :

« Je ne suis pas heureux — J'ai renversé ma lampe — Me voilà sans lumière — Je regrette un village — C'était un crépuscule. »

et leur liaison par les plus communes des ligatures :

« *bien que* mon âme ait toute pureté — *tandis que* je rêvais — *lorsque* j'avais quinze ans — si doux... *que* je pleurerais — *car* à quoi bon les larmes ? — *si* l'on ne pleure pas d'être seul... »

(1) Accords intérieurs : une *brume* pareille à l'*âme* (II, 1) ; ou à la fin des vers :... se mélan*ge*
Au dernier de mes son*ges*.

(2) Chaque *Ode* est bâtie sur un seul mètre, et l'ensemble du recueil n'en admet que trois variétés : le vers de six pieds pour l'évocation précise de souvenirs ou d'impressions actuelles ; le vers de sept pieds pour les états d'âme indécis et sans amour (II, 5, 12), la dissolution du moi dans le rêve (II, 3) ; le vers de huit pieds, pour les impressions plus vastes qui se développent en images (II, 1, 2).

suffisent à organiser la strophe ou le groupe de strophes que varie, par endroits, la forme négative ou interrogative et que scande, par exemple en ces vers :

> « C'était un crépuscule
> Si calme, si touchant ;
> C'était tout un village
> Si doux à un enfant. »

la reprise de certains mots, de certains tours (1). Et, par delà ces figures rythmiques particulières, l'Ode dessine une ligne d'ensemble : le mouvement de la pensée qui constate, regrette, se souvient, interroge, suppose et déduit.

Le rythme renforce donc, peut-être même commande les autres moyens d'action des *Odes*. Sans lui, portant à l'extrême, comme l'impressionnisme, les prestiges de la brume et des sons, elles dilueraient les apparences, attestant que la plus douce chose est d'entendre

> « Le monde se défaire
> Avec tant de rumeurs (2). »

Avec lui, elles achèvent plusieurs opérations décisives. Elles transfigurent l'univers sensible en l'associant et le rendant semblable à celui du souvenir et du rêve. Elles suscitent le sentiment d'une présence immatérielle qui dépasse l'individu, qui l'appelle « par le train et la sirène » et « veille immensément » (3). Par une véritable transmutation, elles « défont » le monde de l'intuition immédiate, et le recréent sur un plan spirituel.

(1) Reprise familière, à la même époque, aux poètes de l'Abbaye, et l'un de leurs plus sûrs moyens d'action pour « conquérir » les cœurs.

(2) *Odes* III, 11.

(3) III, 6.

Le lyrisme des *Quatre Saisons* et des poèmes qui suivent (1) fait intervenir des sortilèges du même ordre mais qui agissent, semble-t-il, d'une façon plus mystérieuse. Ecrits, en effet, pendant et immédiatement après la guerre, ils maintiennent, en face du « crime universel », la beauté du monde, mais en recourant, comme l'exigeaient les circonstances, aux moyens les plus discrets et même confidentiels.

Ainsi la série des *Quatre Saisons,* au lieu de se dérouler en pleine nature par une suite de magnificences, ne connaît que le brouillard, les fumées et les lueurs de la ville, la « rumeur nauséabonde » et « l'accablante voûte » de l'été parisien. *Amour Couleur de Paris,* au lieu de se complaire aux splendeurs du soleil couchant, suit, dans l'ombre d'un « carrefour obscurci », l'arrivée du crépuscule et l'éveil des lumières humaines (2). Les deux *Odes* n'acceptent, de la guerre et de la tempête, que les retentissements au sein d'une ville ou d'une âme. Et si, en passant par l'homme ou les groupes humains, de tels événements perdent leur éclat, ils laissent, par contre, entrevoir à l'initié quelques-uns de leurs mouvements les plus cachés.

Pour les dégager, les démarches de la pensée se font, elles aussi, plus secrètes. *Amour Couleur de Paris,* en supprimant les moments et les mots intermédiaires, glisse doucement de la rue à l'âme, de l'ombre parisienne à la broussaille et la forêt, enveloppe dans une même brume le crépuscule, l'amour

(1) Ecrits en 1916 et 1918, réunis d'abord dans la plaquette *Amour couleur de Paris,* puis avec l'addition d'un Frontispice et d'une seconde ode, dans les *Chants des dix années.*

(2) Seul, *Palais du Monde* fait exception et annonce les paysages méditerranéens qui, à partir de 1916, allaient se révéler au poète.

et la ville (1). La première *Ode* se refuse à prononcer le mot de guerre ; mais, multipliant, autour de l'événement, les allusions, les réticences, les images qui suggèrent un vide (2), un espace mort, elle n'en est que plus forte pour imposer le « devoir premier » : coudre l'affreuse blessure et « réparer le monde ». Et les autres poèmes laissent deviner la même réserve, le même refus de s'étaler, ou de rendre manifestes les articulations logiques (3).

Une telle façon d'envelopper la pensée, soit en plongeant les thèmes dans la brume, soit en les fondant l'un dans l'autre, de faire le silence sur l'objet du poème ou de le laisser deviner par suggestion ou par allusion paraît entraîner le poète loin de l'art direct et immédiat, et le rapprocher de Mallarmé ou de Valéry. Et il semble, en effet, que, par sa volonté de taire ou d'écarter les événements d'alors et, pour l'abriter de leur menace, de voiler la beauté du monde, il se soit comme retiré au plus profond de lui-même ou des choses et qu'il fasse, loin du profane, une véritable retraite spirituelle. Mais, même tu ou voilé, l'objet — saison, heure, événement — garde sa réalité concrète, palpable ou douloureuse, et ne se réduit pas, comme pour les symbolistes, à un simple signe. En hérissant de difficultés son approche, le poète le rend seulement plus secret, l'oriente davantage vers l'esprit. Il se prépare ainsi aux accents analogues, mais plus larges, de l'*Ode Gênoise*.

(1) Les mots eux-mêmes repoussent toute évocation précise de forme ou de couleur, et suggèrent seulement des nuances ou des degrés : à peine — doré tout de même — assez heureuse — un fin brouillard, gris — soir impalpable. Cf. à ce sujet, les remarques de Francis Ponge (*Mouton Blanc*, octobre 1923).

(2) Rencontre, assez rare chez Romains, avec la poésie de Mallarmé.

(3) Elles y sont pourtant, et le rythme, presque aussi régulier que dans les *Odes*, suffit à les faire saillir.

⁂

Par ses dimensions, par le nombre et la diversité de ses thèmes, l'*Ode Génoise* inaugure, dans l'œuvre de Romains et même dans la production poétique de l'époque (1), une forme nouvelle de lyrisme. Née de la guerre, elle est une méditation sur l'Europe, telle que l'a faite le cataclysme, et reprend la tradition des grandes odes politiques ou sociales de Hugo ou de Lamartine, mais en rompant avec les procédés oratoires et les amplifications du romantisme. Elle se nourrit des mêmes visions et des mêmes sentiments que le poème d'*Europe,* mais les transporte sur un autre plan, d'où l'œuvre apparaît comme un véritable « mystère ». Il semble même, en un autre sens du mot, que ce mystère, tels ceux du Moyen Age, ait, dans sa conception première, dû prendre la forme dramatique (2). Ses quatre parties s'organisent comme des actes, qui ont chacun leur développement propre, mais que relie entre eux une nécessité interne. De là, peut-être, vient sa nouveauté de ton et de structure.

Ainsi, dans sa première partie, elle paraît, comme les œuvres précédentes, s'installer en pleine réalité actuelle et immédiate : le glacier du Rhône, la Place de Ferrare, une osterie ou une boutique du vieux Gênes. Mais, quelle que soit leur intensité et leur précision, il semble que le poète considère de telles visions moins pour elles-mêmes que comme types d'époques et de régions heureuses, que la guerre a épargnées. Et, chaque fois qu'elles apparaissent, la « misère de ce temps », qui revient comme une han-

(1) Les *Grandes Odes* de Claudel, d'égale ampleur, vont, par leur objet comme par leur technique, dans un tout autre sens, et, si fort qu'il les admirât, Romains n'a pu s'en inspirer ; quant aux *Mystères* de Péguy, même s'il ne les ignorait pas, il y était resté réfractaire.

(2) Telle était encore, en avril 1923, l'intention de Romains

tise, les écarte (1). Le développement poétique, dès ce début, n'est donc plus une simple succession d'images, mais le retour alterné de deux thèmes, chargés l'un et l'autre de tout ce que l'Europe contient de bonheur et de misère. Oscillation qui, par sa seule force, sans que s'y ajoute le moindre commentaire, manifeste le mouvement même de la pensée, non seulement dans une âme d'individu, mais dans celle de toute une époque. Ou, comme il se déroulerait dans un « mystère », dialogue de deux Puissances, Bonheur et Misère, qui se partagent ou se disputent le monde.

Cette oscillation s'élargit dans les deux parties suivantes, dont chacune reprend l'un des deux thèmes. Le poète, approfondissant d'abord la « misère de ce temps », présente sa douleur, son cri, sa rancune qui « sont là comme des enfants nus ». Il ne se distingue pas des petites gens dont il est né, de ce « peuple menu que l'Etat ramasse à poignées », et se borne à parler en leur nom, ou plutôt à les laisser parler eux-mêmes. Car ce n'est plus, comme dans les *Châtiments*, un homme isolé qui s'en prend à l'individu, également isolé, qu'il veut flétrir. Il faut que tous les responsables, les « puissants de ce monde », subissent l'assaut de toutes leurs victimes, « les hommes sans importance ». La deuxième partie de l'*Ode* suit les diverses phases de cet assaut. Les hommes sans importance disent leurs travaux, leurs désirs, leurs refus.

> ... « de plus belles guerres,
> D'autres gaz, de jeunes canons. »

Ils s'enhardissent peu à peu, en viennent à l'ironie, aux invectives. Ils donnent vie aux abstractions :

(1) Elle laisse même, à leur place, réapparaître la plus antique des misères, celle de l'homme préhistorique « dans la forêt scythique et les joncs de l'Elbe », évocation qui semble le germe d'une des grandes scènes de *l'Homme Blanc* (1re partie).

« Le crime vous tient par les pieds.
Quand vous rappelez d'outre-monde
La Paix morte dont les chairs pendent,
C'est la Guerre qui vous répond.
Tant pis. Nous n'avons plus la force
De faire le lit de la garce
Pour la nuit de quinze cents jours. »

Et la montée de leur parole n'est pas le développement d'une simple figure littéraire, la prosopopée. Elle annonce et maintient la présence de tout un peuple. Elle le dresse contre ceux qui voudraient de nouveau l'anéantir.

Romains, quand il oppose à la « misère de ce temps » le souvenir d'époques heureuses, ne s'abandonne, pas plus que dans les œuvres précédentes, à des sentiments romantiques, de mélancolie et de regret. Mais ce rappel n'est plus, comme dans le *Voyage des Amants,* la simple évocation du passé en tant que tel. Il continue, dans un sens plus secret, l'effort commencé en pleine guerre pour maintenir la pensée de l'Europe contre ses tueurs. Ainsi la troisième partie du « mystère » présente comme une série de figures de danse, secrètement unies entre elles et qui ont toutes le même pouvoir. En effet, qu'il revoie un chemin solitaire de banlieue, ou bien, dans un faubourg de Barcelone, une ronde animée par la Sardane ou, dans une ville ancienne, un bal menacé par un essaim d'abeilles, de tels souvenirs deviennent, pour le poète, un moyen d'évasion, loin de la contrainte « des lois et des fusils », vers un « règne de plaisir, de chant et d'effusion » qui gît au plus profond de nous-mêmes. Ils sont autant de clefs du « royaume véritable » où la dernière partie de l'*Ode* va nous introduire.

En dépassant ainsi le monde sensible pour atteindre les victimes totales de la « misère de ce temps », les morts de la guerre, le poète manifeste une ambition renouvelée de l'*Odyssée,* des *Perses,* de l'*Enéide,* et de la *Divine Comédie.* Et si, sans les imiter, il laisse entrevoir de telles œuvres qui ajoutent encore à la grandeur de la perspective, il n'a pour se soutenir, aucune des ressources dont elles disposaient : ni indication de lieu ni rite d'évocation. Mais, fort de la foule anonyme des âmes qu'il a rassemblées, fort aussi de « l'ancêtre peint », du « vieux berger des charmes et des signes » qui possède « l'art perdu de convaincre les morts », il entreprend une série d'actions décisives et ordonne les phases d'une « occulte cérémonie ». Il rejoint, invoque l'armée des Morts d'Europe :

> « Morts en double, morts l'un par l'autre,
> Entretués ;
> Nation des morts mutuels. »

et, sans les nommer, les dénombre avec une précision homérique :

> « Ceux qui guidaient les feux du mir
> Au bout des landes ;
> Ceux qui servaient aux bars de Londres ;
> Ceux qui calculaient sous des lampes
> Rue Réaumur. »

Il se risque, avec ses « mots d'homme », à apprivoiser cet « essaim farouche », l'attire à lui, en détache un poète qui scelle l'alliance avec les vivants pour punir les responsables. Et, préparée par les formules d'évocation, de dénombrement, d'invocation, cette prosopée finale n'est, pas plus que celle de la deuxième partie, une simple figure de style : elle découvre la pensée dominante et vengeresse de l'œuvre entière.

Ainsi, partie de l'immédiat, l'*Ode génoise* aboutit à la plus complète transfiguration du réel par où, derrière l'humanité actuelle, transparaît toute une armée défunte. De là, la majesté des proportions, l'ampleur et la complexité des développements, où la pensée, sur des rythmes tour à tour rapides ou solennels (1), et avec les moyens d'expression les plus variés, va d'une ville à un glacier, du présent à la préhistoire, des puissants au menu peuple, des danses de vivants à l'évocation des morts. Et le mouvement de cette pensée est par lui-même assez fort pour se passer de tous les artifices de la logique ou de la rhétorique traditionnelles : il lui suffit de présenter, sans transitions ni commentaires, les choses mêmes, dans l'ordre où elle les convoque ou les suscite, et de s'abandonner à ce mouvement secret qui la fait pénétrer au plus profond des unanimes, actuels ou passés. A ces êtres collectifs l'*Ode* ne doit pas seulement les plus puissants de ses sortilèges. Par eux elle lance l'Europe entière, vivante ou défunte, contre les responsables. Comme les *Prières*, l'*Ode à la Foule* et *Europe*, elle aboutit à un mot, à une formule secrète (2), qu'elle charge du maximum de pensée, et que les initiés sauront rendre efficace.

On voit comme Romains en a usé librement avec le lyrisme. Il n'y a pas seulement introduit les thèmes les plus neufs, les plus actuels, les plus caractéristiques de son inspiration. Il en a modifié la technique, rejetant les formes fixes, bousculant l'emploi traditionnel des mètres, des sons, du groupement des vers. Mais, malgré de telles libertés, il semble qu'au cours des trente ans qui vont de la *Vie Unanime* à l'*Homme Blanc*, on voie se faire, entre sa pensée et la forme

(1) L'analyse détaillée de la versification de l'*Ode* déborderait le cadre de cette étude. Notons seulement qu'elle se caractérise par la plus grande variété, tant pour le choix des mètres, pairs ou impairs, de 7 à 14 pieds, que pour le groupement des vers. Et cette diversité s'impose moins par des rapports numériques que par la démarche de la pensée qui, selon les phases de son développement, règle d'elle-même sa cadence.

(2) Et, comme dans les œuvres précédentes, composée des termes les plus simples : « faire ce qu'il faut ».

lyrique, un accord de plus en plus étroit, et qui confirme ce qu'a laissé apparaître l'étude de la langue et de la versification.

Pas plus en effet, que le mot ou le vers, le lyrisme n'est, pour Romains, une fin en soi, un principe formel d'inspiration (1). Il lui offre seulement un moyen efficace, un instrument puissant, mais sans cesse dirigé, contrôlé, dominé par la pensée qui l'utilise. Avec sa disposition essentielle, la strophe, qui prolonge, renforce l'action du nombre et du son, l'organise en lignes souples mais solides qui constituent de véritables figures, il impose aux êtres et aux choses à la fois une forme et une loi de développement. Ainsi, qu'il s'agisse de lyrisme religieux, intime, urbain ou social, le poème, dépassant l'immédiat qui, dans d'autres ouvrages, restait sa principale raison d'être, ne se contente plus de rendre présent l'objet, pour l'explorer et en prendre possession. Il prétend exercer sur lui une action plus profonde. Les *Prières* et l'*Ode à la Foule* créent, façonnent, sculptent le dieu qu'elles invoquent. Les *Odes, Amour couleur de Paris,* les *Quatre Saisons* dissolvent le monde ou le spiritualisent. L'*Ode Génoise* rappelle le passé et les morts pour punir les vivants. Ces œuvres, au lieu d'exprimer seulement le réel, l'exaltent. Comme au temps où le poète s'accompagnait d'une lyre, elles le chantent et, par leur incantation, le transfigurent.

Pour un tel chant, le poète s'arrache à la recherche solitaire, au monologue intérieur où se confine, le plus souvent, l'expression de l'immédiat. Le lyrisme, en effet, implique la présence d'auditeurs, sur qui il puisse agir, en exerçant toutes les forces de l'incantation. L'*Ode à la Foule* en témoigne, qui ne peut se dire que devant un groupe assemblé. Même les *Odes,* qui se murmurent dans la pénombre, impliquent un auditoire secret. Et les *Prières,* l'*Ode Génoise,* les parties lyriques d'*Europe* ou de l'*Homme*

(1) Comme il a pu l'être, par exemple, pour Valéry dans le *Cimetière marin.*

Blanc appellent des groupes de plus en plus vastes, pour qu'ils communient ensemble et deviennent des unanimes. Par là encore Romains retourne aux origines du genre, lorsque la lyre n'était pas, comme maintenant, invisible, mais réellement présente, et attirait, réunissait autour d'elle des hommes, des êtres à demi-conscients, la nature entière. Ainsi s'est-il trouvé naturellement porté vers un genre où, sous l'action du rythme, la communion du poète et d'autres hommes se fait encore plus profonde : la poésie dramatique.

CHAPITRE IV

LA POÉSIE DRAMATIQUE

Le théâtre, en particulier le théâtre poétique, ne paraissait pas réunir, vers 1910, les conditions les plus favorables à la représentative des groupes. La tragédie néo-classique, confinée dans le cycle des légendes grecques, se bornait à y poursuivre les recherches de couleur locale et de rythme chères au XIXe siècle. Elle n'y apportait pas, comme au XVIIe, un profond renouvellement intérieur, par la psychologie des personnages ; encore moins tendait-elle à se rajeunir au contact des forces collectives. Les héritiers du drame romantique, de Richepin à Rostand, s'attardaient au pittoresque d'une époque, à l'évocation d'êtres plus ou moins exceptionnels qui, par là même, n'avaient qu'une valeur d'individus. Le théâtre symboliste enfin (dont les œuvres les plus scéniques, d'ailleurs, étaient en prose), s'il se rapprochait de la réalité actuelle, s'il osait représenter un Intérieur ou un groupe d'Aveugles, s'en tenait encore à des effets d'« atmosphère », à des impressions trop faciles d'inquiétude, à une hantise purement individuelle de la mort.

Et pourtant le théâtre, par ses origines et sa nature, apparaît essentiellement apte à l'expression et même à la création des phénomènes collectifs. Il semble que le poète, sortant des limites de sa personne et soutenu par la pensée des spectateurs qu'il assemble, y tende à communier avec eux, à évoquer ou façonner des groupes qui, eux aussi, seront portés et nourris par cette présence unanime. Ainsi le chœur de la tragédie grecque participe intimement à l'action et la commente de son lyrisme. La foule, dans les mystères du Moyen-Age, dans les drames de Shakespeare ou des poètes romantiques, envahit la scène, devient un personnage véritable, un élément essentiel de l'action, et qui contribue à sa puissance, à sa grandeur. Même la tragédie française du XVIIe siècle, qui (sauf *Esther* et surtout *Athalie*) paraît ne mettre en œuvre que des individus, laisse entrevoir, par delà leur destin particulier, celui d'un ensemble qui les dépasse : une cité, un Etat, un Empire.

Il s'est formé, ainsi toute une technique de la mise en scène des êtres collectifs. Le récit, d'Eschyle à Corneille, a pu conduire le spectateur sur les champs de bataille, le faire assister au choc de deux armées, même de deux flottes. L'invocation, des *Suppliantes* à *Athalie,* rend présentes les puissances supérieures qui régissent une cité, tout un peuple. L'évocation, par où un groupe ranime et fait surgir sur la scène l'âme des disparus, témoigne des effets auxquels, à force de tension, peut atteindre une âme collective. Les prémonitions, les songes, la vision à distance entraînent le spectateur hors du lieu où les personnages mènent leur vie corporelle, l'emportent dans un espace et un temps soumis à d'autres lois. L'opposition enfin, le ressort dramatique par excellence, en mettant l'individu en conflit non seulement avec un autre individu, mais avec une foule, un groupe, un Dieu, le Destin, décèle les rapports de l'homme avec les puissances les plus secrètes et les plus vastes de l'univers. Et de tels moyens ont constitué peu à peu, d'Eschyle à Gœthe et Hugo, un théâtre de pensée, d'action et de rêve, offrant au poète, par delà les quelques mètres carrés où se meut son petit nombre de récitants, un monde et des êtres qui paraissent sans limites.

Pourtant, si amples que soient ces ressources, si loin qu'elles puissent entraîner le poète et les spectateurs, hors des régions où se déroulent les habituels conflits entre individus, aucune des œuvres qui viennent d'être rappelées, n'a osé franchir délibérément les frontières de la personne humaine et faire des êtres collectifs ses héros véritables. Et quelques perspectives que, des *Perses* à *Faust*, elles découvrent, une dernière limite les arrête ; elles restent « centrées » sur un Xerxès, un Coriolan, un Faust, dont les malheurs et le destin demeurent, pour le poète, le sujet principal.

⁂

La première œuvre que Romains donne à la scène, l'*Armée dans la Ville*, est loin d'utiliser toutes les ressources qui s'offraient alors au théâtre poétique. L'action, qui se déroule de nos jours, renonce au recul de la légende ou même de l'histoire. Elle ne s'étale pas dans le temps et ne se disperse pas dans l'espace, comme auraient pu l'y inviter le drame shakespearien ou romantique et les progrès de la machinerie. Elle se resserre, au contraire, en un petit nombre de lieux, salle de café, tente, salon bourgeois, salle de Conseil municipal, dont aucun ne réclame le luxe récent du décor et de la mise en scène. Et, par les voies les plus simples, avec le minimum d'alternatives et de surprises, elle se contracte en une crise brève et unique : le soulèvement de la Ville contre l'Armée qui l'occupe. Mais cette crise, en opposant, pour la première fois sans doute, au lieu de deux individus deux groupes, fait surgir sur la scène, comme personnages principaux, deux êtres collectifs. Et, par cette irruption, les Unanimes renversent le dernier obstacle qui limitait l'horizon du poète dramatique et vont renouveler tous les moyens dont il disposait déjà.

L'évocation, par exemple, puisque l'œuvre plonge en pleine réalité actuelle, ne tend pas, comme dans la tragédie classique ou le drame de Shakespeare, à rappeler des souvenirs historiques ou légendaires ou à ranimer des fantômes d'individus. Elle dresse devant le spectateur une image de la Ville, diminuée et ratatinée en comparaison de l'Armée occupante. Celle-ci, par contre, apparaît immense, innombrable :

« L'armée est là. L'armée ! Elle n'a plus de nombre
Et vous voyez du nord au sud des rangs... des rangs,
Durs, droits, secs, pareils à des barres. Puis ils rampent;
La plus grande herse du monde est sur les champs.
Il te semble, de loin, qu'elle arrache des arbres.
Puis tout se tord en un clin d'œil, et craque, et part ! »
(P. 17).

Et d'autres évocations, la montrent pénétrant, s'insinuant dans la substance de la Cité.

La vision, à la fin du premier acte, de l'Armée victorieuse entrant dans la Ville impose au récit, issu de la tragédie classique, des transformations du même ordre. Il fait assister, non pas à des exploits particuliers ou même collectifs, mais au choc de deux masses qui apparaissent comme deux bêtes immenses. Il y réussit d'autant mieux que, pour les autres personnages, il n'annonce pas un événement qu'ils ne connaissent pas encore, mais rappelle un événement connu, que chacun des assistants, les civils comme les soldats, peut revivre. Ainsi prend-il la puissance magique du souvenir. Plus fort que toute figuration et tout décor, il rend présents sur la scène les deux êtres, l'Armée, la Ville, qui semblent de nouveau s'affronter (1).

Romains, naturellement, ne se prive pas de faire paraître directement des groupes sur la scène. Mais les démarches lyriques d'un chœur — même lié intimement à l'action comme chez Eschyle — ou les os-

(1) Cette entrée, dont le poète a eu, le 1er Mai 1906, l'expérience vécue, et qu'il a racontée également dans le *Vin blanc de la Villette*, semble être la vision initiale d'où est sortie toute la pièce.

cillations des foules shakespeariennes, masses puissantes mais indistinctes, ne le satisfont plus. Il lui faut des groupes mieux délimités : les habitués d'un café, un corps d'officiers, un salon bourgeois, un Conseil Municipal, dont le moindre incident, l'entrée d'un nouveau venu, l'éclat d'un discours suffisent à aviver la conscience. Il faut surtout que ces êtres, en s'opposant groupe à groupe, ou groupe contre individu, naissent à la vie du théâtre. Le développement de tels êtres, leurs rapports entre eux et avec les individus (1), leurs variations brusques fournissent au poète une matière prise à même la vie, donc inépuisable. Et, d'elle-même, cette matière se prête à la forme dramatique.

Ainsi les groupes, loin d'entraîner le poète et le spectateur dans un monde de fiction, de lyrisme purement verbal — que trop souvent l'on a cru le propre du théâtre poétique — les maintiennent en pleine réalité, en pleine expérience vécue (2). En paraissant sur la scène, ils n'interrompent pas l'action : ils s'y incorporent. L'évocation de l'Armée répandue sur la plaine donne aux habitants de la Ville une conscience plus claire de l'être monstrueux qui les domine. Les soldats entrés brusquement dans la salle du Café trouvent, dans le silence puis la colère grandissante des civils, un sentiment nouveau et provocant de leur force. Le récit de l'entrée victorieuse des troupes dresse l'un contre l'autre le groupe des soldats et celui des civils qui, d'un même élan se lèvent et, dans un silence farouche, se défient. Et ces trois moments de conscience sont, en même temps, trois moments de l'action. La tragédie, renonçant aux monologues, aux confidences, aux procédés

(1) De même, à l'acte III, l'arrivée de la femme inconnue porte à son comble l'exaltation des femmes prêtes à se dresser contre la veulerie des hommes. Et, à l'acte IV, le groupe hésitant des conseillers prend soudain, à l'entrée de la femme du Maire, conscience de son unité et de sa dignité masculine.

(2) Ou plutôt anticipée, mais qui devait trouver, dans les deux guerres de 1914 et 1939, une tragique confirmation.

oratoires de l'art classique, débute par des faits, mais qui, d'emblée, l'entraînent hors du monde des individus et la haussent à un autre ordre de grandeur.

⁂

Les personnages de l'*Armée dans la Ville,* anonymes et sans passé, n'émergent qu'à demi des groupes qu'ils résument (1). Ils participent à une action simple, où ne s'opposent que des sentiments élémentaires et massifs. Et ils nous entraînent dans un monde sans particularité d'époque et de pays, où les visions les plus concrètes, les plus authentiques dépouillent ce qu'elles peuvent avoir d'éphémère et de local. Sur ces divers points, la deuxième pièce poétique de Romains, *Cromedeyre-le-Vieil,* bien qu'elle suive les mêmes tendances générales, et prenne pour héros, elle aussi, un être collectif, se distingue par de sensibles différences.

Le lieu, par exemple, ne reste pas indéterminé comme dans *l'Armée.* Il devient l'un des éléments essentiels de l'action : c'est, dans les Cévennes, le pays du mont Mézenc, celui même du poète qui aime en redire les noms familiers, doux ou sonores : la Champ de Pin, le Rioule, la Laussonne, le Béage, Costaros, et en présenter les aspects caractéristiques. Ainsi l'exposition, qui se fait en plein air, devant une auberge, dans la farouche gorge de la Gagne, laisse entrevoir tout le pays alentour, le terrible plateau où

« Le soleil mal allumé s'éteint dans les coups de vent. »

et l'âpre village de Cromedeyre (2), seul sur son ro-

(1) Les personnages principaux eux-mêmes, le Général et la Femme du Maire apparaissent moins comme des individus que comme l'Armée et la Ville, dressées l'une contre l'autre.

(2) Le nom de Cromedeyre a été forgé par le poète, mais conformément à l'onomastique de la région où l'on trouve, notamment, le nom de Monedeyre. Quant au village, fictif lui aussi, il se situe au pied du Mézenc, non loin de Fay-le-Froid. Plusieurs éléments de sa structure (par exemple les maisons communiquant entre elles), sont d'ailleurs empruntés à certains villages provençaux, tel Touet-de-Beuil, dans la Vallée du Var.

cher, « serré comme une mie de seigle ». Puis l'action monte, dans le vent et le soleil, par un chemin qui essouffle et décourage le gros doyen du Monastier ; elle découvre, au-dessus de la vallée, l'horizon grandi et « les monts assemblés » (1). Elle se continue à l'intérieur de Cromedeyre, sur la place close où l'on ne devine aucune issue, puis dans les maisons qui, communiquant entre elles, forment une demeure unique, un seul « toit paternel ». Elle aboutit enfin à l'église, que Cromedeyre s'est construite malgré l'évêque, malgré le peuple d'en bas, avec les pierres, le bois, le ciment de son propre terroir. Et par delà ces éléments particuliers du lieu se font sentir continuellement les forces qui le dominent : le vent, le soleil, la neige et celle dont il éprouve le mieux l'influence mystérieuse : la lune.

Les personnages eux aussi — même secondaires (2) — apparaissent avec plus de relief que ceux de *l'Armée.* Non qu'ils aient plus d'individualité, ou qu'ils se distinguent par le pittoresque facile des tragédies rustiques, mais parce qu'ils expriment, dans ce qu'elle a d'essentiel, l'âme d'une race antique et qui se croit pure. Aussi, pour la personnifier, le poète a-t-il choisi les êtres qui pouvaient le mieux en jalonner le développement. A une extrémité, la vieillesse la plus avancée, avec la mère Agathe, qu'un rapt enleva jadis aux villages de la vallée, mais devenue « Cromedeyre sans nul mélange » et qui en garde, sous son front, le passé le plus lointain, les rites les plus secrets. A l'autre, le chef encore presque enfant, Emmanuel, mais qui déjà produit sans

(1) Acte II, sc. 1. Cette image semble le germe d'une vision qui s'est développée dans la première partie de l'*Homme Blanc.*

(2) A part le Colporteur, le Doyen et le Boiteux qui, par leur rôle même, se passent d'être désignés nommément, tous se présentent avec un prénom ou un nom de famille, également issus du terroir : Thomas du Pibou, Fulgence, Hélier, Gatien, Tergheuz, etc...

effort « la sagesse la plus antique » et en qui « le dieu même de Cromedeyre se plait visiblement » (1). Enfin, pour maintenir ce groupement qui compte plus d'hommes que de femmes, une jeune fille, Thérèse, enlevée, elle aussi, à un village d'en bas, mais qui deviendra Cromedeyre à son tour. Ainsi, de la mère Agathe aux jeunes couples qu'elle bénit et instruit, se manifeste la continuité d'une race paysanne et rude, maîtresse jadis de toute la Cévenne, et qui, refoulée sur son rocher, s'obstine à vivre, et à garder son dieu.

L'action elle-même se modèle sur ces influences. Située de nos jours, issue de quelques incidents locaux (2), elle approfondit cette actualité et en dégage deux crises essentielles par où Cromedeyre, s'opposant aux autres villages, reprend conscience de lui-même : la crise sexuelle d'un groupe obligé périodiquement de prendre ailleurs les filles qui lui manquent ; la crise religieuse d'un peuple qui, se découvrant différent des autres, rompt avec leur Eglise, retourne à ses origines et se « refait un dieu ». Du développement combiné de ces deux crises résulte un mouvement plus complexe, plus lent que dans *l'Armée,* et qui se déroule surtout dans les âmes. Le rapt, pressenti dès les propos des premiers actes, évoqué par des récits ou par la vision de la mère Agathe, s'achève heureusement, les jeunes filles

(1) D'où son nom d'Emmanuel, dont on sait le sens hébreu: « Dieu avec moi ».

(2) Conflits entre une paroisse et le chef du diocèse. Le dernier de ces conflits date précisément de 1910, l'année qui précède la conception de *Cromedeyre,* et se produisit dans le canton du Monastier. « L'évêque du Puy prétendit un jour affirmer son droit de choisir le curé du lieu. Une délégation de paroissiens vient parlementer ; et comme elle n'avait pas eu gain de cause, quand le nouveau desservant arriva, l'église était fermée et le presbytère consigné. Et le culte fut célébré quelque temps sous la direction des anciens. » (Renseignement obligeamment fourni par M. Ulysse Rouchon, conservateur de la Bibliothèque du Puy.) On entrevoit comment un tel fait a pu mettre en mouvement l'imagination du poète.

acceptant leurs époux et leur nouvelle patrie. Le schisme religieux, effleuré lui aussi par les propos de l'Auberge, éclate dans la brève discussion, à mi-chemin de Cromedeyre, entre Emmanuel et le Doyen du Monastier : il se consomme lors des deux réunions où l'Assemblée des Anciens retrouve son dieu et fait choix de son prêtre. Et les deux crises, dénouées ensemble, à « l'orient de la millième lune » (1) par la cérémonie nuptiale dans la nouvelle église, n'apparaissent elles-mêmes que comme un moment, dans une vie soumise à un autre rythme que le nôtre et à l'influence secrète d'un astre.

⁂

Une telle conception du lieu, des personnages et de l'action entraîne un déplacement total de l'intérêt et du pathétique. L'œuvre, en effet, écarte ou réduit au minimum les discussions heurtées ou oratoires, les péripéties et les coups de théâtre qui manifestent des oppositions passagères et fortuites entre individus. Et ses huit tableaux, pour pénétrer peu à peu dans l'être et la durée de Cromedeyre, recourent à de tout autres moyens.

Ainsi la première Assemblée des Anciens, assis sur les bornes de la place close, déroule les phases moins d'une délibération que d'une incantation. Leur pensée commune fait remonter, par ces vers :

> « Jadis le pays entier fut notre bien...
> Cromedeyre tenait les quatre vallées ;
> Il lavait ses pieds dans les quatre torrents... (2) »

un passé longtemps enfoui dans leurs mémoires et redonne au village, à l'approche de la millième lune, le sentiment de sa force. Puis, Emmanuel, qui vient de rompre avec ses maîtres de la Chartreuse, écarte les arguments théologiques et par ces exorcismes :

(1) La millième depuis le précédent rapt.
(2) Acte II, sc. 1.

« C'est une gloire déjà que d'avoir quitté leur messe,
Un délice, que ne pas faire assemblée avec eux.
Maintenant qu'il nous a plu de nous tailler une église,
Irons-nous imiter leurs mouvements et leurs murmures,
Et sur la terre, le ciel, l'entrée et l'issue du monde,
Chanter des choses que Cromedeyre ne connaît pas ? (1) »

chasse le dieu des autres peuples. Enfin, au moyen de ces commandements :

« Anciens ! Vénérables Anciens de Cromedeyre,
Levez-vous, je vous prie, et regardez vers moi...
Emplissez-moi d'un dieu que vous connaissez mal...
Je vous dis que je vais guérir l'enfant malade (2). »

il concentre en lui les forces de l'Assemblée, celles de l'être entier, présent et passé, qu'elle résume, et lui révèle, par le geste efficace d'une guérison, le pouvoir de Cromedeyre rénové.

L'amour d'Emmanuel et de Thérèse se développe sous l'effet de sortilèges du même ordre. Il se garde des fadeurs idylliques ou des violences verbales, contraires à des âmes paysannes, fières et secrètes. Emmanuel n'en prononce même pas le nom, et ne le dévoile que par le détour des lieux et des choses. Sans regarder Thérèse et comme sous la poussée d'une méditation solitaire, il évoque, devant elle, l'intérieur du village :

« Cromedeyre tout entier est une seule maison,
Pas un mur d'Hélier qui fasse barrière à Jacob... »

Il lui signifie qu'elle est marquée pour Cromedeyre (3), qu'elle doit préparer son âme

(1) et (2) Acte II, sc. 2.

(3) Lui-même pourtant est tiré jusqu'à elle, tiré par la vallée basse. Il en subit et dénonce les charmes :

Mon cœur est emporté comme une graine de sainfoin
Par-dessus la vallée, par-dessus la douce Laussonne »

Il en écoute les cloches qui « sautent en l'honneur du soleil, » tandis que Cromedeyre, peuple de la lune,

« veille, muet
Sur la croupe de son rocher. »

> « à la patrie de roc,
> Au pays serré comme un gâteau des rois... (1) »

et lorsque, après le rapt, il l'amène, encore échevelée et sanglotante, il la calme peu à peu par une nouvelle évocation : la maison basse où tous deux vivront dans la lande, où le sommeil

> « est plus enivrant que partout ailleurs,
> Plus libre de la terre, plus entré dans l'autre vie,
> Le sommeil, Thérèse, le sommeil
> et aussi l'amour (2). »

le mot amour apparaissant enfin, comme le terme suprême de l'incantation.

La cérémonie du dernier acte réunit les principaux caractères d'une initiation. La mère Agathe y transmet aux nouveaux couples les mystères les plus lointains, ceux qu'elle voit au plus profond d'elle-même « en fermant les yeux comme pour dormir ». Elle leur découvre aussi ses propres souvenirs :

> « Je suis la dernière survivante de l'autre rapt,
> Je n'avais que quinze ans, et je vivais à la Pradette...
> Voilà Cromedeyre à cheval qui nous tombe dessus,
> Cromedeyre, tout à coup, comme un orage du Sud (3). »

et, par ce rappel du précédent rapt, fait surgir, en plein présent, un passé qui semblait de légende. En joignant ces deux rapts, celui d'autrefois, celui d'aujourd'hui, elle rassure les jeunes filles enlevées aux villages, rend possible et solennise leur bénédiction nuptiale. Ainsi la deuxième Assemblée des Anciens, bien que, cette fois, elle se tienne dans l'église, n'en apparaît pas moins symétrique de la première (4) et

(1) Acte III.
(2) Acte IV.
(3) Acte V, sc. 5.
(4) Même s'il n'y a pas eu influence directe, le rapprochement avec les deux grandes scènes religieuses — symétriques, elles aussi — de *Parsifal* vient naturellement à l'esprit.

manifeste le progrès de l'une à l'autre. Et par
l'authenticité stylisée du décor, le déploiement des
— ce qui est la définition même de l'évocation,
religieux de l'ensemble, elle retrouve, mais avec des
moyens qui lui sont propres, quelques-uns des éléments qui font la force du drame wagnérien, des
mystères ou de la tragédie grecque.

Haussée à ce plan, l'action se dénoue, par delà les
individus, au moyen d'une double évocation. Le Boiteux rassemble les charmes des pays d'en bas :

> « Souffle le vent de Costaros.
> Pourtant le lac sera tranquille
> Dans le bas-fond de la forêt.
> A peine un flot, à peine un pli,
> Et le vent au loin sur les arbres (1). »

Et les belles filles, arrachées à ces villages, sont sur
le point d'en subir le pouvoir, se plaignent qu'il fasse
— ce qui est la définition même de l'évocation.

> « venir du bout du monde
> Toutes les choses bien aimées,
> Ordonnant qu'elles (les) tourmentent (2). »

Mais, à son tour, Emmanuel leur fait entendre les
cloches invisibles, leur montre le repos sous les mélèzes, où les doigts s'enfoncent « sous l'amas des
aiguilles dorées », puis, d'une voix changée, leur
ordonne :

> « Laissez-vous saisir par notre joie,
> Cromedeyre entre en vous longuement,
> Ouvrez vos songes,
> Ouvrez vos veines,
> Qu'y passe le feu des anciens jours (3). »

Et, vainqueur à ce duel, il menace de ses formules

(1) et (2) Acte V, deuxième tableau, sc. 4.
(3) *Ibid*, sc. 5.

incantatoires le Boiteux, dont une tension convulsive possède tout le corps.

***

Des observations précédentes, comme de quelques écrits théoriques (1), il semble qu'il se dégage une conception du théâtre poétique assez précise pour qu'on puisse la résumer en quelques affirmations.

D'abord, quels que soient ses contacts avec la poésie immédiate ou avec le lyrisme, la poésie dramatique apparaît comme un genre distinct, qui a ses lois dérivant de sa nature. Elle n'ordonne pas ses visions avec la liberté de la poésie immédiate ou la savante complexité du lyrisme, mais selon le seul principe d'organisation qu'admette le théâtre : un événement matériel, une action qui se déroule dans un lieu et à travers des âmes. Mais ce déroulement n'est pas unilinéaire, l'action n'arrive pas d'elle-même à son aboutissement. Elle se heurte à des obstacles, elle oppose des personnages entre eux, des pensées entre elles dans un même personnage. Elle se tend et se contracte à ces heurts, se ramasse en une crise d'où sort le dénouement. Et cette tension, ces oppositions donnent son mouvement et son rythme à l'œuvre dramatique, en font un objet, « quelque chose de concret, qui existe entre certaines limites de temps ou d'espace, et éprouve la résistance qui les remplit (2) ».

De là, sans doute, son pouvoir singulier sur les hommes qu'elle rassemble. Elle chasse les pensées qu'ils ont pu apporter du dehors,

« Les têtes, tous les sens, toute la chair des hommes
Sont tournés à la fois vers la scène où l'on parle. »

(1) Préface de *l'Armée dans la Ville*. Sur l'Art dramatique (dans *Problèmes d'aujourd'hui*).

(2) *Problèmes d'aujourd'hui*, p. 192.

et « l'individuel se dissout » (1). La salle se met à exister d'une vie brève mais intense, à communier, à mesure que l'action se déroule, dans un même sentiment de sympathie, d'enthousiasme ou d'angoisse. Ainsi renaît, tout naturellement, l'état d'âme religieux qui fut aux origines de la tragédie ou de la comédie, lorsque la cité entière, rassemblée au théâtre, participait au culte d'un dieu. Mais il ne peut se reproduire que par des causes, sinon pareilles, du moins du même ordre. Il faut donc que l'œuvre dramatique, renonçant aux habiletés du mélodrame, du vaudeville, de la comédie de mœurs ou de la comédie dramatique, entraîne les spectateurs hors d'eux-mêmes. Il lui faut « un conflit essentiel et aussi élevé que possible, où s'engagent les forces les plus internes de l'univers ; un drame religieux par les profondeurs de l'âme qu'il révèlera, et par l'émotion qu'il provoquera chez le spectateur » (2). Et en effet l'action de *l'Armée* ou de *Cromedeyre,* par les perspectives qu'elle ouvre sur la guerre, la mort, le divin ou l'amour, laisse entrevoir quelques-unes de ces forces, pénètre en quelques-unes de ces profondeurs.

On a vu qu'elle y réussit par l'intervention d'une puissance décisive ; les groupes. Le cabaret, la tente, le salon, le conseil municipal, dans *l'Armée,* l'auberge, l'assemblée des Anciens, l'église dans *Cromedeyre* forment, par delà les individus qui les composent, des « synthèses supérieures », qui transportent l'action sur un autre plan et l'animent par l'intensité de leur présence. Même les discussions entre le Général et la Femme du Maire, entre le Doyen et Emmanuel, les deux « duos » d'Emmanuel et de Thérèse, le tournoi du Boiteux et d'Emmanuel ne sont pas de simples « rencontres d'individus » mais, en réalité, des rencontres de l'Armée et de la Ville, de Cromedeyre et des villages d'en bas, rendus présents par les sentiments et les paroles des personnages. Et entre ces

(1) *Vie Unanime,* p. 65.
(2) Préface de *l'Armée dans la Ville,* p. 10.

divers groupes, visibles ou invisibles, et la salle par eux devenue consciente, il semble qu'un échange de forces s'établisse ; la salle donnant son attention, sa joie ou son angoisse, la scène haussant la salle à une vie supérieure par le décor, la mimique, la parole, tels que les transfigure le langage en vers.

Dans cet échange le vers joue, en effet, un rôle essentiel (1). En imposant des sonorités, des inflexions, un rythme, il stylise la parole, même la plus humble. Or, si « le grand art dramatique exige le vers », l'art unanimiste, en particulier, l'exige d'une façon singulièrement pressante. Forcé de représenter les êtres collectifs par un nombre restreint de leurs éléments, les quelques personnages qui se meuvent sur la scène, il est essentiellement un art qui transfigure, qui sans cesse passe, et fait passer l'auditoire, du plan de l'individu à celui des groupes, par la force de son incantation. Ainsi peuvent prendre corps, à la voix d'un récitant, les visions de l'Entrée dans la Ville, de Cromedeyre sur son rocher, ou de la Maison dans la lande. Toute prose, à leur place, représenterait « une imperfection, une licence, de la beauté en moins » (2) et, surtout, une perte du pouvoir d'évocation (3).

L'œuvre dramatique en vers qui amène la création « à son maximum de matérialité et d'objectivité » et oblige le langage à « de nouveaux efforts d'organisation sonore », apparaît donc comme « la réalisation la plus complète où puisse prétendre l'art littéraire » (4). Et pourtant, malgré le renouveau poétique

(1) Conforme, pour la langue et le rythme, aux principes que nous avons essayé de dégager, mais assouplis par les exigences du théâtre : ainsi le poète renonce à l'homophonie des syllabes finales, et multiplie la diversité des mètres, pairs et impairs.

(2) Préface de *l'Armée dans la Ville*, p. 11.

(3) Le récit en prose de la même Entrée, dans *le Vin blanc de la Villette*, garde néanmoins, pour des raisons que l'on essaiera de démêler plus loin, quelque chose de ce pouvoir.

(4) *Problèmes d'aujourd'hui*, p. 196.

du début du siècle, *l'Armée* et *Cromedeyre* restent isolés. Ni Duhamel, ni Durtain, ni Vildrac n'ont, en abordant la scène, eu recours au vers. Seul Chennevière, qui se montre toujours, par son esthétique, le plus proche de Romains, l'a employé résolument : encore s'est-il confiné, après l'essai du *Triomphe* qui n'a pu voir le jour, dans les poèmes en un acte du *Cycle des Fêtes,* dont la conception est surtout lyrique. Romains lui-même, qui avait d'abord envisagé pour l'*Ode Génoise* la forme dramatique et commencé à écrire en vers le *Dictateur,* y a renoncé. La situation faite au théâtre poétique dans la société moderne suffit à expliquer de tels abandons. Mais il semble qu'il s'y ajoute, pour Romains, des causes particulières. La réussite de *Le Trouhadec* et de *Knock* lui a découvert les ressources propres du théâtre en prose et le renouveau que pouvait y apporter l'unanimisme. Et les groupes de *l'Armée* et de *Cromedeyre* qui, en transposant le réel lui donnent un aspect de légende, l'ont ramené au genre légendaire par excellence : l'épopée.

CHAPITRE V

LA POÉSIE ÉPIQUE

Romains a, de bonne heure (1), été préoccupé par le problème de la « narration épique moderne », et il ne semble pas malaisé d'en apercevoir les raisons.

Malgré les apparences, l'épopée se meut en plein réel. Les poèmes homériques, par exemple, n'ont un tel accent, une telle force persistante que par la vérité des lieux, des mœurs, des sentiments. L'aède suit Achille sur son char, dans sa tente, aux funérailles de Patrocle ; il accompagne Ulysse sur mer, aux rivages où il aborde (2), ou dans son domaine d'Ithaque. Il a observé tous les métiers de son temps, toutes les conditions humaines : rois et reines, bergers, nourrices, vieillards, jeunes filles. Et par delà ces variétés d'individus, il ouvre des perspectives plus vastes sur les groupes d'hommes, les batailles, le destin des cités et des peuples. Perspectives qui s'élargissent encore avec l'*Enéide* et les épopées suivantes, comme pour témoigner qu'aucune forme du réel ne leur est étrangère.

L'épopée ordonne ces formes de la façon la plus souple, la plus naturelle et variée. Le poète n'y est tenu par

(1) Cf. Préface de 1925 de la *Vie Unanime*, p. 14.

(2) Trajets conformes aux *Instructions Nautiques* recueillies des Phéniciens, et rivages que l'on a pu identifier et photographier (cf. Bérard, *les Phéniciens et l'Odyssée* et *Sur le sillage d'Ulysse*).

aucune des nécessités de genres plus stricts, comme l'ode ou la tragédie. Il présente tour à tour, selon le lieu et dans l'ordre où elles se produisent, les pensées, les paroles et les actions des hommes. Même avec l'artifice des aventures racontées par le héros, il ne modifie cet ordre qu'en apparence. Qu'il emploie la première ou la troisième personne, qu'il commence en pleine crise comme au chant I de l'*Iliade* ou qu'il dispose savamment, comme au chant XXIV, tous les préparatifs d'une grande scène, il suit le déroulement même des choses. Et il s'efface devant elles, de telle sorte que l'auditeur et le lecteur puissent, à travers les siècles, en avoir le contact direct, comme s'ils assistaient à leur genèse et à leur cours majestueux. Mais il ne se confine pas au moment qu'il raconte, à l'immédiat même le plus riche. Par le moyen des traditions, des songes, des voyants, des dieux, il remonte à l'origine la plus lointaine d'une action et il en suit le prolongement jusque dans la vie future. Il descend au Tartare et dans les Champs-Elysées, pénètre dans l'Enfer et le Purgatoire, ou se laisse emporter en « plein ciel ».

Il semble donc n'étreindre si fort le réel que pour donner, dans tous les sens, plus d'élan à son imagination. Et, en effet, le ressort essentiel de l'épopée, le secret de son action sur le plus vaste et le plus durable des publics, c'est — comme l'ont vu tous les théoriciens, de Longin à Boileau et Denis Saurat — l'emploi du merveilleux. Elle se nourrit de la fable et vit de fictions. Et parmi celles-ci, elle va droit aux plus grandes, aux mythes qui racontent les origines du monde, la naissance des dieux et de l'homme, les exploits des héros et la vie future : puissantes créations de l'imagination, individuelle ou collective (1), devenues le patrimoine de tout un peuple, de toute

(1) Le débat, de Wolf et des frères Grimm à la sociologie et à l'ethnographie actuelle, reste ouvert, et l'on ne peut nier l'apport d'Homère ou de Phidias à la représentation d'Athéna ou de Zeus.

une civilisation, qui se reconnaît et communie en elles, qui par elles se hausse à un plan supérieur, celui de Kronos, de Zeus, d'Athéna, où toutes les puissances de l'homme, harmonieusement agrandies, se déploient selon des rythmes nouveaux.

Par l'ampleur de sa matière, par la perception immédiate qu'elle en prend et communique à un public vaste, par les perspectives qu'elle découvre au delà du monde des individus, l'épopée apparaît donc, dès l'abord, comme le type même de l'art collectif, où la communion entre le groupe, l'auteur et l'auditeur est la plus étroite. Le groupe est comme le milieu vivant d'où émerge le poème, qui en tire sa matière : lieux, aventures et héros. Et il est aussi le public qui reçoit l'œuvre, se nourrit des aventures, honore comme un homme divin l'aède capable de les coudre ensemble et, par son chant, de les transfigurer.

***

Nourri d'Homère, Romains ne lui emprunte ni décors, ni événements, ni personnages. Dans ses poèmes, il n'est pas question de chlamydes, d'amphores ou d'Achille (1). La façon dont il va s'inspirer d'Homère est bien différente, et, dès ses premiers essais (la série intitulée *Dynamisme* dans la *Vie Unanime,* et le *Poème Epique* d'*Un Etre en Marche*), on le voit chercher ailleurs les éléments d'un épisme nouveau (2).

(1) Cf. *Vie Unanime*, préface de 1925, p. 15.

(2) Les trois premiers poèmes de *Dynamisme* décrivent des « propagations » : d'un arc électrique aux cellules, aux germes, aux pensées ; d'un moteur d'automobile aux voyageurs dans la voiture, à leurs pensées, à la sirène d'un remorqueur ; du geste d'un enfant à la foule des passants et au penseur qui lit près de sa lampe. Le poème suivant, *Dimanche,* évoque la ville qui, ce jour-là, s'abandonne à d'autres rythmes et se répand sur la campagne qu'elle sature. *Le Groupe contre la Ville,* qui termine la série, est l'histoire d'un cortège qui suit un corbillard, recueille du mort des idées de révolte, mais meurt sans gloire, dispersé par une troupe d'agents. Le

On en reconnaît, d'emblée, la matière : attroupements, cortèges, rues, promenades, gares, trains, campagne, villages, bref tout ce qui, à ses débuts, a inspiré l'unanimisme. Les images, comme dans les autres œuvres de la même époque, concourent elles aussi, par exemple en ces vers :

> « La ville ne s'amasse plus
> En flaques d'âme qui clapotent
> Et que rejoignent des rigoles.
> Il se forme un seul lac qui monte, déferle,
> Où le même désir pousse de larges houles (1). »

à évoquer le mouvement des âmes individuelles qui viennent se fondre en une âme unique et vaste. Et des commentaires comme :

> « Les magasins, les ateliers,
> Les casernes et les bureaux
> Ont le bonheur rafraîchissant
> D'éparpiller leurs corps que l'action contracte,
> De le fondre dans la cadence du Dimanche
> Et de mourir noyés par une vie totale (2). »

témoignent que l'auteur s'efforce, avec plus ou moins de bonheur, de pénétrer en ces êtres et, au risque de ralentir l'action, de formuler leurs tendances les plus confuses.

Le développement des faits, au cours de ces divers essais, apparaît également caractéristique. Dans un

Poème Epique suit la promenade d'une pension de jeunes filles qui va vers une gare, monte en wagon, débarque dans la campagne, prend conscience des bois, des champs, d'un village, du silence, de la ville lointaine et, de retour le soir, retrouve ces événements dans ses rêves.

(1) *Dimanche, Vie Unanime*, p. 107.

(2) *Ibid.*, p. 107, cf. encore p. 129 :

> « L'attraction qui noue au soleil
> L'essor de la terre et des planètes...
> Pousse irrésistiblement le groupe
> Vers l'ample masse de la cité. »

cadre réduit (car, comme Vigny, Hugo et Leconte de Lisle, Romains renonce aux grandes compositions des siècles précédents) il suit, le plus fidèlement possible, les mouvements du réel : des propagations, l'épanouissement d'un groupe hors de lui-même, son trajet, ses rencontres ou ses heurts. Et, sans doute, de tels événements, vus par un poète unanimiste, n'apparaissent pas sans grandeur, ni sans portée métaphysique. L'action, néanmoins, qui, dans les épopées précédentes, constituait l'un des éléments essentiels, qui exprimait le destin de tout un peuple ou même, comme dans la *Légende des Siècles,* de l'Humanité entière, prend ici un aspect sensiblement plus modeste. Et, sauf en quelques vers de *Dimanche* ou du *Groupe contre la Ville,* elle n'a de prolongement ni vers le passé ni vers l'avenir. Elle se maintient dans l'éternel présent qui pouvait convenir à la poésie immédiate de la *Vie Unanime* ou du *Poème Lyrique,* mais qui, dans le récit épique, n'exprime pas le tout d'un événement, sa marche incessante du futur à l'actuel, du réel au souvenir qui le transfigure.

Par contre, en se transportant sur le plan des êtres collectifs, Romains retrouve tout naturellement l'élément épique par excellence : le merveilleux. Le Cortège du *Groupe contre la Ville* est d'une taille surhumaine :

« Le cortège est grand.
Mille corps, plus de mille corps ont fait le sien (1). »

Ses pensées laissent entrevoir, par delà celles de ses individus, d'autres modes de conscience :

« Le cortège, sentant grandir la jouissance
D'exister plus dans tous ses hommes à la fois,
Emu d'orgueil et de miséricorde, voit
Le cimetière qui n'a pas de conscience (2). »

Sa mort est une métamorphose, par laquelle ses hom-

(1) *Vie Unanime*, p. 120.
(2) *Ibid.*, p. 125.

mes dispersés portent chacun « une émeute future » et le « sperme d'une foule » (1). De même la Pension de Jeunes Filles, par sa rencontre avec la rue, le bataillon, la forêt, le village, entre en contact avec des êtres d'autres dimensions et qui vivent selon d'autres rythmes. Elle sent que le village est une « chose immense » qui déborde, invisible,

> « S'étale sur les champs, se lamine, s'allonge,
> Vit en s'atténuant jusqu'aux crêtes des bois (2). »

et que la Ville, par la tiédeur de sa vie, a fondu l'horizon et « devient le monde ». Rencontres qui retentissent en elle aussi profondément que les aventures de dieux, de héros ou de monstres de l'épopée antique.

La fécondité d'une telle conception, qui repousse tout souvenir littéraire, tout recours à une mythologie d'emprunt ou à des abstractions personnifiées (la Déroute, la Justice, le Progrès...) n'apparaîtra que plus tard. Mais, dès lors, ces premiers récits en prennent un caractère nouveau. Le groupe, qui devient à la fois le personnage principal, le héros ou le dieu, y introduit sa durée propre, ses façons de penser et de sentir. Et d'elle-même l'action, se développant sur un plan supérieur à celui de l'individu, se hausse au merveilleux et, sans quitter le réel, prend un aspect de légende.

***

Après *Un Etre en Marche*, Romains semble avoir, pendant douze ans, abandonné l'épopée. Mais seulement en apparence : car il n'est pas malaisé de reconnaître, à travers les œuvres de cette période, le courant épique, et de voir comment il s'y transforme. *L'Armée dans la Ville* et les *Quais de la Villette*

(1) *Ibid.*, p. 136.
(2) *Un Etre en Marche*, p. 54.

évoquent, en les transposant sur le plan des groupes, des événements vécus par le poète. *Europe* suit également, dans plusieurs de ses phases, un événement actuel mais d'une tout autre ampleur. *Cromedeyre* fait surgir, d'incidents récents, un passé légendaire. L'*Ode Gênoise* enfin, reprenant le même événement qu'*Europe,* en montre, au plus profond de l'âme, les prolongements mystérieux. De telles œuvres, entraînant leur auteur bien au delà de l'immédiat où se cantonnaient *Dynamisme* ou *Un Etre en Marche,* l'ont amené à considérer dans toutes ses dimensions, dans toutes ses perspectives, un événement où participent des groupes de plus en plus vastes. Et il semble que l'on puisse apercevoir en quel sens elles ont, durant la longue élaboration d'un nouveau poème, orienté sa conception de l'épopée.

Ainsi il ne peut plus à l'exemple de l'*Iliade* et des autres œuvres du même type (*Sagas, Nibelungen, Romancero,* etc.) chanter un groupe restreint, régional ou même national : stade qui fut, pour la France, celui des chansons de geste et qui est — l'échec de la *Franciade,* de la *Pucelle* ou de la *Henriade* le confirme (1) — depuis longtemps révolu. Mais il ne prétend pas davantage, à l'exemple du XIXe siècle, passer à la limite et, par le moyen de quelques épisodes, évoquer l'Humanité entière, son histoire, ses progrès, sa chute ou sa rédemption ; entités qui pour lui, nous l'avons vu (2), restent abstraites, objets de croyance ou d'érudition et qui, sans l'imagination de Hugo, n'auraient pu atteindre à la vie poétique. Et l'ensemble qu'il a entrevu d'abord et à qui, en grand secret, il a promis son chant, c'est l'être concret qui emplit aujourd'hui l'Europe entière et qui, franchissant les mers, s'allonge de New-York à Melbourne : l'Homme Blanc, « l'homme premier », la race belle entre toutes.

(1) Echec qui semble à la fois dans la ligne de la France et de sa tradition littéraire : cf. Giraudoux, *Littérature,* et Thierry Maulnier, *Introduction à la Poésie Française.*

(2) Cf. *J. Romains et l'Unanimisme.*

Pour représenter un tel être, le poète ne peut, à la façon des anciennes épopées, le résumer sous les traits d'un individu typique, tel Achille ou Ulysse, et, en le reculant dans le passé, lui donner la transfiguration de la légende : quel est l'individu, en qui toutes les tribus, toutes les patries de l'Homme Blanc pourraient se reconnaître ? Il ne peut davantage s'accommoder d'une poussière de héros, incarnant chacun une portion d'humanité en une parcelle de temps et de pays, et que la *Légende des Siècles* ne réussit à imposer aux esprits que par un agrandissement fantastique. L'Homme Blanc va donc paraître en lui-même, dans sa réalité d'être de chair, personnage anonyme fait de tous les individus que nous sommes, nous et le poète ; grandi, certes, de son passé et de son avenir, mais dépassant déjà, par ses dimensions et sa présence sur tout le globe, ce que l'imagination la plus démesurée peut concevoir.

Quels exploits seraient à sa mesure ? Ni l'action unique, ménagée avec art, liée à un pays et une époque et — même si, comme dans l'*Enéide,* elle ouvre des perspectives qui la dépassent — limitée par un commencement et une fin. Ni la suite d'actions fragmentaires et sans lien qui, juxtaposant des époques et des lieux, prétend reconstituer le développement de l'humanité entière. Et quelle aventure dépasserait ce mouvement de quelques tribus qui, pullulant, ont aménagé la Terre ; cette succession de pensées et d'œuvres qui, partie d'ébauches informes, a abouti au temple, au poème, aux nombres, aux machines et esquissé la Justice ; cette rencontre surtout de l'Homme Blanc avec les autres races qu'il veut associer à son effort et hausser jusqu'à lui ?

Ainsi voit-on s'ébaucher, pour une épopée moderne, quelques thèmes, ou plutôt quelques lignes principales de développements : les Migrations de l'Homme Blanc sans cesse attiré, depuis l'Asie, par la douceur de l'Ouest et l'éclat des « choses dorées » ; ses Œuvres, principalement ses Villes, toujours plus grandes et plus hautes, où il inscrit sa frénésie de croître et son appétit de vivre ; sa Pensée enfin, éternellement mobile, cette Inquiétude surtout qui lui a fait parcourir le monde et ne cesse de l'entraîner vers de nouvelles créations. Lignes dont le poète ne considère que quelques points, mais suffisants pour en suggérer l'ampleur ; et elles imposeront le minimum de détermination à un héros qui restera sans figure, sans exploit et sans nom.

***

Naturellement ces trois courbes, des migrations, des œuvres, des pensées, ne peuvent se séparer que par l'analyse : le poème de l'*Homme Blanc* continuellement passe de l'une à l'autre, les entremêlant tour à tour. Par elles, néanmoins, par leur commun mouvement du passé vers l'avenir, il rompt avec les épopées traditionnelles qui situaient leur action en des temps révolus ; et, comme celles du XIXe siècle, il se développe selon le cours même de l'humanité. Mais, contrairement à ces dernières (en particulier de la *Légende des Siècles* qui ne fait à l'époque actuelle que la plus petite part), et comme le veut un art essentiellement immédiat, il s'engage dès l'abord en plein présent, et c'est à partir du présent qu'il regarde vers le passé et vers l'avenir. Il va en résulter, par rapport aux épopées précédentes, un changement radical d'optique, et aussi de structure.

Comment, par exemple, selon une telle conception, représenter les actions passées, notamment cette action continue de quarante siècles, la migration ? Le poète ne peut, sur de telles dimensions d'espace et de temps, recourir à l'érudition, à l'archéologie, à la légende. Il ne prétend pas davantage renouveler l'immense effort de Hugo pour créer, en agrandissant les êtres et les choses, un monde entier de fiction. Le voici, comme nous l'avons déjà entrevu, à son pays natal de Cromedeyre. Sous le double cri : Ho ! Ho ! du laboureur à ses bêtes il reconnaît un cri analogue, celui d'un homme de guerre à son cheval. Alors lui reviennent à la mémoire divers groupes d'hommes à cheval qu'il a pu voir à l'armée, au désert ou dans l'extrême Nord. Il les dépouille de toute particularité de temps ou de lieu, d'armes ou de costumes. Et, devant le site qui n'a pas changé, il les voit tels que jadis, arrivant des hauts plateaux d'Asie :

« Trois grouillements qui reluisent
Sur le bord de l'horizon.
Trois pelotons de la horde ;
Trois paquets d'épieux de bronze ;
Trois buissons ; trois hérissons.
Rien que de l'homme à cheval (1). »

Ainsi, par delà la sensation immédiate et ses propres souvenirs, il rejoint le passé le plus lointain et le rapproche du présent, par ce qu'il a d'éternel (2).

Mais, pour que surgisse en plein présent le passé, il n'a plus besoin des intermédiaires traditionnels : rite funéraire, héros versant des libations, vieillard contemporain des anciens événements, personnage inspiré servant d'introducteur ou de guide au pays des morts. Il écarte même la Voyante de *Cromedeyre* ou l'Ancêtre peint de l'*Ode Génoise*. Par la méditation du lieu et des tribus en marche il a supprimé, entre les hommes lointains et lui, la distance. Le site qu'il a scruté jusque dans ses profondeurs, les grou-

(1) Chant I, p. 47.

(2) De même, sur ce rythme d'une troupe armée qu'il a si bien éprouvé, il peut, en ces phrases elliptiques :

« Ho ! Ho !
La pulsation. L'avance au pas. La rumeur,
Les pas qui poussent les pas comme les rangs de la mer.
Les plateaux. Le roulement des hauts lieux depuis l'Asie.
Le peuple épars des yeux bleus que ramasse un grand désir,
Mille pas. Mille autres pas. Les claquements du hasard.
On entend une pensée comme des coups souterrains. »
(Ch. I, p. 53).

reproduire le mouvement de la migration.

pes dont il a subi le rythme l'ont introduit dans le songe et la mémoire d'une race : Cromedeyre qui rêve dans sa lande a été son seul médiateur (1).

La représentation du présent, devenue l'objet principal du poème, lui impose des transformations non moins profondes. Elle écarte les actions individuelles, aussi bien l'héroïsme des champs de bataille que le dévouement des humbles.

Et le milieu où se meut l'Homme Blanc, la synthèse supérieure qui résume toutes les œuvres, la Ville, redevient, comme au début de l'unanimisme, l'une des visions essentielles, que le poète renouvelle et enrichit une fois de plus. L'Homme Blanc regarde ces créations sorties de lui et s'en étonne : villes enfumées où il avance dans le brouillard et les rumeurs ; villes

« Couleur de craie ou de perle ou d'émeraude...
Avec des clochers, des tours, un fleuve sous de vieux ponts,
Un sombre centre noueux que veinent des rues étroites,
Avec le fredonnement des longues automobiles
Sur les boulevards bleutés qui fendent les quartiers neufs (2). »

qui semblent avoir atteint le but et « installé le paradis sur la terre » et, par delà l'Océan, New-York avec sa faim de grandir, sa furie de floraison qui conduit à l'extrême toutes les pensées de la race. Et à la différence d'œuvres précédentes, comme le *Voyage des Amants* ou *Europe*, de telles images ne restent pas juxtaposées ou ne dessinent pas une arabesque capricieuse : leur défilé rend manifeste un mouvement continu, une immense migration de for-

(1) Nouvelle analogie avec Barrès écoutant, telle Jeanne d'Arc, les voix d'un site, d'un lieu « ou souffle l'esprit ».
(2) Chant III, p. 89.

mes et de désirs qui, après avoir fait le tour de la terre revient sur elle-même et, par de nouveaux rêves, ne cesse de traduire une éternelle Inquiétude.

Comment, par delà ses formes visibles, atteindre cette Inquiétude elle-même et, au plus profond de la race, en rendre sensible le mouvement secret ? Là encore Romains, repoussant toute représentation générale qui ne pourrait être que confuse, abstraite, arbitraire, s'en tient à l'immédiat : le déroulement d'une pensée chez un individu pris au hasard, mais qui n'en témoigne pas moins pour tous. On assiste donc au monologue intérieur de l'Homme Blanc, qui, devenu le « piéton morose du siècle vingt », « chemine au pas dans une épaisseur de ville » (1). Il ne considère plus seulement, comme dans *Un Etre en Marche,* des rues, des quais ou des carrefours : il se dit à lui-même ses plus humbles soucis comme ses plus fortes angoisses. Ainsi, avec le minimum d'artifice, reparaît l'antique procédé de la personnification, et l'individu le plus insignifiant devient le plus significatif : mieux qu'une fiction ou un symbole, il résume l'un des plus vastes ensembles actuels. Sa pensée, à mesure que le poème avance, prend conscience des continents, des races, grandit à la mesure du Globe. Et son monologue intérieur n'est autre que le mouvement de l'espèce humaine, dans l'instant même où il se manifeste et se déroule.

Mais ce mouvement, qui aboutit à des chocs d'intérêts, de sentiments ou d'idées de plus en plus vastes, cesse d'être un monologue et devient un continuel « tumulte en dedans ». Pour l'expliquer, le poème écarte les développements philosophiques et abstraits qui alourdissaient les œuvres du siècle précédent ; et, renouvelant la prosopopée traditionnelle, il exprime les conflits par le dialogue de plusieurs Voix. L'une, celle de « l'innombrable frère à distance » (2), du « grand rassemblement » qui se soulève

(1) P. 65.
(1) Chant V.

contre l'Homme Blanc et le chasse. Une autre, venue d'outre-temps et de Cromedeyre, qui le rappelle à sa mission de vainqueur et de monarque du monde (1). La voix de l'Homme Blanc enfin, qui confesse ses erreurs, proclame désormais son amour des autres races, sa passion de les hausser avec lui. Ainsi, prolongeant la personnification, la prosopopée oppose non pas des idées ou des fantômes, mais des êtres réels d'aujourd'hui. Et leurs paroles ne constituent pas une simple cantate à plusieurs Voix. Elles s'organisent en une véritable action. Elles traduisent, à l'intérieur d'une conscience, le drame qui se joue d'un continent à l'autre, et que l'époque actuelle semble mener à son point culminant.

⁂

La vision de l'avenir donnerait lieu à des remarques analogues. Voué à l'un des plus vastes ensembles, le poème ne se borne plus, comme l'*Odyssée,* à suivre dans un autre monde quelques destinées strictement individuelles. Né d'un présent sans cesse mouvant et imprévisible, il ne peut, comme l'*Enéide,* annoncer depuis le passé un futur déjà réalisé. Engagé dans l'immédiat, il ne peut, comme la *Divine Comédie,* s'élever à une éternité supra-terrestre. D'un mouvement continu et irréversible, il s'avance vers un avenir largement ouvert et seulement probable, où ne se forme aucune image stable et nettement définie.

Comme dans les épopées du XIXe siècle et sous l'influence grandissante des idées d'évolution et de progrès, ce mouvement n'a pas seulement un sens : il est une ascension. Le poète entrevoit la fin de toute guerre, de tout mal ; il annonce le règne de la Justice, l'avènement de la République Universelle. Il transporte dans l'avenir ce monde meilleur que les

(1) Réminiscence du discours d'Anchise à Enée (*Enéide,* VI, 851-4) mais étendue à l'ensemble de la terre.

anciens mythes plaçaient dans le passé. Sans doute ces visions, qui avaient pris dans l'imagination de Hugo une ampleur cosmique, qui lui étaient apparues comme « une montée des ténèbres à l'idéal, la transfiguration paradisiaque de l'enfer terrestre, le drame de la création éclairé par le visage du créateur » (1) ont-elles reçu du temps, des idées, et des événements, de rudes chocs et en sont-elles encore toutes meurtries. Le poète maintient quand même, aux pires jours du « siècle vingt », ces « vieux rêves obstinés »

« Dont on se lasse, qu'on raille et qu'un peuple foule aux pieds
Mais qui pareils au blé vert se redressent et recroissent (2). »

Mais il renonce à les développer en vastes constructions imaginatives que la fantaisie d'un individu, même la plus forte, ne peut imposer à l'ensemble d'une race. Et les images qu'il va esquisser de l'avenir vont obéir à d'autres impulsions.

Le point de départ en est pris, une fois de plus, dans la réalité la plus proche : les formules rituelles qui berçaient l'Homme Blanc moyen d'Europe et d'Amérique, telles qu'elles s'étalaient dans ses journaux ou ses affiches, sur ses écrans ou à sa radio, à la fin de ses banquets ou à l'inauguration de ses statues. Le poète transcrit les termes mêmes des articles et des discours :

« Fin de toute oppression. L'homme délivré de l'homme,
Règne du droit sur la force, et du travail sur l'argent (3). »

Et de telles formules peuvent sembler vieillies, usées, inoffensives. Elles n'en résument pas moins la pensée commune ou, pour prendre le terme sociologique, les représentations collectives de quelques-uns des

(1) *Légende des Siècles,* préface.
(2) et (3) Chant V, p. 127.

plus vastes groupements actuels. Depuis cent cinquante ans elles constituent les mots d'ordre qui ont déclenché la plupart des révolutions, des émeutes, des grèves. Elles expriment le travail par où l'imagination de tout un peuple, de toute une race façonne ce qui n'est pas encore, lui donne, au moyen de la parole, un commencement de réalité, celle du mythe, qui agit avec la même puissance que les forces de la nature et, en montrant aux hommes des temps meilleurs, en les nourrissant d'espoir, semble les tirer vers l'avenir.

Ainsi la formule et l'idée en apparence la plus usée, par exemple celle de l'école laïque, peut aisément reprendre corps et vigueur. Il suffit au poète de la rajeunir par des choses vues, de la transfigurer par une vision d'ensemble : les mille « ergots coiffés de rouge », les mille « sursauts de blancheur partout dardés comme des germes » des écoles de campagne, et les pâles écoles de banlieue et celles qui naissent « du cœur des grandes villes ». Alors, pénétrant dans n'importe laquelle de ces écoles, il trouve réunis le passé, le présent et l'avenir : devant les enfants qui « réchauffent leurs doigts gourds », le maître écrit le nom des poètes et des rois, chasse « les songes morts des vieilles tribus », annonce qu'on vaincra les anges souterrains par le compas, la balance et la lyre ». Par delà la salle de classe, on entrevoit toute la terre qui a lentement raison :

> ... « Paris le Vaste rôde,
> New-York le Haut surgit entre les monts »

Et l'instituteur apparaît comme le « calme fantassin » de la République Universelle.

⁂

On entrevoit donc la complexité du poème. Depuis l'évocation odysséenne ou la prosopopée jusqu'aux

(1) Hymne, p. 138.

successions d'images ou d'idées comparables à celles du film ou du monologue intérieur, il résume, en sa brièveté de cent dix pages, quelques-unes des expériences les plus variées, soit de l'épopée, soit d'autres formes littéraires ou même extra-littéraires. Et il les fond ensemble par la nouveauté de la conception, l'unité du plan, la force de la technique.

Il semble que l'*Homme Blanc* résume aussi toute l'œuvre antérieure de Romains. Il n'est pas seulement, comme on l'a déjà noté, l'aboutissement du courant épique dont l'origine apparaît dès la *Vie Unanime*. Mais les autres thèmes et les autres formes de poésie que l'on a essayé précédemment de démêler viennent tour à tour s'y épanouir. Le *Prélude* plonge en plein immédiat, dans le jardin du poète à Belleville. Le premier Chant s'élance de Cromedeyre pour atteindre, comme par les visions de la mère Agathe, les plus antiques rassemblements. Le deuxième Chant suit le piéton morose du siècle vingt, nouvel Etre en Marche, nouveau Le Maufranc perdu dans une épaisseur de ville. Le troisième développe les vues de villes heureuses, du *Voyage des Amants* ou d'*Europe*. Le quatrième les agrandit à l'échelle des cités et des édifices d'Amérique. Le cinquième introduit un élément nouveau ; il met l'Homme Blanc en présence des autres races, l'initie à la responsabilité des Empires. Le lyrisme enfin, qui ne caractérise pas seulement les deux *Chansons* ou l'hymne final, mais qui traverse l'œuvre entière, tour à tour familier comme dans le *Voyage* ou solennel comme dans *Europe* ou l'*Ode Génoise*, continue les transformations apportées par le XIXᵉ siècle à l'épopée. En découvrant la personne du Poète, il le remet, comme au temps des aèdes ou des trouvères, mais avec des moyens nouveaux, en contact avec un public qui désormais se rassemble par toute la terre.

CHAPITRE VI

CONCEPTION DE LA POÉSIE

Pendant les trente ans que s'est développée l'œuvre de Romains, la poésie a été l'objet, notamment en France, d'une constante méditation. De l'*Art Poétique* de Claudel et des *Propos* de Duhamel à l'*Expérience Poétique* de R. de Renéville ou à l'*Introduction à la Poésie Française* de Thierry Maulnier, en passant par les recherches de l'abbé Brémond ou les essais de Valéry, se sont multipliées les préfaces, introductions, expériences, prises de conscience qui ont tenté de projeter sur la création poétique, son essence et ses fins, quelque lumière. Le nombre et l'ampleur de ces tentatives attestent l'importance du problème, et « l'éminente dignité » que garde la poésie. Et leur diversité n'empêche pas des analogies ou des convergences significatives.

Ainsi les théories variées selon lesquelles l'intuition du poète, par delà les limites de l'individualité et les déformations de la vie pratique ou du langage, découvre à nouveau les choses, avec la fraîcheur de regard de l'enfant et du primitif ou le détachement du mystique, s'accordent à rétablir la poésie comme une forme supérieure de connaissance, comme un moyen privilégié de pénétrer dans le secret des âmes et l'intimité du monde. Mais en même temps les lueurs projetées sur les régions extra-conscientes de la vie psychique redonnent toute leur valeur aux états de transe où le poète, « évinçant les puissances logiques », écrivant comme sous la dictée d'une puissance extérieure à lui, « avec une vitesse qui est celle même de la pensée » (1), semble retrouver les transports de la Pythie et des Sybilles. Parallèlement, enfin, l'attention lucide, vorace qui de Poë et Baudelaire à Mallarmé et Valéry construit l'œuvre et en combine indéfiniment les mots, les sons, les rythmes, redonne au poème une valeur incantatoire, un pouvoir sur les êtres et les choses, et manifeste à nouveau la force créatrice de la Parole. Ainsi, par ces divers ordres de recherche, même les plus techniques et positifs, se trouve restituée la plus antique fonction du poète, nouveau mage, nouveau guide des peuples, nouvel Orphée ou Amphion.

L'œuvre de Romains nous a déjà fait côtoyer quelques-unes de ces conceptions, et entrevoir vers lesquelles elle penche. Elle les enrichit même d'apports nouveaux, dont le détail peu à peu nous est apparu, mais dont il reste à prendre une vue d'ensemble.

***

A l'origine, nous avons vu l'œuvre naître « d'une circonstance, d'une émotion, d'une secousse » que le poète « recevait de la réalité ou d'un mystère qu'elle lui révélait soudain » (2). Et aucune circonstance, même la plus humble, aucun mystère, même le plus vaste, ne sont exclus : du grincement d'un essieu ou du cri d'un enfant à la crise de l'Europe en guerre ou à la migration de l'Homme Blanc à travers le monde, rien ne se dérobe au poète, rien ne limite le champ de son inspiration. Ainsi sont rendues à la poésie des zones d'où, à force de concentration, par

(1) R. de Renéville, *l'Expérience Poétique*, chapitre V.
(2) *Vie Unanime*, préface de 1925.

une recherche inassouvie de pureté (1), elle s'était peu à peu retirée.

Dans ce champ redevenu immense, le poète nous a paru suivre deux directions principales. D'une part il considère la diversité des apparences, en particulier les groupes humains, et, au lieu de les décomposer en leurs éléments, les individus, il essaye de les saisir en eux-mêmes, comme des ensembles s'étageant de la rue ou du village à une race répandue sur toute la terre. Mais en même temps, par delà ces apparences et par delà ses propres limites, il pénètre à l'intérieur de ces ensembles, s'identifie à eux, se laisse envahir par leurs pensées qui le portent, le soulèvent, lui révèlent des formes insoupçonnées d'existence, des façons inattendues de sentir. Et, ainsi pratiquée, l'intuition n'est pas seulement, comme elle a pu l'être alors pour d'autres poètes ou artistes, une vue neuve sur une réalité déjà connue ; c'est la conquête d'une réalité nouvelle, la participation (2) mystique à des êtres qu'elle découvre ou qu'elle crée.

Au point de départ, cette intuition peut être appelée immédiate, puisqu'elle porte sur nous-mêmes, sur ce qui nous entoure, sur les groupes les plus proches dont nous composons la substance. Mais elle se dilate à la taille des plus vastes de ces groupes, embrasse ce qu'ils perçoivent et qui se dérobait à nous, se hausse à leurs souvenirs et à leurs rêves. Ainsi le poète, par delà les « barrages » de l'espace et du temps humain, rejoint le réel le plus lointain, les antiques migrations, les rassemblements futurs. Il y

(1) Recherche dont Romains, dans la Préface de l'*Homme Blanc* (p. 16 et 18) a reconnu la nécessité : véritable « cure de densité », après les abus de description, de développement, de rhétorique du siècle précédent.

(2) On sait la fortune prise, dans un sens très voisin, par ce terme depuis les recherches, à peu près contemporaines, de Lévy-Brühl sur les *Fonctions Mentales dans les Sociétés Inférieures*.

réussit, moins par un effet de l'imagination interprétant des signes ou construisant dans le vide, que parce qu'il regarde avec les yeux et selon le rythme des êtres collectifs. Plus sûrement que s'il s'abandonnait au délire ou aux autres états de transe, il redevient, en se faisant « concentrique » à un groupe, le Voyant, et redonne à la poésie une valeur de révélation.

***

Le poète, qui participe d'êtres plus vastes, à la fois « intérieurs et supérieurs à lui », ne se borne pas à les contempler. Il les façonne, les informe, fait surgir leurs pensées les plus obscures pour les rendre conscientes, dissout leurs apparences visuelles ou sonores pour les rendre semblables à des idées. Ainsi d'une rue, d'un village, de groupes plus vastes encore et qui semblaient enfouis dans la matière, fait-il des personnes véritables, qu'il invoque, qu'il remplit d'une vie supérieure et divine. Dès lors, sans perdre contact avec la réalité sensible, il se meut surtout dans un monde spirituel : il libère les souvenirs, ranime les morts, attire et apaise, par l'évocation finale de l'*Ode Génoise*, les âmes, même les plus hostiles aux vivants.

Une telle action, en faisant converger vers elle les divers moyens d'expression, leur donne le maximum d'ampleur et d'efficacité. Les mots ne sont plus de simples suites de sons et de signes : ils convoquent les choses même les plus neuves et en apparence les plus rebelles à la poésie, un poste de T. S. F., ou un rotor, et les font participer de la dignité du vers ; ils vont droit aux êtres encore informes, les groupes, et, en les appelant par leur nom, les élèvent à la vie consciente. L'expression directe, écartant l'allusion et le symbole chers à la génération précédente, établit avec l'objet un contact immédiat et ouvre brusquement le chemin des âmes. Les figures et les images interprètent le monde, le rendent perméable à l'être collectif. Le rythme enfin ne se propose pas une vaine satisfaction de l'oreille ; il organise les mouvements les plus tumultueux de l'univers ou des groupes, en dégage le sens le plus secret. Et, par une telle mise en œuvre, mots, figures, images, rythme apparaissent moins comme les éléments, plus ou moins conventionnels, d'un art que comme des prises sur le réel, pour le transfigurer et l'orienter vers l'esprit.

Romains retrouve donc, vis-à-vis de l'âme et du monde, l'attitude et les pouvoirs de l'homme d'autrefois qui n'établissait pas de démarcation entre sa conscience et les choses, et qui, par le rythme de la parole, prétendait soumettre à sa volonté les phénomènes. Aussi, lorsqu'il aborde la plus audacieuse de ses entreprises, l'évocation d'une armée défunte, fait-il naturellement appel à l'ancien prêtre, qui savait « comment agir en rêve », qui, par « les vieux sortilèges et les vieux rites » (1), condensait en lui et façonnait l'âme collective. Mais, écartant les gestes et les cris illusoires, il ne garde, de cette antique sorcellerie, que les pratiques efficaces, et les enrichit de tout le pouvoir d'incantation acquis et vérifié au cours des âges. Il se rapproche ainsi des poètes qui, notamment depuis un siècle, ont, de Novalis à Hugo et Mallarmé, repris conscience de leur fonction souveraine. Toutefois il ne prétend pas, comme eux, l'appliquer à la nature et à l'humanité entière. Formé aux méthodes de la science, il concentre son action sur un objet limité et singulièrement apte à la recevoir : les groupes. Et, fort de leur connaissance et de ce qui réussit sur eux, il sait à nouveau « tenir l'invisible à merci » (2) et redevient le Mage.

Comment ces forces d'expression, encore toutes

(1) *Chants des dix années*, p. 154.

(2) Ainsi le terme de « magie poétique », qui a trop souvent, chez les récents théoriciens, un sens vague, reprend un sens précis : c'est l'efficacité que le poète tient des groupes.

chargées de magie, s'organisent-elles en poème ? Comment la rue, le village, l'armée, la ville, l'âme collective ont-elles peu à peu pris forme dans l'esprit qui les conçut ? Sans doute ne peut-on, du moins actuellement (1), qu'entrevoir les étapes d'un tel travail, et ses principales directions.

A l'origine, le poème se distingue à peine du milieu humain qui en forme la substance. Il juxtapose quelques faits, un bruit, un cri, des remous de foule, par où il coïncide avec les groupes, les pénètre, pour essayer d'atteindre leur âme. Il n'exprime le monde qu'à travers eux, comme leur rêve ou leur mémoire, et ne sépare pas l'individu, même seul dans son réduit le plus secret, de leur présence ou de leur souvenir. Il leur est vraiment immédiat. Comment se détacherait-il de cette vie collective, à la fois si puissante et si neuve — par son aspect comme par la conscience qu'en a prise l'homme moderne — pour l'exprimer en des dieux, des fictions, des symboles qu'elle ne connaîtrait plus ? Comment se plierait-il à des règles du discours et de la technique, faites seulement à l'usage des individus ? La réalité immédiate lui suffit, du moment qu'elle s'organise et que, s'accommodant d'un ordre de succession, d'un minimum de cohérence, elle se rend communicable.

Mais les groupes eux-mêmes, arrivés, selon Romains, à « la phase la plus émouvante de leur développement », celle où ils commencent à prendre conscience, semblent exiger des créations mieux définies, qui imposent à l'immédiat une démarche plus stricte. Et spontanément, ils retrouvent les grandes formes poétiques, nées jadis d'autres groupes, mais assez plastiques pour se prêter à tous les renouvellements. La famille, la maison, la rue, l'église semblent attendre le lyrisme, les suites de strophes qui les bercent, les invoquent, les éveillent

(1) Romains, en effet, est peu porté aux confidences sur son travail, et, pour toutes sortes de raisons, l'étude méthodique de ses manuscrits n'est pas actuellement possible.

à une vie divine. L'Armée, la Ville, Cromedeyre, les Villages de la Vallée attendent le drame qui, les opposant entre eux, en fera des personnes véritables. La race blanche rêvant, après avoir façonné l'Europe, d'imposer ses nombres, ses machines, son ordre à toute la terre, attend l'épopée qui la chante et la glorifie. Ainsi ode, drame, épopée, dépassant les artifices littéraires, redeviennent des formes vivantes par où un certain ordre de grandeurs, les groupes, se manifeste aux individus et d'abord au poète. Et celui-ci semble, en se haussant vers eux, écrire sous leur dictée.

Parvenu à cette phase de sa conception, le poème reçoit, de la vie collective, une orientation plus précise encore. Il doit refouler le caprice, le délire de l'écriture automatique, les suites apparemment incohérentes d'idées et d'images qui ne pourraient agir sur des auditeurs rassemblés. Il ne peut davantage se plaire aux raffinements d'expression qui n'apparaissent pleinement que sur la page imprimée, au lecteur solitaire. Ayant décidé d'être ode, drame, épopée, il a choisi une forme essentiellement orale, où le premier rôle appartient à la parole vivante. Et il lui faut une présence réelle, les auditoires que cette parole puisse façonner : foule inséparable de l'*Ode* qui lui est dédiée, spectateurs que l'action et les rythmes de l'*Armée* ou de *Cromedeyre* arrachent à leurs pensées d'individus et transportent en plein « unanime » ; écoutants que la récitation d'*Europe*, de l'*Ode Génoise* ou de l'*Homme Blanc* prépare à l'action ou à la commune imposition d'un mythe. Cercles restreints, sans doute, mais en qui et par qui se condense et se formule la pensée d'ensembles infiniment plus vastes, Armée, Ville, Continent. A leur tour ils réagissent sur l'œuvre, lui imposent ses dimensions et sa structure, des brèves suites strophiques des *Prières* aux vastes constructions de l'*Ode Génoise*, de la courte crise de l'*Armée* à la dévastation de l'Europe ou à la migration, dans l'espace et le temps, de toute une race. Même par le détail de son agencement, la variété et l'enchaînement de ses épisodes et de ses rythmes, l'œuvre semble, de toutes ses voix, appeler l'auditoire en qui seulement elle trouvera sa pleine résonance : née des groupes, elle tend d'elle-même à y faire retour. Et celui qui, en la composant, parcourt avec elle tout ce cycle, qui façonne non seulement un objet, de forme et de structures définies, le poème, mais une série indéfinie d'êtres collectifs présents et futurs, les « Unanimes », celui qui, par la parole, modifie et enrichit le réel, redevient essentiellement le poète, c'est-à-dire, au sens véritable du mot, le Créateur.

***

Ainsi, plus efficacement qu'aux temps légendaires, le poème, chargé de réalité, de vision, de magie, entraîne et fascine des êtres demi-conscients, qu'il fait naître à une vie nouvelle, la vie unanime. Et par les groupes les plus actuels, sans cesse présents tandis qu'il s'élabore, se trouvent restaurés les plus antiques pouvoirs du poète : Voyance, Magie, Création.

Cette présence des groupes à la naissance de l'œuvre éclaire-t-elle l'acte même de la création poétique, ou en déplace-t-elle seulement le mystère ? Il semble du moins qu'elle le transporte dans les régions les plus hautes et les plus conscientes. En effet, qu'il chemine à l'intérieur des groupes et brusquement les illumine, ou que par eux il élabore la vision, le souvenir ou le rêve du monde ; qu'il manifeste leur irruption dans l'homme ou leur création par l'homme, le poème apparaît à la pointe extrême de l'âme individuelle, là où elle communique avec un autre ordre de grandeurs, avec des formes de plus en plus vastes de conscience. Il est l'organe de choix par où cette âme, rompant ses limites, découvre, sur l'univers et sur elle-même, de nouvelles perspectives. Il les ordonne et les rend évidentes, non seulement pour elle, mais pour toutes les âmes qu'il atteint et éclaire à son tour.

De la création, ainsi conçue, les analyses qui précèdent laissent entrevoir le sens. Le poème ne se borne pas à assembler des mots, sous la dictée de la fantaisie, pour l'amusement de l'oreille ou de l'esprit. Il dégage ou suscite une présence. Et que cette présence soit celle d'un couple ou de l'être collectif le plus vaste, il opère la même action magique. Par delà les apparences de l'univers et les limites de l'individu, il retrouve ou instaure une continuité spirituelle : celle d'un être unique, fait de tous les hommes, de toutes leurs âmes, qui serait enfin, un jour, l'humanité, et par qui s'ébaucherait la conscience du monde.

TROISIEME PARTIE

LA PROSE

CHAPITRE PREMIER

LES PREMIERS ÉCRITS.

La vision des groupes humains s'est développée, dans l'esprit de Romains, d'une façon si impérieuse et féconde qu'elle a débordé son champ primitif, et renouvelé même la représentation de la vie sociale et de l'individu.

De telles matières conviennent-elles à la poésie ? Il pouvait en être encore ainsi au XVIIe siècle, où psychologues et moralistes considéraient l'homme en général, dans les régions de son être les plus conscientes, et où la tragédie donnait aux personnages le recul du lieu, du temps, de la légende. Mais les types de sociétés nés de la Révolution et du machinisme et les formes complexes de la vie psychique, consciente et inconsciente, se prêtent mal à de telles transpositions : au lieu de styliser l'objet, il faut le décrire, l'analyser, le démonter comme pour en reproduire le fonctionnement. Et la prose, avec l'essai, le roman, le théâtre, est apparue comme l'instrument le mieux adapté à de telles démarches.

Ainsi, tout en proclamant la prééminence de la poésie, Romains a dû, pour aller jusqu'au bout de sa vision, recourir à la prose. Il en a reconnu la nécessité aussitôt qu'il s'est mis à écrire : dès lors son œuvre en prose, contrairement à celle de ses amis, s'est développée avec une continuité remarquable. Elle ne se réduit pas, comme celle de Chennevière, à quelques courts moments de la vie d'un esprit. Elle n'a pas pris, comme chez les écrivains de l'Abbaye, un développement tel qu'il arrête et étouffe celui de l'œuvre poétique. Romains passe du *Bourg régénéré* à la *Vie Unanime,* d'*Un Etre en Marche* à *Mort de Quelqu'un.* Il médite et polit les *Odes* la même année où, dans le train de Laon, il rédige les joyeux chapitres des *Copains.* Et le parallélisme continue, jusqu'à *Psyché* et l'*Homme Blanc.* Mais, dès les premiers ouvrages, on peut, entre ces deux ordres d'activité, apercevoir quels rapports vont s'établir.

***

Le premier écrit en prose qui suit l'article du *Penseur* est un bref récit, le *Rassemblement* (1), qui, à partir d'un incident de la rue, raconte la naissance, le développement et la mort d'un être collectif. Bien que Romains n'ait pas jugé utile de le rééditer, il est déjà, nous l'avons vu, caractéristique de son inspiration ; et, malgré quelques tâtonnements, il n'est pas moins significatif de son art.

Ainsi, pour évoquer le groupe, Romains s'abstrait des individus qui le composent et, par ces notations :

> «Alors le rassemblement naquit et grandit peu à peu... »
> « Il changea de forme et, au lieu de ressembler à un disque épais, devint plus long... ».

il réussit à en considérer seulement la masse. Mais, pour faire vivre cette masse, il ne peut en repré-

(1) Paru en 1905 dans la même Revue.

senter, tels quels, les sensations et les sentiments. Il est forcé, comme en ces phrases :

« Le rassemblement tout entier était content de marcher et glissait sur les rues... »
« Une calme certitude... résumait la conscience unanime »

de les traduire en langage d'individu. Et, malgré sa volonté de se soumettre à l'objet, il interprète, commente, sans éviter ce que, par la suite, il détestera de plus en plus, l'abstraction.

Dès ce récit la prose, par exemple en ces lignes :

« La masse noire, collée par un bout à la porte qu'elle ne lâche pas, ondule, se boursoufle, modifie ses attitudes avec de vifs trémoussements ; elle s'applique aux maisons, se moule sur le contour des murs ; en arrière, elle grouille, fluide et flasque, secouée d'agitations ; et de brusques accroissements la déforment. »

laisse apparaître ce qui, pour Romains, constitue la qualité primordiale : la précision. Recourant aux seuls adjectifs (noire, vifs, brusques) indispensables pour qualifier une couleur ou des mouvements, elle manifeste, par les noms d'actions (trémoussements, agitations, accroissements) et surtout par les verbes, le pouvoir évocateur de l'expression directe. Elle n'écarte pas, néanmoins, les images inhérentes à la vision d'un poète : le trottoir tourne avec grâce, « pareil à un bras de femme qui se plie » ; les adversaires lâchent « par saccades une bourbe de paroles » ; le groupe est une « grosse motte noire, emplie de bruit » et semble « suer une épaisse rumeur ». Mais à ces images, empruntées aux actes les plus simples de la vie quotidienne, d'autres s'ajoutent :

« Lui, absorbant toujours des curieux, se refroidissait par le mélange de leur ignorance.
« La connaissance du fait, après avoir atteint l'extrémité du groupe, restait en équilibre, à une égale hauteur, dans les esprits communicants. »

venues non de la poésie mais de la science, et par où la prose commence à s'annexer le vocabulaire des laboratoires, avec le matériel et les représentations qui s'y édifient.

De même le récit, sous son unité et son apparente simplicité, laisse entrevoir des tendances quelque peu divergentes. Aux premières phrases, par exemple en ces lignes :

« Ils s'étreignaient... quand un agent parut. »
« Il éprouvait un vague malaise... lorsqu'il eut la chance de pénétrer dans une voie presque solitaire... »

où se combinent les prétérits et les imparfaits, il transpose l'action dans le passé proche, à la façon des romans réalistes ou naturalistes. Mais, comme sur une exigence encore plus pressante de vérité, il ne tarde pas à coïncider, par l'emploi du présent, avec le déroulement même des faits ; le rassemblement « fait halte », grossit à vue d'œil », puis « diminue lentement » et « devient infime ». Et par cette série de vues semble se tracer, d'elle-même, la courbe du phénomène, comme dans un film, un graphique ou un rapport, jusqu'au moment où la conclusion, avec le retour brusque au prétérit et à l'imparfait, rejette dans le passé l'être désormais dissout et pulvérisé.

Ainsi, comme les groupes que les *Puissances de Paris* vont prochainement évoquer, le *Rassemblement* offre l'intérêt des ébauches : de la précision du vocabulaire aux images familières et aux analogies scientifiques, de la narration traditionnelle aux façons plus modernes, plus exactes de suivre les faits, il révèle déjà quelques-unes des tendances essentielles des ouvrages futurs. Et son sujet même, le trajet d'un événement à travers les âmes, individuelles ou collectives, indique dans quel sens va s'orienter le récit unanimiste.

⁂

Le *Rassemblement,* limité, par une action simple, au progrès et au déclin d'un être éphémère, ne pouvait laisser entrevoir l'infinie variété des Unanimes, tous différents de forme, de structure, de rythme. Afin d'en donner une idée plus précise, Romains, malgré sa répugnance pour les œuvres fragmentaires, a voulu décrire, en une série de monographies, quelques-uns de ces êtres. Et, en les rangeant par catégories (les Rues, les Places, les Squares, les Métamorphoses, les Ephémères, les Vies intermittentes), en dégageant par les Réflexions finales leurs caractères généraux, en les réunissant sous un titre suggestif, *Puissances de Paris,* il est parvenu à faire, de cette suite de pages distinctes, un livre véritable, celui, peut-être, où il se maintient avec le plus de persistance sur le plan des êtres collectifs.

La *Place de l'Etoile* (1), par exemple, se définit par sa forme ronde et ses mouvements circulaires : ceux des voitures, des tramways, des passants au pied de l'Arc de Triomphe, des rues voisines, des hommes qui, en haut de l'Arc, ne pouvant voir tout Paris d'un seul point, suivent la balustrade et tournent. Et, avec la même objectivité, la même impassibilité qu'un naturaliste devant un essaim d'abeilles, un Parnassien devant le vol d'un Condor, ou un psychologue moderne devant le « comportement » d'un anthropoïde, l'écrivain considère des courbes pour atteindre des pensées, explore le visible pour traduire l'invisible. Ainsi les divers mouvements qui se déploient sur la Place lui apparaissent comme les modalités d'un être élémentaire mais puissant, dont les hommes, sur la plate-forme de l'Arc, ébauchent la conscience. Et, choisissant dans le monde visible ce qui s'offre de plus abstrait, — des lignes et des mouvements comme en étudient la géométrie et la mécanique —, il renonce à toute interprétation imaginative, et emploie les ressources propres de la prose.

(1) P. 49.

Pour suivre et restituer ces courbes et mouvements avec le maximum d'exactitude, il ne faut, en effet, à Romains ni l'abondance verbale ni la luxuriance d'images de ses prédécesseurs ; mais une langue qui, par la propriété et l'économie des termes, ne vise, comme en géométrie, qu'à la précision. Les noms qui, au nombre de 44, forment la majorité du vocabulaire, désignent simplement la ville et son matériel (chaussée, rue, place, voitures, tramways, plateforme, balustrade, etc...) ou les forces qui s'y déploient et leur point d'application (point, centre, bord, pivot, vitesse). Des 13 adjectifs un seul fait image (la ville pâteuse), trois marquent des qualités (blanc, sec, terne) et les neuf autres indiquent seulement des rapports, des formes ou des dimensions (ronde, grande, seul). Et l'essentiel appartient aux 30 verbes, qui, tous au présent (partent, se courbent, entraîne), expriment les diverses variétés de mouvements de la Place, et dont le principal (tourne) ne revient pas moins de huit fois. Cette répétition n'est d'ailleurs pas la seule : elle manifeste la précision des termes, que nul autre ne pourrait remplacer ; mieux que tout autre moyen d'expression, elle suggère la continuité ininterrompue du « grand mouvement circulaire » qui est la raison d'être de la Place ; et, par une série de reprises (les autres luisent..., les autres, tous les autres), elle contribue à en manifester le rythme.

Ce mouvement, ou plutôt ces divers mouvements circulaires régissent aussi l'ensemble et le détail des phrases. De la file des voitures aux hommes en haut de l'Arc, elles suivent, par une série de groupements analogues à des strophes, les courbes parallèles qui se dessinent. Les suites de sonorités (se courbent autour, tournent en grinçant, tournent, lents, alourdis par l'ombre de l'Arc) semblent elles-mêmes, par leurs allitérations (r, l, t) pivoter à l'imitation de ces courbes. Et il en est de même pour le rythme, à la fois net et flexible. Tantôt, comme dans la première phrase :

« Elle est ronde au sommet de la colline (3-3-4) »

il découpe des membres sensiblement égaux. D'autres fois, et plus fréquemment :

« Elle est le pivot d'un grand mouvement circulaire » (5-8)
« Et, suivant la balustrade, ils tournent » (1-6-2)

il se plaît à des combinaisons plus complexes. Ailleurs enfin, comme en ce début de phrase :

« La place tourne si puissamment (9)
Qu'elle entraîne avec elle (6)
Un peu de la ville pâteuse. » (8)

il organise des assemblages de mots nettement découpés et comparables à des vers, bien qu'ils demeurent inégaux. Car, pair ou impair, il ne tend pas à la cadence de la poésie, et reste essentiellement sinueux et libre.

Et en effet, bien que l'on ait pu, non sans motif, appliquer à de tels écrits le terme de « poèmes en prose » (1), on entrevoit déjà que Romains, bien loin de rapprocher la prose de la poésie, veut au contraire en user comme d'un moyen spécifique. Il y tend par le choix du sujet, limité à des masses, des courbes, des trajectoires ; par la prépondérance de l'expression directe sur les figures et les images ; par la structure du rythme. Et ce qui apparaît ici, pour l'une des plus strictes, des mieux cernées de ces pages, se manifeste plus nettement encore dans les développements plus longs et plus libres qui, au cours de tout le livre, contribuent à créer une prose autonome et pure.

(1) Paul REBOUX, en rendant compte de l'ouvrage dans le *Matin*, lors de sa publication.

*
**

La pensée de Romains, en recourant à la prose, ne change donc pas d'objet ; elle se meut toujours en pleine réalité immédiate, au sein des êtres collectifs, rues, places, squares, rassemblements, les plus proches. Mais déjà l'on peut apercevoir comment elle réagit à ce nouveau moyen d'expression. Il est même possible, Romains ayant évoqué tour à tour en vers et en prose la foule d'un théâtre, de préciser, par cet exemple privilégié, la nature de ces réactions.

Le poème *Le Théâtre* (1), après une série d'impressions venues de tous les sens et que résument ces deux vers :

« Et les bruits, les odeurs, les moiteurs, les haleines
S'unissent pour remplir l'espace illuminé. »

célèbre la naissance de la salle, la dissolution des pensées individuelles dans « la grande joie unique », les divers sentiments unanimes que crée la « voix dans un décor ». Il évoque enfin la ville, l'humanité, l'univers, qui n'ont encore qu'une conscience « vague et sans contours », et qui voudraient être réels « comme la foule dans le théâtre ». De même l'*Ode à la Foule* est l'ascension, à travers un groupe, de la parole du poète qui, par la brutalité de son amour, crée un être collectif et en fait un dieu. Ainsi, dans l'un et l'autre poème, l'individu ne cesse d'intervenir : il anime le groupe, s'emplit d'enthousiasme à son contact, communie avec lui, rend le monde entier présent autour de lui. Et les mots, les images, les rythmes tendent tous à renforcer cette action du poète, à rendre plus vifs ces sentiments de présence et d'enthousiasme.

A la différence des deux poèmes, l'œuvre en prose s'attache à un groupe particulier, et qui a un nom : la salle de l'Opéra-Comique. Elle ne se borne pas

(1) *La Vie Unanime*, première partie.

à en proclamer, d'un mot, la naissance. Elle précise, par cette série de phrases :

« Le théâtre y va naître ; par le haut d'abord. La chair commence d'apparaître au milieu de la dernière galerie ; elle s'y épaissit un peu, puis fait une mince coulée vers la droite et vers la gauche. Un rang noircit et palpite. Le milieu se charge ; il n'y a d'échancrures claires que derrière les colonnes...

« La galerie inférieure germe alors... (1) »

la marche de l'événement, et se moule sur lui. Et, l'être une fois né, elle en suit les pensées, montre comment, « croyant à la vérité du drame », il ne croit plus à la réalité du monde, qui n'est plus que le néant autour de lui. Et, sans doute, le prosateur arrive-t-il, comme le poète, à coïncider avec son objet, même à s'identifier avec lui. Mais il y aboutit moins par l'enthousiasme ou un sentiment mystique de communion qu'à force d'intuition et d'analyse : attentif au réel jusque dans ses moindres changements d'aspect, il tend, par les mots, les rythmes, les images, à l'imiter et le reproduire.

Il semble que de telles constatations vaillent pour l'ensemble des premiers écrits de Romains. Le prosateur s'y distingue déjà du poète par certains moyens d'expression, mais surtout par l'attitude et la démarche de la pensée. Dès lors il veut y rivaliser avec le savant pour l'exactitude et la souplesse de l'observation, avec le philosophe pour la précision dans l'énoncé des idées (2). Comme eux il s'efface devant son objet, pour l'exprimer avec le plus de fidélité possible : de là cette tension, ce rejet de tout artifice dialectique ou oratoire, cet effort d'impersonnalité. L'écrivain n'en est pas moins présent, avec son vocabulaire, ses images, ses rythmes et sa façon de voir les choses, qui, par sa vérité même, les renouvelle et les transfigure.

(1) *Puissances de Paris*, p. 104.

(1) Par exemple dans les *Réflexions* qui terminent les *Puissances de Paris*.

CHAPITRE II

LES CONTES ET ROMANS

En abordant, à l'âge de vingt ans, le monde de la fiction, Romains n'entend pas y poursuivre, d'emblée, l'immense travail qui, à force d'exactitude et même de minutie, l'a, au cours du siècle précédent, rapproché de plus en plus du monde réel. Peut-être aura-t-il, plus tard, une telle ambition. Pour le moment, il lui suffit de rester fidèle à son objet primitif, les groupes, et, par la voie du récit, de pénétrer plus avant dans leur être intime.

Sans doute avait-il des précédents. De *Notre-Dame de Paris* au *Trust* nous avons vu, sous l'action de causes nombreuses et puissantes, se multiplier les romans où des villes, des groupes, des entreprises collectives tiennent, dans le déroulement d'une fiction, un rôle de plus en plus considérable. Mais de telles œuvres, si avant qu'elles s'engagent dans cette direction, ne la suivent pas jusqu'au bout. *Notre-Dame de Paris* et les *Misérables* sont bien des romans de Paris ; mais plus encore que la ville, les personnages principaux y restent Frollo ou la Esmeralda, Valjean ou Javert. Le *Médecin de Campagne* raconte la transformation d'un village, mais comme l'œuvre personnelle du Docteur Benassis. Le *Bonheur des Dames* ou le *Trust* suivent le développement d'une entreprise, mais le lient soit à une médiocre intrigue amoureuse, soit au destin personnel de Clamorgan.

Bref, comme nous avons pu le remarquer à propos du théâtre poétique, ces ouvrages s'ordonnent par rapport à un personnage individuel, restent « centrés sur l'individu » (1). Et les effets s'en prolongent non seulement dans leur conception générale, mais jusque dans le détail de leur structure.

Dès son premier récit, qui essaye de représenter directement un être collectif, Romains se fait une tout autre conception du genre romanesque, d'où résulteront des transformations sensiblement plus profondes.

***

Le *Bourg Régénéré,* contemporain de la *Vie Unanime,* fut écrit par Romains à Pithiviers, de 1905 à 1906, pendant son service militaire. On peut donc y retrouver, sous une apparence impersonnelle, les impressions toutes fraîches d'un jeune Parisien au contact d'une petite ville ; les intuitions qui lui en découvrent l'âme secrète ; l'impatience aussi de cette vie somnolente et inutile. Il eût volontiers, sans doute, pour en secouer l'inertie, cédé à son penchant mystificateur. Cette idée vengeresse, mais difficile à mettre en pratique, s'est épanouie plus commodément dans la fiction : là, une inscription révolutionnaire, tracée dans l'urinoir municipal, peut sans danger développer ses conséquences, d'où le Bourg sort régénéré.

Aussi clairement qu'un manifeste, cette brève histoire proclame, avec l'intransigeance de la vingtième année, ce que doit être un récit unanimiste. Plus de héros ni d'intrigue (en particulier d'intrigue amoureuse) sur le plan des individus : les deux seuls personnages sont, ici, le Bourg considéré dans sa masse, sa structure, ses rythmes, et l'Idée qui, à partir de l'inscription, germe, grandit, régénère. Le seul événement est l'inscription, dont les habitants, tour à

(1) Préface des *Hommes de bonne volonté,* tome I, p. xxx.

tour, prennent connaissance, et qui par eux se propage, comme en une série d'ondes. Et, à travers les pensées, les actions ou les paroles, le récit n'a d'autre objet que de suivre la marche de l'Idée, d'en inscrire le mouvement et le progrès, avec la rigueur (1) et la précision d'un graphique ou d'un enregistreur. Pas plus que l'Idée, il ne s'attarde à tel individu ; il pénètre d'abord à l'intérieur du bourg, l'explore, le tâte et, comme par des coupes successives, chemine au sein de l'être collectif.

Il s'élabore ainsi, pour l'œuvre romanesque, un type nouveau de structure. La première et la dernière partie sont des présentations du Bourg, avant et après la crise qui le transforme. Les deux autres parties juxtaposent, sans lien visible, des scènes simultanées ou successives qui, dans la rue, les intérieurs, les lieux de réunion, jalonnent la marche de l'Idée : disposition comparable à celle des films et appelée, dans l'œuvre de Romains — dans d'autres aussi (2) — à un remarquable développement. Mais,

(1) Heureusement nuancée d'ironie, comme lorsqu'il enregistre ces effets de l'inscription sur le bedeau : « La pratique des Livres Saints l'avait habitué à distinguer par transparence l'idée derrière la lettre. Il vit là un appel à la reproduction. Et comme cette théorie abstraite s'accordait merveilleusement avec une vague démangeaison qui l'émoustillait alors, il gémit d'être célibataire, et se dirigea vers la maison de tolérance. » (P. 56.)

(2) Par exemple, dans l'*Ange Notre-Dame,* de Blaise Cendrars, puis dans la littérature anglaise (cf. *Contrepoint* de A. Huxley) ou américaine (cf. les romans de Dos Passos) ou dans la jeune littérature russe. Cette forme cinématographique — alors que le cinéma venait à peine de naître — du récit, commune au *Bourg Régénéré,* à *Mort de Quelqu'un* et à *Donogoo-Tonka* est d'autant plus à noter, qu'après son passage en plusieurs autres littératures, elle vient de reparaître en France, poussée à l'extrême, dans le *Sursis* de J.-P. Sartre (cf. le compte-rendu d'Yves Gandon, dans *Minerve* du 16 octobre 1945 ; et sur les problèmes généraux que pose cette technique, l'étude de Cl. Ed. Magny — qui oublie seulement d'en signaler Romains comme l'initiateur — dans *Poésie 44*).

comme pour les films, cette discontinuité n'est qu'apparente : par elle une ligne continue se construit, et impose au récit son unité et son rythme, aussi rigoureux que dans le type classique de composition.

L'œuvre, qui portait, pour sous-titre, *Conte de la Vie Unanime,* a été, dans les éditions suivantes, qualifiée de *Petite Légende.* Et, en effet, elle laisse entrevoir comment une matière actuelle peut prendre un aspect légendaire : la vérité quasi scientifique de l'observation et de l'enchaînement des faits se subordonne à la gratuité d'une fiction ; et, à partir de la mystification initiale, les effets se développent, sans commune mesure avec la cause, dans un monde qui, dépassant celui des individus, semble soumis à d'autres lois.

⁂

La conception, essentiellement unanimiste, de l'existence par les autres hommes et, en particulier, d'une seconde vie se déroulant dans la pensée des individus et des groupes devait prendre, d'elle-même, la forme narrative : dès la *Vie Unanime,* Romains a chanté le Groupe qui, suscité par un mort, se dresse contre la Ville. Mais le thème de la mort lui a paru assez grand pour se passer des vers et du mode héroïque. Et c'est en prose, en prenant pour personnage le plus obscur des hommes, Jacques Godard, que *Mort de Quelqu'un* fait le récit d'une seconde vie, en suit la formation et le développement à travers des consciences, le déclin puis l'effacement dans l'oubli total (1).

(1) Les thèmes de la mort, de l'amitié et de l'amour, et l'idée de leur donner la forme narrative s'offrirent presque simultanément à l'esprit de Romains, au cours de l'année 1907, semble-t-il. Et c'est peut-être le poème *Le Groupe contre la Ville* qui le décida à commencer par *Mort de Quelqu'un* cette série de romans. Il a pu aussi, malgré les différences de pensée et de technique, y être amené par certaines lectures de Zola et de Tolstoï (*La Mort d'O. Bécaille ; La Mort d'Ivan Ilitch*).

L'œuvre, postérieure de quatre ans au *Bourg Régénéré,* se développe selon une courbe différente, et avec de tout autres perspectives. L'événement se prépare sur la plate-forme du Panthéon, où Godard contracte son mal et se sent tout chétif devant l'immensité de Paris. Il prend naissance, avec le dernier soupir de Godard et les premières pensées de ceux qui découvrent le mort. Il grandit, dans la maison parisienne, par les humbles dialogues des voisins qui l'animent et la rendent consciente ; dans le Velay, par la nouvelle annoncée aux vieux parents, par les pensées du père Godard et de ses compagnons, sur la route, dans la diligence et le train. Dès lors, les deux lignes de faits et de pensées se déroulent et se tissent ensemble, et, par exemple en ces phrases :

« Dans le wagon Jacques hantait son père ; il s'attachait au flanc du train, comme la flamme à une souche ; et sa clarté s'élargissait sur cette ombre en marche. Dans la maison, il montait, redescendait, jaillissait obliquement, tournoyait sur un pivot (1). »

imposent, comme dans le *Bourg,* la forme cinématographique. Mais elles pénètrent plus avant dans les esprits et les cœurs, jusqu'aux régions les plus obscures du rêve. Elles parcourent en tous sens ce milieu spirituel, ce « continu psychique » où se rejoignent toutes les âmes, individuelles ou collectives (2). Et elles aboutissent à la méditation d'un promeneur, sur le boulevard d'enceinte ; méditation qui, elle aussi, se déploie dans tous les sens, du ciel et des nuages au troupeau de moutons qui passe, de l'enterrement de naguère à l'évocation solennelle du mort, par delà ses apparences précaires et déjà oubliées, dans ce qu'il a d'essentiel.

(1) P. 135.

(2) De là les tournures, images, notamment celles que nous avons appelées de matérialisation (cf. supra, p. 77) du type : « L'âme oscillait... mais les songes s'équilibraient » qui tendent à fournir la représentation concrète d'un milieu spirituel.

Un tel récit est, par nature, continu : comment fragmenter une succession ininterrompue d'états de conscience ? Mais, comme autrefois les récits épiques, il s'organise selon les phases, quasi rituelles (1), de l'événement. Le concierge, qui pénètre le premier dans la chambre de Godard, tire — comme c'est l'usage — les rideaux sur le jour et ferme les yeux du mort ; il fait ensuite, à la mairie et à la poste, les démarches habituelles et avertit les locataires. Ceux-ci, après avoir salué le corps, se cotisent pour offrir, selon la coutume parisienne, une couronne. Cependant la nouvelle, arrivée à la poste du bourg, est confiée à un petit garçon pour qu'il la porte au hameau et l'annonce le plus doucement possible aux vieux parents. Alors le père Godard, par la route, la diligence, le train, suit l'itinéraire tout fait qui semble le pousser vers son fils. Les obsèques réunissent les voisins, les anciens camarades du chemin de fer, la Délégation des Enfants du Velay et se déroulent selon le cérémonial de l'Eglise. De retour au hameau, le père en fait le récit à sa femme et, comme des litanies, le reprend chaque jour, tandis qu'elle écoute en levant la main droite, « en secouant la tête comme pour exprimer l'impuissance et la misère de l'homme » (2). Ainsi le récit avance, réglé par la Société elle-même, qui en commande les diverses phases.

Par instants l'idée de la Mort lui impose une démarche plus grave, comparable à celle du lyrisme ou de l'oraison funèbre. Ainsi lorsqu'il faut fermer les yeux et la chambre de Godard, « pour y entasser de l'ombre, en attendant le tombeau, plus obscur encore et plus véridique » ; ou lorsque le père Godard essaye, comme en ces phrases — on pourrait presque dire en ces strophes — de se représenter les derniers moments de son fils :

(1) Sur ce rôle du rite dans l'œuvre en prose de Romains, cf. l'étude de Madeleine Israël, p. 232.

(2) P. 195.

« Il aurait fallu être là, (8)
assis au chevet, (5)
guettant la dernière minute, (8)
celle qui demeure irréparable. (9)
Alors, entre les murs de la chambre, (9)
sans qu'une parole se dise, (8)
quelque chose d'essentiel (8)
passe de l'homme qui meurt (7)
à l'homme qui survit (1). » (6)

De même la levée du corps s'accomplit sur un thrène à plusieurs strophes qui de lui-même, par ces quatre exclamations :

« Jacques Godard !
Et sa maison où il vécut seul !
Là ! C'était le lieu de sa vie et de sa mort.
Lui ! Quand les croque-morts... (2) »

retrouve les formes traditionnelles de la lamentation. La méditation du Promeneur, enfin, qui tente une dernière fois de ranimer le souvenir de Jacques Godard, se déroule comme une antique évocation, et, notamment aux phrases terminales :

« Je vais continuer à vivre (8)
à mon rythme et à ma place, (7)
une mesure avant les uns, (8)
une mesure après les autres, (8)
en même temps que personne. (7)
Et par un soir futur, (6)
moi aussi, (3)
je serai quelqu'un de mort, (7)

imprime au récit un rythme plus strict et inéluctable. Et l'événement tout entier suit son cours majestueux, scandé par ces « temps » successifs, comme une longue marche funèbre.

Ainsi la Mort, qui n'était encore apparue dans les

(1) P. 67.
(2) Pages 155-157.

romans que comme un dramatique épisode ou une conclusion, devient ici l'événement essentiel. Mais la conception d'une seconde vie se propageant à travers des âmes, en imposant tour à tour les formes du film, de l'épopée et du lyrisme, communique au récit funèbre un mouvement ininterrompu et constamment varié que jusqu'alors il n'avait pas admis. Et l'œuvre, en s'attachant, pour ces problèmes capitaux de la vie et de la mort, à la plus humble des existences, atteint la généralité la plus émouvante et la plus grande.

Si différents, de sujet et de ton, que soient ces deux premiers ouvrages, on aperçoit leurs caractères communs. Ils évoquent, l'un et l'autre, avec la même sorte d'intuition que les œuvres poétiques, le monde propre de Romains, la réalité familière et actuelle du village, de la petite ville, de Paris. Et ils n'offrent pas seulement, chacun à leur façon, un type nouveau de composition, ne s'ordonnant plus à partir de l'individu ; mais surtout une conception neuve, et singulièrement féconde, de ce qui, plus encore que le milieu et les personnages, constitue l'essentiel du récit : l'événement.

Il semble, en effet, que l'événement soit sorti quelque peu malmené de certains récits antérieurs : étouffé sous l'exubérance des descriptions, la minutie des études de mœurs ou de l'analyse psychologique ; déformé pour les besoins d'une thèse ; tendu à l'excès, à l'exemple de l'action théâtrale, en une crise, un conflit de sentiments ou d'idées ; compliqué d'intrigues secondaires ou parallèles ; dilaté ou disloqué en épisodes sans cesse renaissants. Contrairement à ces tendances, Romains le ramène à sa simplicité première, l'isole, en prend, comme de toute autre réalité, une intuition immédiate, en suit, avec la plus grande précision possible, le trajet dans les âmes, individuelles ou collectives. Ainsi l'événement (fait ou même, comme dans le *Bourg*, simple pensée) apparaît avec des contours distincts ; il a des dimensions, un volume, une démarche ; il se déclenche, se propage. Il se nourrit de tous les êtres qu'il traverse ; à son tour, il agit sur eux, modifie leur rythme et leur structure. Malgré une apparence et des moyens tout autres, il surgit avec la même fraîcheur, s'impose au narrateur et au lecteur d'aujourd'hui — si peu naïfs soient-ils — avec la même force que, jadis, les produits de l'imagination primitive.

Cette réalité de l'événement n'en est pas moins, essentiellement, une représentation. L'inscription n'agit que dans la mesure où les habitants du Bourg l'ont lue, en ont médité, digéré, transformé les termes. La mort de Godard produit ses effets à mesure que s'en répand la connaissance. Le concierge jouit d'abord d'être seul à la savoir ; puis, à la poste, d'être la source d'une nouvelle qui va « traverser l'espace et remuer des hommes » (1). Il regrette ensuite de ne plus la posséder exclusivement, d'avoir laissé partir « cette mouche sombre qui bourdonnait dans sa main ». De même l'arrivée de la nouvelle au bourg, puis à la maison des parents, devient une phase décisive de l'action ; et plus encore, son cheminement dans l'esprit du vieux Godard qui, par des pensées telles que celles-ci :

« Un événement aussi grave n'est pas vrai comme ça, d'un coup. Le matin, avant la dépêche, Jacques vivait. Une dépêche ne suffit pas à changer le monde (2). »

essaie d'y faire obstacle. Par ce pullulement incessant de pensées l'événement grandit, foisonne, prend, comme tout ce qui se déroule dans les âmes, un développement imprévisible. Et le récit ne se contente plus d'en montrer, pour ainsi dire du dehors, les phases successives et distinctes. Il avance, lui aussi, d'un mouvement continu, véritablement intérieur aux individus ou aux groupes que l'événement pénètre.

(1) P. 23.
(2) P. 96.

L'événement, ainsi isolé, dégagé des circonstances adventices, clarifié par des consciences individuelles ou collectives, acquiert encore une importance d'un autre ordre : celle d'une expérience bien faite (1), valable pour tous les cas analogues. Même, en de telles matières où l'observation extérieure, l'étude du « comportement » ne suffiraient pas et où l'on ne connaît véritablement l'objet que si, à force de sympathie et d'intuition, on coïncide avec lui, la fiction devient la seule forme possible d'expérience ; par elle le romancier pénètre en d'autres âmes, retrouve la série de leurs états de conscience. Même si, comme dans le *Bourg,* la donnée est imaginaire, le développement de l'expérience n'en est pas moins concluant : c'est par un trajet analogue que, dans tout être collectif, une idée germe et grandit ; à plus forte raison, toute mort sera, comme celle de Godard, le point de départ d'une seconde vie à travers les âmes. Et le récit, qui inscrit la courbe d'une telle expérience, qui n'est lui-même que cette expérience telle qu'elle se déroule, a beau être déterminé par des particularités de lieu, de temps, de milieu, de personnages : il prend, lui aussi, une valeur générale et confère à l'événement le plus humble l'universalité de l'art.

Ainsi la vision des groupes et la pratique de l'intuition immédiate renouvellent la représentation de l'événement, lui rendent sa fraîcheur épique, sa simplicité élémentaire. Le récit y gagne une clarté et une généralité qui semblent annoncer un nouveau classicisme. Mais, conduit comme une expérience, il y gagne aussi une clarté d'un autre genre, de qualité scientifique, par où, dès l'abord, il s'accorde avec son époque (2).

(1) Sur ce rôle de l'expérience dans les romans de Romains, cf. Jean PRÉVOST, *La Conscience créatrice chez J. Romains, N.R.F.*, avril 1929.

(2) Cf., sur ces deux caractéristiques du récit unanimiste, Benjamin CRÉMIEUX, *J. Romains, romancier et conteur,* dans le *Mouton Blanc*, d'octobre 1923.

CHAPITRE III

LES CONTES ET ROMANS *(suite)*

DES « COPAINS » A « DONOGOO-TONKA ».

Nous avons vu que, pour Romains, l'amitié est essentiellement active, et par définition, activité de groupe : expérience en commun de l'Acte Pur, et, à ses plus hauts moments, de l'éternel. A cette expérience il devait, tôt ou tard, donner, comme à celle de la mort, une forme narrative. Ainsi, pour se détendre de *Mort de Quelqu'un,* s'est-il mis, dans le train de Laon (1), à narrer les exploits d'une équipe d'amis. Et s'il les a agrandis et stylisés par la fiction, il n'a eu qu'à puiser dans ses souvenirs les plus récents pour évoquer le groupe qu'il avait formé avec quelques camarades (2) et les expériences, spontanément unanimistes, qui s'y étaient développées.

Un tel groupe est, par excellence, le type du per-

(1) Où il allait, deux fois par semaine, faire son Cours de philosophie.

(2) Où l'on peut reconnaître les poètes : Chennevière (Broudier), Duhamel (Huchon), Vildrac (Lesueur), deux ou trois Normaliens et Romains lui-même (Bénin). L'expédition à bicyclette rappelle, avec plus d'ivresse et de couleurs, certaines promenades dans le Velay, dont Romains aime toujours révéler à ses amis l'âpre beauté. La *Création d'Ambert* a pour point de départ les ridicules inspections nocturnes par où un politicien venait de signaler ses débuts ministériels. Le choix de la malheureuse sous-préfecture tient sans doute à la forme circulaire de sa mairie, qui ne facilitait pas un rendez-vous « au

sonnage collectif. Chacun des Copains a beau avoir ses traits distinctifs [qui reviennent, comme dans certains récits de Zola, à la façon d'un leit-motiv, mais varié chaque fois d'une façon cocasse (1)] : « ils ne valent que dans la mesure où ils se composent, où ils contrastent et se répondent dans le visage total du groupe » (2). Et leurs propos, leurs plaisanteries, leurs projets de farces ne leur appartiennent pas en propre, mais jaillissent de leur réunion. Ainsi en est-il dans le repas initial où, déjà, la bande apparaît différente de toute autre. Bande de jeunes intellectuels, naturellement pédants puisqu'ils sont encore « tout ruisselants de leurs études, comme l'objet que l'on tire de la teinture » (3) et y trouvent les mots de passe d'un monde fermé, qui les sépare du profane. De jeunes philosophes, qui peuvent citer Aristote, Pascal ou Kant, mais qui, par delà la philosophie officielle et universitaire, portent leur curiosité vers la « psychologie inconnue », le monde des voyantes et des somnambules. Mais surtout de jeunes poètes, nourris aux cénacles d'alors, qui peuvent parodier, en quatrains improvisés, Verhaeren, Viélé-Griffin, René Ghil et Romains lui-même, qui rivalisent de notations et d'images imprévues, et savent donner à la moindre plaisanterie une valeur créatrice. Bref un mélange de l'Abbaye et de certaine « thurne » normalienne de 1906 ; mais qui, libéré de toute gêne matérielle et de toute contrainte locale, peut, au moindre signe du destin, partir pour l'aven-

milieu de la façade ». Quant au reste, on ne peut guère démêler « ce qui est vrai d'une vérité presque littérale ; ce qui l'est par élargissement ou transposition ; et ce qui est franchement imaginaire. Débrouillage d'autant plus délicat à effectuer que le mélange a été fait sans préméditation, au gré de la fantaisie.» (Conférence des *Annales*, p. 475, *Conferencia*, 15 octobre 1937). Cf. aussi les *Souvenirs*, d'Albert Pauphilet, dans l'*Hommage* à Romains (Flammarion).

(1) Ainsi les yeux de Huchon, le nez de Lamendin, la barbe de Lesueur.

(2) (3) *Conférencia*, pp. 471 et 472.

ture, avec un « sentiment tour à tour dionysiaque et pantagruélique » (1).

A la différence des ouvrages précédents, la préparation de l'événement — lequel n'éclate, telles trois explosions, que dans la seconde moitié du livre — devient ici un élément essentiel du récit, et s'y épanouit en péripéties joyeuses. Le trajet est long, de Paris à Ambert où doivent se rejoindre les mystificateurs, et le moindre incident suffit à l'animer. Le rendez-vous de Bénin et de Broudier, reporté de Paris à Nevers, donne lieu à deux épitres en « vertueux alexandrins » et à une réception en gare, avec redingotes, gibus, hymnes nationaux et discours latin. Leur promenade à bicyclette est une découverte en commun de la campagne française et les mène aux sommets lyriques de l'amitié. Elle fait aussi jaillir à tout instant le comique des personnes et des choses. Une petite route « se tortille de plaisir ». La « note » d'une aubergiste obèse se gonfle autant que sa poitrine. Deux cyclistes un peu ivres se transforment en champions du monde. Les rencontres surtout — celle de Lesueur jouant au mirliton le Prélude de *Parsifal,* ou des six Copains qui, à minuit, cherchent en tournant le milieu d'une façade ronde — et les rassemblements créent chaque fois, par la reprise de la vie commune, « un brusque rayonnement d'allégresse vers le dehors et un relèvement d'intensité à l'intérieur » (2), dont le récit par les procédés classiques de la répétition, du contraste, de la progression ne se lasse pas de rendre les nuances infiniment variées.

Les trois grands exploits des Copains ajoutent à la conception, esquissée plus haut, de l'événement certains traits caractéristiques. Il ne s'agit plus, comme dans le *Bourg Régénéré* ou *Mort de Quelqu'un,* d'un développement spontané, d'un pullulement à partir d'une idée ou d'un fait, mais d'un acte essentielle-

(1) *Conférencia,* pp. 471 et 472.
(2) *Conférencia,* p. 473.

ment volontaire et prémédité. Pour le *Rut d'Ambert* et la *Destruction d'Issoire,* le narrateur en dissimule insidieusement les phases préparatoires. Pour la *Création d'Ambert,* par contre, il en décèle avec complaisance tout le mécanisme préliminaire. Broudier se donne, à l'hôtel, la barbe, « la mise savamment négligée et la bonhomie autoritaire qui conviennent aux premiers serviteurs d'une démocratie ». Il déguise ses complices et les décore de la Légion d'Honneur. En arrivant devant la caserne, il palpe d'avance et « considère dans toute sa masse » l'événement qu'il va déclencher et dont les autres Copains s'apprêtent, dans les rues d'Ambert, « à tâter le volume, à caresser l'énormité ». Et lorsque la chose s'est produite, avec les sonneries de clairon, l'agitation de la caserne, les premiers coups de feu et le réveil des habitants, le récit peut s'arrêter brusquement sur la courte phrase : « Ambert existe, d'un jet. » Car l'essentiel est ici la gestation de cette naissance, et le plus long du trajet va de la conception de l'idée à son explosion. L'événement s'y pare de toute une comédie avec scénario, personnages, déguisements. Et il s'y développe comme une expérience sur la plus vaste et insondable matière : la sottise humaine.

Le repas qui, dans une maison forestière des Cévennes, couronne ces exploits, en dégage, sous les apparences bouffonnes, les conséquences métaphysiques : la restauration de l'Acte Pur et le Dieu unique en sept personnes. Il clôt dignement ces rites de la table et de la bouteille, que les Copains célèbrent avec tant de conviction, et achève de donner à l'œuvre cette valeur de « petite épopée burlesque » que, pour son aptitude à recueillir et à styliser l'événement comique, lui a reconnue son auteur. Et Romains considère comme une de ses chances d'avoir écrit cette épopée de la jeunesse, « ce livre des camarades, à l'époque où lui-même était un jeune homme et un camarade » (1). Ainsi son groupe de Copains

(1) *Conférencia,* pp. 471 et 472.

est-il devenu le « prototype » de toutes les bandes de jeunes gens, d'étudiants qu'il a aidés « à mieux prendre conscience de leur vie de groupe, à mieux la savourer comme telle, à en cultiver les possibilités plus savamment » (1). Et le livre a pu, dans ses nouvelles éditions, être dédié à toutes ces Compagnies de jeunes gens qui l'ont pris pour « Conseiller de la Joie et Bréviaire de la Sagesse Facétieuse » (2).

Romains qui a, dès le *Rassemblement* et les *Puissances de Paris,* évoqué la vie de la rue, avec ses moindres incidents et ses rythmes les plus amples, ne pouvait être insensible aux grands remous, manifestations, défilés, émeutes, qui parfois la traversent et par où certains événements prennent corps. De tels remous, avant-coureurs du cataclysme, n'ont pas manqué, de 1905 à 1914 ; et il eut l'occasion d'y prendre part, comme spectateur passionné ou même comme acteur. Il aurait pu, en tant que *Choses vues,* les représenter tels quels. Mais, peu enclin aux « impressions » individuelles, aux confidences, aux pages de journal, il a préféré recourir à la fiction et composer une suite de récits parus au seuil de la Guerre de 1914 : *le Vin Blanc de la Villette* (3).

Il choisit donc deux personnages des *Copains,* les plus proches de lui, Bénin et Broudier, et les conduit à l'un des coins de Paris les moins connus des Parisiens : le Canal et le port de la Villette. « Beau et lointain pays » qui, dans un décor industriel, offre l'attrait de l'isolement et du mystère. Là, face à la place de Bitche, à l'ensemble provincial de son square, de son kiosque et de son église, ils ont adopté le cabaret de l'Ambassade, pour « sa situation, son

(1) *Conférencia,* pp. 471 et 472.

(2) Cf., l'étude d'Albert Cazes sur le *Comique des Copains,* dans le *Mouton Blanc,* d'octobre 1923.

(3) Parus en mai 1914, avec le titre *Sur les Quais de la Villette.*

intimité avec le port, et son éloignement d'avec tant de choses de ce monde ». Ils y boivent le vin blanc avec les charbonniers, éclusiers, camionneurs, débardeurs qui eux aussi participèrent aux grands mouvements de la rue. Sur cette matière qui leur est commune, où chacun a pu éprouver le pouvoir de la foule sur un homme, ou d'un homme sur la foule, les propos s'échangent, les souvenirs se déroulent. Et le choix du lieu, des narrateurs, de l'auditoire renouvelle non seulement le prologue-cadre — traditionnel, pour les suites de récits, des *Mille et une nuits* au *Décaméron* — mais la structure et le ton des récits eux-mêmes.

Ainsi Bénin racontant l'entrée de son régiment à Paris, la veille du 1er Mai 1906, peut noter les moindres pulsations de l'événement qui se prépare : arrivée du télégramme de mobilisation, affairement des gradés, confection des paquetages, distribution des cartouches, manœuvre d'embarquement, etc. Il parle devant d'anciens troupiers, à qui chacun de ces détails rappelle ses propres souvenirs de caserne. Et avec la même exactitude le débardeur peut dire ce que fut la « simple promenade » du 1er Mai 1907 ; ou le chauffeur d'autobus, exposer les menées des chefs syndicalistes, la réunion préparatoire, le dispositif des véhicules : les auditeurs ont pris part à de semblables réunions et connaissent la topographie du quartier. La précision technique est ici de rigueur, dans le moindre rouage du mécanisme qui se déclenche, comme dans le choix des mots, tours et images qui le décrivent. Car le narrateur s'adresse à un auditoire de « spécialistes », on pourrait dire d'initiés. Et, avec les ressources spécifiques de la prose, une atmosphère se crée, analogue à celle du Café, au premier acte de l'*Armée dans la Ville* : chaque parole, chaque récit, faisant surgir des souvenirs communs à tous, atteint, par delà les individus, un groupe et se charge ainsi d'une force magique d'évocation.

Avec de tels moyens, Romains peut varier encore la représentation de l'événement, et l'approfondir. Jusqu'alors, si avant qu'il eût, par fiction, intuition, sympathie, pénétré au sein de l'être, individuel ou collectif, le narrateur, qui racontait objectivement à la troisième personne, en restait encore distinct. Il se mettait à la place des habitants du Bourg, de Godard agonisant, des Copains en cours d'expérience, mais ne pouvait s'identifier avec eux. Et le récit restait une hypothèse, une expérience idéale qui ne pouvait coïncider avec le cours même des choses. Mais ici le narrateur a pris part à l'action, il dit ce qu'il a fait ou vu. Et peu importe qu'il y ait joué un rôle minime : il est entré comme élément dans un ensemble dont, par sa petitesse même, il fait ressortir la grandeur. Il a, dans la foule, « subi une nouvelle naissance » (1), acquis de nouvelles forces. Il y a perçu l'événement qui prenait corps ou même — tant il communiquait « avec le milieu, avec le cœur même du tumulte » — qui sortait de lui « pour apaiser brusquement son désir ». Et l'événement, désormais, fait tellement partie de lui que la violence du choc recommence quand il en parle : « c'est un souvenir exténuant » (2).

Le récit peut donc suivre l'événement à la fois dans ses vibrations les plus lointaines — car, plus heureux que le poète de *Ecrit pendant une guerre,* le narrateur de *La Mort de Ferrer* et du *Vingt-deux Janvier* a vibré même aux actions d'Espagne et de Russie — et jusque dans les régions obscures où le moi, soulevé par la foule, se découvre d'étranges pouvoirs. Il y réussit par un mélange intime du réel et de la fiction, agrandissant en « Conquête de Paris » une simple entrée en fanfare, amenant au plus haut degré de précision et de vraisemblance l'imaginaire *Charge des Autobus.* Il inaugure ainsi,

(1) *Le Vin Blanc de la Villette,* p. 167.
(2) P. 200.

en vue d'événements proches et plus vastes encore, le type du récit épique moderne.

***

Depuis le *Bourg Régénéré,* Romains n'a cessé de réfléchir à « l'action d'une idée sur et à travers des masses, indépendamment de sa valeur propre » (1) ; action qui, comme le montrent les applications modernes du crédit, du bluff, de la propagande et de la réclame, peut produire, sur une aire de plus en plus vaste, des effets divers et inattendus, nocifs ou bienfaisants. Et il a raconté comment ces réflexions et rêveries se cristallisèrent un jour en une sorte de vision :

« Des hommes arrivent dans un lieu et sont frappés d'une grande stupeur, non pas parce qu'ils trouvent quelque chose à quoi ils n'avaient pas pensé, mais, au contraire, parce qu'ils trouvent quelque chose à quoi ils avaient toujours pensé. Et leur stupeur vient précisément de là, de la coïncidence merveilleuse entre leur pensée et la réalité, coïncidence à laquelle, au fond, ils n'avaient jamais osé croire (2). »

Une telle vision aurait pu, d'abord, prendre la forme dramatique, car il rêvait alors « de pièces foisonnantes, à l'imitation et à la mesure du monde moderne, capables d'en représenter la diversité et le dynamisme » (3). Orientée, par une intervention fortuite (4), vers l'art de l'écran, elle devint, en 1920, le « conte cinématographique » de *Donogoo-Tonka.*

On peut, grâce à cette confidence de Romains, entrevoir comment s'est développée sa vision initiale. Cette chose à laquelle des hommes pensent si fortement et qu'ils finissent par trouver, qu'est-ce, sinon

(1) Conférence du 13 mars 1936, à l'*Université des Annales,* publiée dans *Conférencia* du 1er novembre 1936, p. 531.

(2) (3) *Ibid.,* p. 532.

(4) Une visite de Blaise Cendrars, à Nice, peu après la fin de la guerre. Cf. *Ibid.,* p. 532.

l'un des ressorts, l'une des fins essentielles de l'activité moderne, l'or ? Quelle force aurait pu les amener là, sinon une réclame « insidieuse, foisonnante, incoercible », alimentée par la bourse de milliers de naïfs ? A cette réclame, ne faut-il pas des inspirateurs ? Un financier peu scrupuleux, par exemple, et un géographe en chambre, qui s'est plu à situer au fond du Brésil la ville de Donogoo-Tonka et ses prétendus terrains aurifères ? Mais au point de départ de toute cette agitation, pourquoi ne pas mettre l'Esprit des Copains et l'Acte Pur ? Pourquoi ne pas choisir, comme meneur du jeu, Lamendin qu'un psychiâtre ami de Bénin détourne ainsi de ses idées de suicide ? Qu'il y ait donc, au principe, une rencontre de Bénin et de Lamendin au port de la Villette, sur le pont de la Moselle, avec son prolongement naturel au Cabaret de l'Ambassade. Et que, dans Donogoo construite, les sept Copains se retrouvent au palais de la Résidence, pour célébrer leurs nouveaux exploits.

Là encore, par delà les individus, le personnage principal est d'ordre collectif : la ville, ou plutôt l'idée de Donogoo-Tonka, depuis sa naissance dans le cerveau de Le Trouhadec jusqu'à son entrée miraculeuse dans le réel, par les soins de Lamendin. Conception essentiellement unanimiste, comme celle du *Bourg Régénéré* ou de *Mort de Quelqu'un,* et cinématographique ; et qui, en prenant la forme d'un scénario de film, se procure une liberté et des ressources sans limites. Lamendin peut multiplier ses démarches, manœuvrer ses figurants ou ses pionniers ; la réclame de la Compagnie de Donogoo-Tonka peut atteindre une ferme normande, un bourg vendéen, Marseille, Naples, San-Francisco ou Singapour : l'écran admet la totalité du monde visuel. Plus encore, toutes les fantaisies, également visuelles, où peut se complaire une imagination qui s'amuse : les lettres du mot Donogoo trottinent comme des souris ; le prospectus de Donogoo lâche des louis d'or, se gonfle « comme une poule qu'un croquant émerveillé regarde pondre » (1). Et le récit se prête à tous ces caprices, à cette fuite incessante de visions : simple suite de sous-titres, description et commentaire d'images, il se nourrit d'immédiat, traduit pour les yeux les aspects les plus divers de l'événement, les fait défiler à leur rythme normal ou les précipite (2) « comme des visions de noyé » (3).

Par delà ces apparences sensibles Romains a, peut-être l'un des premiers, entrevu que, par de pures suites d'images, il n'était pas impossible au cinéma d'accéder au monde intérieur et d'évoquer le courant de pensées qui se déroule en chacun de nous. Et pour y réussir il ne dispose pas seulement des ressources inépuisables de la mimique, à laquelle il demande, par exemple, d'exprimer des successions rapides de sentiments (4) ou les différentes phases d'une « tempête dans un crâne » (5). Il pénètre véritablement dans les âmes, et il y découvre toute une imagerie mentale, qui semble attendre qu'un langage visuel la traduise, et que, par conséquent, l'écran peut s'annexer. Ainsi le Banquier écoutant un visiteur, Lamendin sur son navire ou les Copains réunis à la résidence laissent transparaître leur pensée, « si intense qu'elle devient visible » (6). Et, de la Place du Tertre à Donogoo, il s'établit autour de chacun d'eux « toute une circulation de songes » (7).

(1) P. 56.

(2) P. 38.

(3) On peut remarquer que la langue, elle aussi, se fait cinématographique : plus de transitions ni de ligatures, ellipses, verbes uniquement au présent, phrases faites de quelques mots juxtaposés :

> « Un homme obèse, barbu, fleuri. » (P. 36).
> « Auditeurs d'aspect cossu : bedons, barbes, favoris, calvities, décorations. » (P. 49).

mais dont le rapprochement prend force d'évocation.

(4) Cf. Mélancolie de Lamendin au Café Biard, p. 39.

(5) Un débat dans une conscience de savant, p. 45-47.

(6) P. 73.

(7) P. 61, cf. sur la représentation du monde visuel et celle

On voit quelle différence sépare *Donogoo-Tonka* des scénarios d'alors, voués aux exploits de cow-boys ou aux imbroglios du vaudeville, et de quelle importance fut cette troisième rencontre de Romains et du cinéma. On en connaît, pour l'art de l'écran, les conséquences paradoxales : les innovations de l'œuvre se réalisant peu à peu et entrant dans le domaine public, sans qu'elle-même ait jamais été filmée (1). Quant au récit unanimiste, il y trouve une technique plus souple (2) pour représenter l'âme par le concret, et pour suivre, à travers les pays et les êtres, le trajet d'un événement et les caprices d'une invention, heureuse d'être libre.

du monde intérieur : *Jules Romains et le Cinéma,* par R. Maublanc, dans le numéro d'octobre 1923 du *Mouton Blanc.*

(1) En le constatant sans amertume, Romains a pu en conclure que ces innovations provenaient moins d'une influence directe du cinéma (alors à peine adolescent) sur la littérature que d'une façon d'imaginer, commune, à la même époque, aux deux arts ; et qu'elles manifestaient la souplesse infinie et l'excellence de l'expression littéraire. (Cf. Préface des *Hommes de bonne Volonté,* p. xv.)

(2) Technique dont le roman américain a généralisé l'emploi. (Cf. l'article, déjà cité de Cl. Ed. Magny dans *Poésie 44.*)

CHAPITRE IV

LES CONTES ET ROMANS *(suite)*

« PSYCHÉ »

Conçu vers 1907, le roman de l'amour ne vint à exécution qu'à partir de 1921. Il fallait, semble-t-il, que Romains explorât les groupes les plus vastes et les plus divers, avant d'aborder le plus restreint en apparence, mais l'un des plus complexes, le couple. Et il a dû employer d'abord les techniques les plus variées et les plus neuves, du roman comique, du film, du récit épique (sans oublier les méthodes de détection et d'exposition scientifique de la *Vision Extra-Rétinienne*), avant de s'attaquer, pour le renouveler à son tour, au plus traditionnel et au plus redoutable des genres romanesques.

Nous avons vu (1) comment il le renouvelle ; en partant, selon son habitude, du cas le plus simple ; en racontant, au lieu d'un amour contrarié par le destin, la société ou les amants eux-mêmes, un amour que rien ne contrarie, qui se développe normalement dans les fiançailles et le mariage, entre deux amants également normaux. Et la conscience qu'ils prennent de leur union, au sein d'un être unique et divin, le couple, les hausse à un plan supérieur, celui des unanimes, et aux perspectives les plus vastes, qui rejoignent les plus anciens mythes.

(1) Tome I, p. 292.

Romains ne peut néanmoins soustraire ses héros aux tourments qui sont la loi du genre. Mais, rejetant toutes les épreuves secondaires et extérieures au couple lui-même, il leur impose la seule véritable, pour deux êtres à qui leur présence mutuelle est devenue la raison de vivre. Ainsi le roman de l'amour s'achève en roman de l'absence, où l'éternelle Psyché apparaît victorieuse enfin de l'espace et de la matière.

***

La nouveauté de cette conception se traduit dans la structure de l'œuvre. Et si, jusqu'alors, Romains n'en a pas complètement révélé la genèse (1), il semble que l'on puisse entrevoir comment elle s'est peu à peu ordonnée.

Ainsi, pour que se développe, en toute nécessité, le drame de l'absence, le héros s'impose : un homme que son métier même condamne à l'absence, un marin. A la fois savant et artiste, il ne peut répondre à l'amour de deux jeunes provinciales, ses cousines, mais s'éprend d'une Parisienne, belle et pleine de talent, Lucienne, leur professeur de musique. Donc, dans le cadre d'une petite ville et d'une « maison fumeuse » entre les voies d'une grande gare, l'action avance, par la découverte progressive d'un milieu familial et des passions qui s'y déploient, et par la conscience soudaine que Lucienne prend de son amour. Mais, malgré le petit nombre de péripéties — que rythment les diverses leçons de musique et les conversations, confidences ou méditations qui en découlent —, il faut à l'événement le temps de mûrir. Aussi Romains, qui avait cru d'abord « que la chose se règlerait en un seul volume », est-il amené à faire du roman des fiançailles un ouvrage distinct, *Lucienne,* qui a son ordonnance propre.

(1) La *Lettre à René Maublanc, Europe,* n° 72, pp. 575-78 et la Conférence des Annales (*Conferencia,* 15 octobre 1937), offrent néanmoins des indications précieuses.

Lorsque, sept ans plus tard, il reprend, avec le *Dieu des Corps,* la suite de l'histoire, il ne peut davantage l'achever en un volume, et elle se distribue naturellement en deux parties qui s'étagent : le mariage, l'absence. Malgré la simplicité du thème, qui semble n'admettre aucune péripétie, il faut, en effet, que, dans la première de ces deux parties, la scène centrale, la nuit de noces, soit préparée par une présentation plus complète du héros, Pierre Febvre. Et mieux auront apparu ses préférences scientifiques, son besoin de précision, son goût de la « clarté ironique », plus sera sensible, par contraste, l'exaltation du même homme découvrant soudain, avec Lucienne, le double mystère de « l'union des corps » et de la « religion sexuelle ». De même, au cours du voyage de noces, le sentiment intense que tous deux prennent de leur présence et l'intimité croissante de leurs âmes ne font que rendre plus déchirante leur séparation prochaine. Et la visite de Lucienne au navire, qu'elle explore et semble vouloir imprégner de sa personne, annonce les régions mystérieuses où l'événement va aboutir.

Le thème de l'absence impose encore, à la dernière partie de l'œuvre, un autre type de structure. Il faut en effet, à la différence des deux premières parties, que le récit, comme dans *Mort de Quelqu'un* ou *Donogoo-Tonka,* aille constamment de l'un des personnages à l'autre, pour suivre en chacun d'eux, sur le navire, à New-York, à Marseille (où est restée Lucienne) les effets de l'absence. Et, pour les rendre sensibles, il y faut, du moins du côté de Pierre, un minimum de péripéties. Il y a, notamment, à introduire de la façon la plus naturelle possible (par le moyen du commandant et d'un ami commun, Bompard) le personnage indispensable, par sa force psychique, à la réussite de l'aventure. Dès lors, de nouveau, le récit doit se dédoubler. Chez Pierre il suit le sentiment de présence, grandissant jusqu'à l'apparition de Lucienne dans sa cabine ; chez Lucienne, ses efforts progressifs pour se détacher d'elle-même et rejoindre Pierre. Et parvenu à ce sommet, il lui suffit, pour conclure, d'un rapide regard, sur l'ensemble et le sens de l'histoire.

Ainsi, par l'élaboration même de l'œuvre, Romains a-t-il été amené à en faire « une sorte de trilogie », consacrée tour à tour à l'amour sentimental, à l'amour charnel et à l'amour mystique. Et lorsqu'il a dû lui trouver un titre général, le nom de *Psyché* s'est offert naturellement, pour résumer cette aventure singulière de l'âme qui se heurte à la matière et en triomphe.

***

L'œuvre ainsi conçue, la forme s'impose : le récit à la première personne, l'événement vu par le héros, qui se le raconte à lui-même en pénétrant au plus profond de ses pensées. Forme traditionnelle, depuis près de deux siècles, dans le roman psychologique français, et illustrée tour à tour par *Manon Lescaut, Adolphe, Dominique,* etc... ; mais à laquelle le souci de la vérité et de leur ordonnance propre apportent, dans chacune des trois parties de l'ouvrage, de sensibles modifications (1).

Ainsi la narratrice de la première partie ne se borne pas à noter, en les isolant du reste du réel, les faits et sentiments par où débuta son amour. Familière de la peinture la plus récente, elle atteint au vif, sous « l'enveloppe ou la sorte d'enduit neutre qui les recouvre », les êtres et les choses : un étalage, un pot qui brille, une femme « solidement installée, faisant corps avec sa boutique, rendant, par sa seule présence, clair et naturel l'arrangement de toute cette marchandise » (2). Poète, elle voit les rails qui,

(1) Et non point une transformation radicale, comme, à la même époque, dans l'œuvre de Proust, partie d'un autre principe : évoquer l'ensemble d'une société par l'intermédiaire d'un témoin qui, du fond de lui, laisse remonter tout son passé, tout le « temps perdu ».

(2) *Lucienne,* p. 11.

le soir, semblent rejoindre les étoiles et vibrer comme des cordes nocturnes. Musicienne, elle entend dès les premiers accords d'une sonate, « tout un cortège d'événements invisibles... une sorte de jugement dernier qui s'installe sur des ruines » (1). Psychologue bergsonienne et unanimiste, elle sait que « les choses familières et nous, nous ne sommes jamais deux fois dans le même rapport » (2) ; qu'il n'y a pas deux leçons de piano semblables ; qu'une famille et une petite ville sont des sources inépuisables d'interactions, de sentiments, de rêveries ; que le moindre choc, une rencontre, une conversation dans la rue peuvent déclencher, dans les régions les plus lointaines de l'âme, tout un monde de méditations (3) et de songes. Mais elle sait aussi noter avec une égale exactitude les propos enjoués de Pierre Febvre, passionnés et véhéments de Marthe et de Cécile, majestueux et présidentiels de Mme Barbelenet. Et le récit fond ensemble, dans une même continuité, cette variété de mouvements de pensées, de paroles. Fort des techniques diverses qui l'ont préparé, il suit l'événement dans toutes ses directions, même inattendues, et les éclaire toutes d'une égale lumière (4).

Le narrateur de la deuxième partie, Pierre Febvre, n'a pas de telles ambitions. Il veut seulement écrire un « rapport pénétrant » qui doive sa saveur spéciale à la « pureté de l'énonciation des

(1) P. 29.

(2) P. 153.

(3) Telle est en effet, la forme que prend, chez cette « intellectuelle », l'innovation, toute récente, du monologue intérieur. Ce n'est pas, comme dans l'*Ulysse*, de Joyce — à peu près contemporain — un torrent qui entraîne toutes les pensées, même les plus obscures, d'un personnage ; mais une série ordonnée de pensées qui se maintiennent dans les zones les plus claires de la conscience.

(4) Lumière « implacable », pour reprendre la remarque déjà citée de Benjamin Crémieux, et par où le récit prend une « clarté scientifique ».

faits » (1) et qui, sous leur aspect le plus banal, sache démêler leur importance future. D'esprit positif et scientifique, il détermine d'abord, en tant qu'acteur ou témoin, son « coefficient personnel », en établissant, sur lui-même, « une espèce de fiche » ; et il se borne à évoquer rapidement la première période de son amour, qui ne touche pas à son propos principal. Au contraire, à partir du mariage, notamment de la nuit de noces, il s'astreint à la précision la plus grande, persuadé qu'il « effacerait la particularité des faits » (2) et déformerait leur courbe, s'il se contentait de les résumer. Par un même souci d'exactitude, et pour garder « la température de l'événement », il ne peut s'abstenir du ton pathétique qui en est inséparable, « comme le sont les colorations physiques, qu'on ne peut supprimer ni modifier qu'en rompant la structure moléculaire du corps coloré » (3). Et pour renforcer encore cette impression de vérité et laisser au récit, malgré le lyrisme sensuel et l'ardeur religieuse, son caractère initial, il garde « les incertitudes..., les surprises, les retours, les interrogations inséparables d'un travail tout spontané et sans art » (4). De là aussi son étonnement quand il commence à lire le manuscrit de Lucienne, où les circonstances de leurs premières rencontres et de leurs fiançailles lui apparaissent infiniment plus riches, profondes, mystérieuses.

Cette confrontation des deux manuscrits, ainsi amorcée dans le *Dieu des Corps,* devient, dans *Quand le Navire,* l'un des postulats essentiels de l'ouvrage. Comment, en effet, juxtaposer simplement, comme deux blocs, les récits des deux narrateurs, dont le premier, conduisant déjà l'événement jusqu'à son terme, enlèverait au second tout effet de progression et de surprise ? Mais comment, d'autre part, l'auteur

(1) P. 15.
(2) P. 138.
(3) P. 138.
(4) *Lettre à R. Maublanc, Europe,* n° 72, p. 577.

s'étant effacé derrière ses personnages, passer tour à tour de l'un à l'autre ? Il suffit de supposer que Pierre Febvre, après avoir essayé de mener son travail « le plus loin possible par ses propres moyens », s'arrête « tout juste avant les événements principaux » (1), et renonce à se priver du secours de l'autre manuscrit. Il l'ouvre et, au lieu du « récit beaucoup plus travaillé et ordonné » qu'il avait lu naguère, trouve des notes plus ou moins développées, qui semblent avoir été prises au jour le jour, où Lucienne fixe ses premières impressions d'absence, de « vide nuptial », les premiers efforts de sa pensée pour rejoindre le navire. Mais Pierre, trop ému, se refuse à lire plus avant : il veut « arriver seul en face des événements qui l'attendent » (2). Il reprend donc la plume, atteint le moment capital de l'apparition dans la cabine, en expose les conséquences et ses efforts pour en avoir la confirmation. Et la preuve qu'il n'a pu obtenir ni par des questions détournées ni par l'aveu de Lucienne elle-même, il la trouve dans la suite de son journal, dans les pages où elle note ses premiers pas sur le navire, ses efforts successifs jusqu'au triomphe final. Alors, mieux que toute parole, la concordance silencieuse des deux récits apporte la confirmation véritable.

Ainsi, parvenu soudain (car, jusqu'au moment décisif l'auteur a su maintenir la surprise), au terme mystérieux de sa courbe, l'événement continue à être noté par les mêmes procédés d'exposition — du journal et du rapport —, avec la même précision, quasi scientifique, et la même rigueur (3).

(1) *Quand le Navire*, p. 101.

(2) P. 155.

(3) C'est surtout dans cette phase du récit que l'on retrouve l'auteur de la *Vision Extra-Rétinienne*. On peut comparer, par exemple :

« J'entrevois, non point avec netteté, mais avec une objectivité, une extériorité saisissantes... les objets ci-dessous :

« La couverture jaunâtre d'une brochure, sous la forme d'une tache brun-jaunâtre, sans contours précis, et sans nul détail... »

(*Vision E.-R.*, p. 77.)

et :

« La coupée. Le pont où je mets le pied. La pénombre, le plafond de tôle peinte au-dessus de nous, avec les boulons visibles. J'aperçois une rampe circulaire... Je ne vois pas bien le sol. Je distingue mal les obstacles. A gauche et à droite, les limites restent confuses... »

(*Quand le navire*, p. 146.)

CHAPITRE V

LES CONTES ET ROMANS *(fin)*

L'ÉVÉNEMENT, LE MYTHE, LE RÉCIT.

Psyché n'offre pas seulement, par rapport aux récits précédents, des nouveautés d'expression et de structure : elle représente des milieux, des individus et, pour la première fois, une âme féminine. Ainsi, au cours de toute cette période, l'œuvre romanesque de Romains n'a cessé de se développer et de s'enrichir (1). Elle n'en garde pas moins les traits entrevus dès l'abord.

Elle a beau, par exemple, varier le cadre de ses histoires, évoquer tour à tour la campagne, le village, la petite ville, le port de la Villette, la vie sur un navire, l'apparition de New-York : tous ces milieux, que la *Vie Unanime* ou les *Prières* auraient considérés en eux-mêmes, comme des unanimes, ne sont ici que les points d'application d'un événement, les réponses qu'il reçoit du dehors à mesure qu'il se déroule (2). Et, quel que soit leur relief, les person-

(1) Pas plus en effet, que l'œuvre poétique, elle n'admet de redites ni ne répète le même type de structure. *Mort de Quelqu'un* et *Donogoo-Tonka* présentent, d'une tout autre façon que le *Bourg Régénéré* la propagation d'un événement. Le *Vin Blanc de la Villette* et *Donogoo-Tonka* ne veulent pas être de simples suites des *Copains* ; ni même le *Dieu des Corps* et *Quand le Navire*, de *Lucienne*.

(2) Ainsi, par l'escale de New-York — où il était déjà passé plusieurs fois, Pierre Febvre mesure les changements survenus en lui-même depuis son mariage, et fortifie sa fidélité dans l'absence.

nages eux aussi, ne peuvent se séparer de l'événement qui les pénètre et les éclaire (1). Lucienne elle-même, qu'elle s'attarde aux étalages de la rue Saint-Blaise ou s'abandonne aux rêveries les plus capricieuses, se laisse conduire par le grand fait qui la domine alors et la transforme : la naissance et le développement de son amour.

Le milieu et les personnages restent donc, comme dans les œuvres du début, subordonnés au principe essentiel du récit : l'événement. Mais, en retour, ils le varient et nourrissent d'un apport de plus en plus précis et divers. Tour à tour simple farce de jeunes intellectuels, produit du bluff et de la réclame, défilé de troupes et mouvement de foules, élan de l'âme au delà de la matière, il parcourt le monde entier, soulève des villes, réveille les plus obscurs pouvoirs psychiques. Il est vraiment, au sens premier du mot, tout ce qui arrive et qui modifie, si peu que ce soit, le cours des hommes et des choses. Point n'est besoin, pour tenter le romancier, qu'il prenne une forme rare ou extrême. La promenade de deux amis, l'offre d'une leçon de piano suffisent pour que le monde se revête de nouvelles apparences et pour que des âmes enthousiastes y découvrent de nouvelles perspectives. A plus forte raison deux époux peuvent faire de leur nuit de noces un « événement sans égal », et, d'une courte séparation, la plus singulière des expériences.

Mais, dans la diversité infinie de ce qui arrive, il est surtout un ordre de phénomènes où — comme nous n'avons cessé de le constater — l'événement joue un rôle capital et *sui generis* : les phénomènes collectifs. Un homme inconnu meurt, les relations qui existaient entre d'autres hommes (ses voisins de maison, par exemple) en sont brusquement modifiées, et il se forme, comme né de lui, un être vaste

(1) De même, les exigences scientifiques et positivistes de Pierre Febvre servent de garants à son extraordinaire aventure spirituelle.

et éphémère. Un homme est pris dans une foule : il a soudain le sentiment d'une force énorme qui l'envahit, dont il est pour un temps le réceptacle, et qui lui confère un pouvoir surhumain. Et ainsi de tout autre événement collectif. Qu'il se développe dans le groupe le plus restreint, le couple, ou dans le plus puissant, une troupe en marche rythmée par les tambours et la fanfare ; qu'il se propage dans une simple bourgade ou à la surface de la terre entière, il manifeste la même propriété distinctive. Il fait apparaître une synthèse différente des éléments qui la composent ; une présence unique autre que la somme des individus rassemblés ; il dégage de leur « unanime » une immense énergie latente, et la fait soudain exploser.

Et peu importe, de ce point de vue, que l'événement parte de l'individu ou du groupe. Dans un sens ou dans l'autre, il suit le même parcours à travers des êtres qui par lui prennent soudain conscience. Il agit sur eux comme un révélateur, qui décèle et décuple leur pouvoir ; et, les éclairant d'une brusque lumière, il les transfigure et les fait naître à une vie nouvelle.

***

Sans doute est-ce là le but de toute œuvre unanimiste, qu'elle soit poétique, dramatique ou romanesque. Mais, pour y atteindre, le récit et, en particulier, le récit en prose, doit à l'événement des ressources spéciales, et privilégiées.

A la différence, en effet, d'essais comme *Puissances de Paris* qui ne peuvent parvenir à l'être collectif qu'à travers ses manifestations, par un effort d'intuition et de mysticisme, il suffit au récit, pour l'atteindre d'emblée au cœur, de se laisser conduire par l'événement, d'en suivre avec le plus de précision possible la marche, par les pensées des personnages, leurs actions, leurs paroles même les plus familières. Car l'introduction de personnages vus du dedans, en qui l'on peut suivre l'événement tel qu'il s'élabore et se déroule, ajoute à l'expression de la vie unanime un élément décisif. Placé au point d'intersection de l'individu et du groupe, le narrateur voit à la fois ce qui se passe en l'un et en l'autre (ou plutôt, tant ils sont mêlés intimement, dans les deux ensemble) : comment la force de tout le groupe s'accumule dans l'individu qui en est envahi, transporté, illuminé ; comment, sous ce choc, l'imagination de l'individu — et sans doute aussi du groupe — se déclenche à son tour, « agrandit et multiplie les choses ». Tel Bénin, amené à Paris avec son régiment pour le 1er mai 1906, et, si peu militaire soit-il, exalté par l'ensemble tout-puissant de ce « kilomètre de fusils et de sabres ». Il ne se possède plus, il a le corps entier « ivre et fourmillant ». Au grondement des tambours, il lui semble que tout un quartier s'effondre. Au cri des clairons, il croit sentir « un marteau-pilon tomber sur Paris ». Il dépasse donc l'impression présente, même la plus forte : il a le sentiment d'entrer dans une ville conquise (1) et de « mettre le pied sur des décombres ». Il voit la lutte de deux êtres collectifs, l'Armée, la Ville, et la hausse au plan du mythe.

Ainsi, comme nous l'avons déjà entrevu pour la poésie épique, l'événement unanimiste ne suscite pas seulement la force propre à toute réunion d'hommes pour peu qu'elle dure, mais aussi celle qu'ils y ajoutent par leur imagination, en le pensant ensemble, avec intensité. Il nous introduit donc dans ce monde du mythe ou — pour prendre le terme plus moderne et sociologique — des représentations collectives dont le rôle dans la vie unanime nous est apparu capital (2). Par elles, en effet, par leur jeu aux combinaisons inépuisables et imprévisibles, il met en œuvre toutes les ressources dont l'esprit dispose pour aug-

(1) D'où le titre du récit : *La Prise de Paris*, dans *le Vin blanc de la Villette*.

(2) Cf. notre précédent ouvrage, 3e partie, chapitre II.

menter et transfigurer le réel. Il révèle la puissance d'invention du groupe qui, interprétant à sa façon les grands phénomènes de la vie et de la mort, fait, à partir d'une inscription — simple germe — renaître tout un bourg, ou qui déroule, autour du plus obscur cadavre, un vaste cycle de gestes, de pensées et de rites. Il en manifeste la force créatrice qui se déploie en tous sens, du réel à la fiction, de l'imaginaire Donogoo-Tonka à la ville construite et ses champs d'or (1), avec la disproportion singulière — caractéristique de l'être collectif — entre l'effet et la cause ; comme si, plus encore qu'en tout autre vivant, s'y imposait, plus pressante, l'exigence d'agir, de multiplier et d'agrandir.

Mais, si loin qu'il s'élance dans la fiction, le mythe unanimiste ne cesse de garder, pour une véritable expérience, le contact avec les hommes et les choses : bande de copains, mouvements de rue, vie d'un couple. Et cette tendance, bien loin d'être contradictoire avec celle de la fiction, en paraît complémentaire : qu'il prolonge, interprète, anticipe ou approfondisse, le mythe joue dans le progrès de l'événement le même rôle que l'hypothèse dans toute recherche expérimentale, physique ou biologique. L'un et l'autre agissent comme des schémas, des idées directrices par où l'esprit pénètre le réel, l'explore, le façonne. De là aussi (2) l'impression joyeuse et optimiste de ces récits qui sont autant d'expériences

(1) Remarquons au passage cette alternance du fictif *(Le Bourg Régénéré, Les Copains, Donogoo-Tonka)* et du réel *(Mort de Quelqu'un, Le Vin Blanc de la Villette)* — comme si Romains avait voulu se délasser en allant de l'un à l'autre — qui se rejoignent enfin dans *Psyché.*

(2) Sauf, naturellement, dans *Mort de Quelqu'un,* qui semble exprimer une période — passagère chez Romains — de pessimisme ; et aussi à la fin de *Psyché* où, après s'être haussés, par une sorte d'assomption, à la hauteur de l'être collectif, les deux héros ont le sentiment de retomber et laissent à part, dans la région la plus retirée et la plus silencieuse de leur être, cet extraordinaire souvenir.

réussies, dont peut ensuite, comme au banquet final des *Copains,* se réjouir le groupe créateur.

Il s'élabore ainsi, par le récit unanimiste, tout un monde mythique, fait de déclenchements, d'explosions, de propagations, sans rapport avec le monde des anciennes mythologies, ou même avec celui qu'ont créé les imaginations les plus récentes — celles d'un Joyce, d'un Thomas Mann ou d'un Proust — et qui reste « centré » sur l'individu. Monde où l'on peut saisir sur le vif l'action convergente du groupe, de l'événement et du narrateur, la tendance constante (1) de l'homme et du groupe à dépasser la réalité actuelle, à l'interpréter et, par le mythe, à rendre sensible un nouvel ordre de grandeurs.

***

L'événement unanimiste dégage une telle force explosive, un tel pouvoir créateur ou destructeur qu'il se passe de toute autre magie. Aussi s'accommode-t-il des façons les plus simples du récit en prose (2). Mais, qu'il les garde telles quelles ou en renouvelle l'emploi, il ne les marque pas moins profondément de son empreinte.

Maître des lieux, des milieux et des personnages, comment admettre que d'autres éléments romanesques surviennent et lui fassent concurrence ? Il écarte tout ce qui, description, analyse, intrigue parallèle ou secondaire, n'est pas lui ; et il n'a pas trop de tout l'espace du récit pour se déployer, dans la diversité

(1) Qui répond, sans doute, à une profonde nécessité vitale, et témoigne de cette « fonction fabulatrice » que l'analyse de Bergson a mise en pleine lumière. *(Les Deux Sources de la Morale et de la Religion,* ch. II).

(2) En particulier des moyens d'expression les plus spécifiquement prosaïques. Le narrateur y peut donc ignorer les scrupules d'un Valéry, et écrire tout bonnement :

« Il prit le chemin de la poste, pour expédier un télégramme » (*Mort de Quelqu'un,* p. 22), puisque cette simple démarche met en mouvement tout un monde de propagations.

de ses phases. Tantôt, mécanisme dur, lent à mettre en mouvement, il se tend peu à peu — par exemple dans la *Création d'Ambert*, la *Charge des Autobus*, le *Lynchage de la rue Rodier* — avant de se déclencher soudain. Tantôt, comme dans le *Bourg Régénéré*, il grandit et se développe, à la fois en surface et en profondeur. Ailleurs, il se propage sur toute la terre, comme par une série d'ondes. Et si, au cours de ces divers trajets, il semble se fragmenter en épisodes distincts, il n'en reste pas moins seul et pur : car ces fragments font partie d'une ligne unique, en expriment l'impérieuse unité (1), le déroulement implacable.

Ce morcellement en épisodes, simultanés ou successifs, par où le récit avance à la façon d'un film, ne répond pas seulement à une nécessité technique. Il manifeste — nous l'avons souvent constaté — l'une des tendances les plus profondes de l'unanimisme : le besoin de dépasser la représentation individuelle ; de la pousser, par delà toute cloison, toute limite ; de la multiplier par d'autres représentations, afin (comme il convient pour la vision d'un ensemble) de la rendre simultanée et totale. Et sans doute le récit, qui se déroule dans le temps, ne peut donner de cette simultanéité qu'une image imparfaite. Il peut du moins, en passant continuellement d'une maison du Bourg à l'autre, du Velay à Paris, du cabinet de le Trouhadec à des ports d'Europe ou d'Amérique, prendre sur l'événement des vues de plus en plus nombreuses, variées et inattendues, qui en se combinant le restituent dans sa masse : tel un agile Micromégas ou tout autre spectateur supra-terrestre, il en suit, d'un seul regard, le développement sur une surface de plus en plus vaste. Et, entraînant le lecteur avec lui, il le hausse à un autre étage du réel.

(1) De là, la différence avec les romans américains — ceux de Dos Passos par exemple — dont les scènes multiples ne se « centrent » pas sur un événement unique ; ou avec la composition si complexe de l'énorme *Ulysse*, de Joyce.

Il s'y déploie selon des temps variés : quelques minutes pour que la rue Rodier se dresse contre deux voyous qui l'agacent ; quelques mois pour que Lamendin fonde une ville, ou que le couple Pierre-Lucienne développe son extraordinaire expérience. Mais en ces laps de temps, même les plus courts, la vie se fait plus intense, et l'individu qui participe d'un groupe se meut selon un autre rythme. Il se trouve comme détaché soudain de lui-même, de son passé et de son avenir, engagé dans un présent qui se dilatant à l'infini, lui découvre de nouvelles perspectives et lui donne conscience de nouveaux pouvoirs. Et le récit, lui aussi, renonçant à sa marche traditionnelle, se maintient dans ce fragment de durée dont l'exploration se révèle inépuisable. Il néglige ou réduit le plus possible les antécédents, les explications analytiques (par l'influence du pays, du milieu, etc...) et débute « in medias res ». Comme les autres écrits de Romains à la même époque — d'un *Etre en Marche* au *Voyage des Amants,* il veut, en ce minimum de durée, suivre l'événement dans sa naissance et son progrès, et en donner une représentation immédiate, aussi souple, mouvante (1) et imprévisible que l'événement lui-même (2).

Ainsi apparaît, une fois de plus, dans l'organisation du récit et jusque dans le détail de sa structure, la vision unanimiste qui est à son origine et qui ne cesse de l'animer. Peu importe, dès lors, que Romains soit né conteur ou, pour illustrer l'unanimisme et lui donner une plus vaste audience, le soit devenu. En explorant l'être collectif, il ne pouvait manquer d'y rencontrer l'événement, avec les aspects particuliers

(1) Ce mouvement continu se retrouve jusque dans le détail. Toute description est cinématique : les diverses particularités du visage de Mme Barbelenet apparaissent et s'inscrivent, à mesure qu'elle parle.

(2) Ainsi dans *Psyché* où les faits, annoncés par de vagues allusions, au cours des deux premières parties, se développent à la fin de la troisième, en plein imprévisible.

qu'il y revêt, et la forme narrative qui nécessairement en résulte (1).

(1) La suite des récits que nous venons de parcourir, et qui va de 1905 à 1929, se déroule avec assez de continuité — bien qu'elle ne manque ni de liberté ni de fantaisie — pour qu'on puisse la considérer dans son développement propre. Mais on peut aussi, depuis 1932, ainsi que l'a fait Romains dans la Préface des *Hommes de Bonne Volonté*, la considérer comme une préparation, une série d'ébauches en vue du grand roman qu'il méditait déjà. Ce serait une autre étude, et qui doit attendre que s'achève l'œuvre elle-même.

CHAPITRE VI

LE THÉATRE COMIQUE

L'événement unanimiste, par l'ampleur de ses perspectives, la rapidité et l'intensité de son développement, l'unité de structure qu'il impose à une œuvre, appelle de lui-même un art qui le concentre en une brève crise et qui l'exprime directement, tel que le produisent les pensées et le dialogue des personnages.

Les mêmes raisons qui ont fait de Romains un conteur devaient donc l'amener au théâtre. Ainsi naquirent les groupes de *l'Armée dans la Ville* et de *Cromedeyre*. Et, par la suite, plusieurs des thèmes essentiels de l'unanimisme ont, tout naturellement, pris la forme dramatique. Leur mise en œuvre dépendait, néanmoins, de conditions nombreuses, dont Romains lui-même nous a fait sentir la complexité(1).

Indépendamment des exigences et des difficultés de l'expression littéraire, le théâtre a, en effet, ses lois propres, auxquelles Romains entend ne pas se dérober. Car, à la différence de la génération précédente, il ne se contente pas d'un théâtre écrit, non joué et qui, par là même, tend au « non jouable » :

(1) Nous ne pouvons ici que résumer les considérations et confidences, indispensables désormais à l'intelligence de son théâtre, données par Romains à ses conférences de l'Université des Annales *(Conférencia*, 1er novembre 1936 et 1er novembre 1937).

il estime qu'une pièce n'a pleinement sa raison d'être que par la représentation. A plus forte raison une pièce unanimiste, qui prétend amener des groupes à la vie réelle de la scène et par eux faire, des spectateurs aussi, un être collectif. Ainsi pense-t-il rendre au théâtre, tombé peu à peu au rang d'une industrie, devenu une branche de « l'industrie du spectacle », un peu de son ancienne dignité, de sa fonction quasi religieuse. Mais, avec de telles conceptions, il ne peut s'adresser ni aux scènes nationales, où le miracle d'Antoine ne s'est pas reproduit, et où l'inertie est redevenue la plus forte ; ni aux scènes du Boulevard, vouées à la culture exclusive du ménage à trois. Et ses pièces auraient risqué de ne jamais voir le jour, sans le mouvement de rénovation dramatique, commencé par Copeau au Vieux-Colombier en 1913 et développé, après la guerre, par toute une génération de comédiens et de metteurs en scène.

Romains a travaillé tour à tour avec chacun de ces artistes, pour leurs scènes et pour leurs troupes. Copeau lui a fourni son austère « plateau » de ciment sans mobilier ni décors. Jouvet, son art de styliser un personnage comique et d'utiliser au mieux quelques mètres de planches ; Pitoëff, sa mise en scène expressive, qui donne au moindre objet, à la plus simple étoffe le plus grand pouvoir évocateur ; Dullin, son animation contagieuse, qui entraîne toute une troupe (1). Mais les uns et les autres ne disposaient ni du local ni des ressources matérielles d'un grand théâtre. Pour ces pièces « foisonnantes, à l'image et à la mesure du monde moderne », qu'il aurait voulu écrire, on n'avait à lui offrir qu'une salle de patronage, une « bonbonnière », deux théâtres de quartier. Et de cela aussi il lui a fallu tenir compte.

Il semble que la verve comique de Romains, son

(1) Cf., dans l'*Hommage*, déjà cité, les souvenirs de Copeau, Jouvet et Dullin.

goût de la mystification créatrice, maintenus au repos depuis les *Copains* et comprimés par quatre ans de guerre, aient eu, après le retour de la paix, un besoin irrésistible de se déployer. Et nous avons vu comment le scénario de *Donogoo-Tonka* leur en fournit, fortuitement, dès 1920, une première occasion.

Dans la vision primitive d'où est sorti ce scénario, Romains constate que le personnage de Le Trouhadec, le géographe en chambre inventeur de la ville et de sa région aurifère, ne figure pas. Absence significative, d'un être fait surtout de vide, existant moins par lui-même que par la légende développée autour de lui, et l'importance que lui confère la Société. Un tel être, néanmoins, finit par hanter son créateur, et exiger de naître à l'existence dramatique. Il était impossible de porter, sur le plateau du Vieux-Colombier, les innombrables péripéties issues de son erreur. Mais Romains pouvait l'engager dans de nouvelles aventures, plus faciles à concentrer, comme dans une comédie classique, en un seul lieu et un court laps de temps (1). Le hasard d'un séjour à Nice lui fournit le lieu idéal : la principauté de Monaco.

Les jardins de Monte-Carlo, tels que les évoque Jouvet en les terminant par un minuscule casino rose et puéril, ne peuvent admettre de tragiques aventures. La faune qui y prospère, joueurs suspects, vieilles joueuses, « messieurs distingués », cambrioleurs retraités, n'offre pas non plus, de la Société, les apparences les plus austères et respectables. L'arrivée, au milieu de ce joli monde, d'un personnage naïf et roublard, qui joue tantôt de l'incognito, tantôt de ses titres de Membre de l'Institut et Professeur au

(1) La pièce, dédiée à Copeau, était destinée au Vieux-Colombier. Copeau ne pouvant la donner immédiatement, Romains la porta à Jouvet, impatient d'y jouer le rôle principal et de la monter sur son théâtre, élégant mais exigu : la Comédie des Champs-Elysées.

Collège de France, ne va donc déchaîner, en se combinant avec les fantaisies d'une comédienne et les caprices de la roulette, que des péripéties joyeuses. Elles amènent les situations les plus cocasses : l'académicien se lie, en toute ingénuité, avec un cambrioleur, risque la prison pour recel puis pour grivèlerie, et voudra se donner la mort par amour ou pour avoir trop perdu au jeu. Même cette double velléité de suicide ne peut interrompre le jaillissement du rire : rire moins ample, moins jeune, plus cruel que celui des *Copains*, mais qui, par sa continuité, réagit contre les tendances de la « pièce moderne », contre l'introduction dans une comédie d'éléments étrangers : « émotions tendres, ou douloureuses ou lyriques ». Car Romains, « ami des genres purs », a voulu rendre ici à la comédie sa pureté classique (1).

Et il réagit aussi contre une autre tendance du théâtre moderne qui, « sous prétexte de faire vrai, d'imiter la vie, a fini par négliger le plaisir propre que la composition, la structure d'une œuvre doit donner au public, à la manière d'un bel et savant objet. Plaisir éminemment esthétique, puisqu'il est fait de pur jeu, puisqu'il vit de rythme et de proportion (2) ». Sur une scène étroite, qui ne se prête à aucun effet de machinisme, il se plaît à varier du moins, comme dans un quadrille ou des figures de ballet, les mouvements et groupements de personnages. Le Trouhadec, aux deux premiers actes, passe

(1) « Je suis ami des genres purs et il me semble qu'entre tous le genre comique est celui qui tolère le moins « d'impuretés », c'est-à-dire d'éléments qui ne soient pas d'essence comique. Aux époques où l'on avait le palais très fin, par exemple au dix-septième siècle, les connaisseurs n'eussent pas supporté qu'une comédie fît appel, par places, aux émotions tendres, ou douloureuses ou lyriques. Ils savaient fort bien que le comique a pour privilège de développer en nous une espèce de lumière intellectuelle, de lucidité allègre, un rien cruelle, qu'aucune nuée sentimentale ne droit brouiller. » (Avant-première de *M. Le Trouhadec saisi par la débauche*).

(2) *Ibid.*

du philosophe Bénin à la belle Rolande et au cambrioleur Trestaillon. La péripétie centrale — ses 100.000 francs gagnés à la roulette — fait défiler devant lui une série d'importuns intéressés. A l'acte suivant le voilà revenu à la compagnie de Bénin, délesté de ses 100.000 francs et chargé seulement d'un coffret volé par Trestaillon. Mais Bénin le tire de ce mauvais pas, ramène autour de lui, l'un après l'autre, les personnages précédents qui vont contribuer à son triomphe ; et, pour rendre plus sensible encore cette volonté de groupement décoratif, il rassemble une dernière fois, encadrées dans la salle du restaurant, toutes ces marionnettes dont il s'est plu à tirer les ficelles.

Ainsi la conception, essentiellement unanimiste, d'un individu créé, malgré son insignifiance, grand homme par ceux qui l'entourent et le manipulent (1), a beau animer la pièce : bien loin de se manifester avec éclat, elle ne laisse apparaître au premier plan que des intentions techniques, la recherche d'un genre pur et d'une construction savante.

***

Le Trouhadec suscite son contraire, c'est-à-dire un personnage qui au lieu de se laisser porter par les événements les détermine, au lieu d'exprimer un groupe le crée. Ce type, beaucoup plus proche de Romains, n'a cessé, de *l'Armée dans la Ville* au *Dictateur,* de s'imposer à lui. Il lui est apparu tour à tour en chef militaire, religieux, politique, dans le cadre d'un drame, d'une tragédie rustique, d'une comédie dramatique. Mais il y a eu aussi un moment heureux où il s'est transposé lui-même, apportant à toute une population un mythe et une mystique absurdes. Et

(1) Cf. notre précédent ouvrage, troisième partie, chap. II.

sous cet aspect, avec le nom provocant de Knock (1), il devait être appelé à une fortune singulière.

Un tel personnage ne peut, comme Le Trouhadec, s'insérer dans le savant mécanisme d'une comédie d'intrigue. Et l'événement qu'il médite — la transformation ou, mieux encore, la possession d'un bourg et de ses environs par la médecine — s'impose avec assez de volume et de force pour écarter, de même que dans les récits unanimistes, toute autre action ; querelles conjugales ou aventure amoureuse. Mais puisque sur une scène, surtout celle de Jouvet, il ne peut se dérouler et se propager en toute continuité, comme dans un récit ou un film, il va déterminer une structure plus libre, comparable à celle d'une farce, aux simplifications audacieuses. Dans un premier acte formé d'une scène unique, Knock s'informe auprès de son prédécesseur du terrain où il va agir, et laisse entrevoir l'originalité de ses conceptions médicales. L'acte suivant juxtapose, sans lien apparent, une double série de trois scènes (premiers contacts avec les collaborateurs immédiats, puis avec la clientèle) par où va se déclencher l'événement. Et le dernier acte, trois mois après, en fait apparaître le développement extraordinaire, devant lequel l'ancien médecin reste confondu, proie déjà prête pour le diagnostic de son étonnant successeur.

L'action, bien qu'elle rayonne sur tout un canton, est donc surtout intérieure : faite de la présence d'un homme et du trajet d'une idée dans des âmes. Et elle aurait pu, ainsi que dans la farce classique, se développer d'une façon abstraite, sans détermination de

(1) Romains n'a donné aucune précision sur la genèse de *Knock*, dont il nous dit seulement qu'il n'a pas d'histoire, qu'il a été écrit « vite et dans la joie ; reçu par Jouvet tout de suite et dans la joie. » Il n'est pas impossible qu'il y ait développé une de ses mystifications de l'Ecole Normale : une visite médicale fictive, annexée au concours d'entrée, où il terrifia plusieurs infortunés candidats. La première représentation, avec Jouvet dans le rôle de Knock, eut lieu le 15 décembre 1923.

lieu. Mais, comme nous l'avons constaté à propos des récits et de *M. Le Trouhadec saisi par la débauche,* l'événement unanimiste prend véritablement corps, par les lieux aussi bien que par les groupes où il se développe. Donc, une fois de plus, Romains conduit son héros dans son propre pays du Velay, le moins désigné, en apparence, pour de tels exploits. Et l'exposition se fait, au sortir de la gare (1), dans ou devant l'antique « phaéton arrangé en simili torpédo » que le Docteur Parpalaid aimerait à céder, en même temps que sa maigre clientèle : elle sera ponctuée à mesure que la toile de fond se déroule, par les pétarades, les arrêts, les départs laborieux d'un moteur récalcitrant. Le deuxième acte se passe naturellement dans le cabinet où Knock a déjà mis sa marque, par des tableaux noirs, des planches anatomiques, des appareils, entre autres le terrible laryngoscope à réflecteur. Au troisième enfin, la propagation de l'événement ne peut nulle part mieux apparaître que dans l'auberge (2) qu'elle transforme et que l'ancien médecin a peine à reconnaître. Et, comme s'il trouait le décor, le dialogue évoque les deux cent cinquante foyers où gît un malade, tout le pays d'alentour façonné par Knock (3), où la vie a pris un sens et, grâce à lui, « un sens médical ».

La création d'un groupe par l'imposition d'un mythe et d'une mystique peut — l'événement l'a démontré — développer les plus tragiques conséquences. Mais considérée, comme ici, dans son aspect

(1) Cette montée de Knock vers le lieu de ses exploits rappelle celle d'Emmanuel en route pour Cromedeyre dont il va devenir le chef.

(2) Lieu naturel d'une action unanimiste, point de jonction de tous les éléments d'un groupe (cf. *l'Armée, Cromedeyre,* etc...).

(3) Knock transpose ici, sur un registre comique, l'évocation des pays de la Vallée, aux cloches de midi, dans *Cromedeyre.* Et il préfigure peut-être l'évocation finale du *Dictateur,* où Denis voit, d'un seul regard, tout le pays dont il doit maintenir la cohésion et l'existence.

purement comique, elle contient d'assez puissantes sources de rire pour que l'auteur s'en contente et se borne à les libérer (1). Aussi, écartant lui-même toute scène douloureuse, toute intrigue au chevet d'un mourant, Knock, qui se déclare ennemi de la mortalité et partisan de la conservation des malades, dès l'abord nous rassure : il peut ensuite, par les moyens les plus cocasses (questions insidieuses, manœuvre du tableau noir et des appareils, conférences de propagande), mener jusqu'au bout, jusqu'aux limites de l'absurde, son audacieuse entreprise et se disposer à mettre au lit tout un canton. Et celui-ci, par sa docilité, est entraîné dans une progression non moins comique : il se rue aux consultations gratuites, accepte avec une crédulité qui, elle aussi, n'a pas de limites, tous les traitements, tous les oracles, emplit la boutique du pharmacien, propage la renommée du guérisseur et, au sens le plus fort du mot, témoigne la médecine.

Romains peut donc constater que, de tous les personnages de chefs qui lui sont apparus, aucun n'a manié plus vigoureusement le réel, aucun n'est « plus audacieusement créateur » (2). Et il suffirait à Knock d'exercer, avec la même frénésie, une activité un peu moins pacifique, pour déchaîner, comme devaient le faire quelques-uns de ses imitateurs, d'immenses cataclysmes. L'auteur ne l'a pas voulu, car il était alors porté à rire ; et sa comédie est restée « voisine de la farce » (3).

En outre de *Knock et de Le Trouhadec,* qui restent

(1) En se gardant, comme toujours, d'intervenir lui-même et en se refusant à tout « mot d'auteur ».

(2) *Conferencia,* 1er novembre 1937.

(3) On en connaît l'extraordinaire succès, que n'ont pas épuisé, dans le monde entier, des milliers de représentations. Sur ce rapprochement de Knock avec d'autres dictateurs plus dangereux, cf. Gabriel Marcel, *Les Nouvelles Littéraires,* 13 juin 1946.

ses créations principales, l'invention comique de Romains n'a cessé, entre 1920 et 1932, de s'épanouir dans les directions les plus diverses.

Les nouvelles aventures de Le Trouhadec (1), en route vers la politique et le mariage, n'exigent pas le savant mécanisme d'une comédie d'intrigue et s'orientent, elles aussi, vers la farce. Elles font surgir une série de figures plaisantes (journaliste d'affaires, étudiant désabusé, somnambule grec, baronne de noblesse récente) mais surtout un être collectif en six personnes, les six membres du Comité des Honnêtes Gens. Et sans doute, dès ses origines en Grèce, la comédie avait, pour provoquer le rire, fait évoluer devant les spectateurs certains groupes d'hommes ; mais, comme dans la tragédie, ils restaient à l'état de masse indistincte, et se bornaient à juxtaposer des sentiments d'individus. Le Comité, au contraire, apparaît comme le type de l'être collectif, autre que la somme de ses éléments ; et peu importe que ceux-ci, individuellement, soient des fripouilles ; il est, lui leur total, toute vertu et toute honnêteté. Après quelques exercices de dressage il sait, comme tout animal politique, parler pour ne rien dire. Comme tout être vivant, il suit un développement imprévisible ; il pose aux prétendus honnêtes gens des questions gênantes, déjoue leurs combinaisons, les force à lui jeter en pâture un innocent qui n'en peut mais. Et l'on sait quels effets comiques les scènes et les troupes russes, mieux animées par l'esprit collectif, ont tirés d'une telle progression.

Amédée et les Messieurs en rang aurait pu, comme *Knock,* tourner au tragique, mais « finit bien », non sans avoir justifié son nom de mystère. Il n'est peut-être pas d'ouvrage de Romains où le lieu et le groupe fassent corps aussi intimement avec l'action. Car si celle-ci consiste en la création d'un groupe par la

(1) Dans le *Mariage de Le Trouhadec,* où Jouvet créa aussi le rôle principal.

connaissance d'un secret (la mésaventure d'Amédée), elle se développe tout entière par la vertu du lieu et des gestes professionnels qui s'y exercent. Le salon de cirage de chaussures, avec sa rangée de six fauteuils, l'étincellement de ses lumières, de ses nickels et de ses glaces, attire un certain nombre d'habitués qui, grâce à l'incident créé par Amédée (sa rivalité amoureuse avec le 2e client), sont tout heureux d'y prolonger leur séjour. Insensiblement, ils y forment un groupe, la Rangée des six clients, qui « prend possession de la boutique, devient maîtresse de cet espace, de ces lumières ». Lorsque, entraînés par le 2e client, ils en sortent pour quelques instants, « une éblouissante solitude s'y déploie, on croit entendre susurrer une musique ténue », et un nouvel arrivant, gêné devant ce vide, s'enfuit. Lorsqu'ils reparaissent et s'installent, sauf le 2e client, la place de celui-ci reste si insupportablement vide qu'on doit, à la demande d'Amédée lui-même, aller le chercher. Alors lieu et groupe retrouvent leur harmonie, et le salon se transformera en « une sorte de cercle privé », où le travail se fera selon les meilleurs rites, et « avec tout le loisir convenable ».

La version théâtrale de *Donogoo* offre un exemple typique des circonstances particulières à une époque, dans la genèse d'une œuvre dramatique. Commandée en 1930 par le Théâtre Pigalle, pour montrer les ressources de sa machinerie et de sa décoration, elle se plaît à faire paraître les pays et les milieux les plus divers, du pont de la Moselle aux plateaux brésiliens, des banques les plus somptueuses à un café Biard ou un bar automatique de San-Francisco. A la différence des pièces précédentes, elle peut donc s'étaler dans l'espace et le temps, à la façon d'un film. Naturellement le comique en est le même que dans le conte cinématographique. Il ne jaillit pas seulement de certaines situations (rencontres de Bénin et de Lamendin, de Lamendin et Le Trouhadec) que multiplie la complicité du hasard. Il est inhérent à la pensée même, à sa progression irrésistible et sans limites, par laquelle l'erreur de Le Trouhadec développe ses effets dans le monde entier, fait surgir en plein désert une ville véritable, et aboutit à la naissance d'une religion. Aussi impitoyable que dans les *Copains* ou *Knock,* il manifeste, sans le moindre commentaire, par la vertu propre de l'action, le foisonnement d'une idée à travers les groupes et son pouvoir créateur.

Mais l'immense effort de présentation de *Donogoo* ne pouvait se renouveler ni même se prolonger indéfiniment ; et Romains, toujours « ami des genres purs », ne prétendait pas rivaliser, sur la scène, avec l'art de l'écran. Aussi, bien qu'elle ait encore été commandée par le Théâtre Pigalle, sa dernière comédie se garde-t-elle d'en utiliser toutes les ressources. Peut-être même l'aventure du *Roi Masqué,* qui, à l'inverse de Le Trouhadec, veut dépouiller tout prestige venu de la Société pour éprouver sa valeur propre d'individu, se serait-elle déployée, plus légère et plus souple, sur d'autres scènes (1).

Le comique de Romains laisse donc, lui aussi, apparaître l'essentiel de son art. Il écarte tout ce qui, artifices de langage, mots d'esprit, parodie, s'intercalerait comme un écran entre l'auteur et le réel. Il se maintient dans la vie la plus proche, la plus familière et révèle, par les termes les plus simples, ce qui se passe au plus profond d'une conscience, l'avarice d'une paysanne, la passion de négoce d'un fils de famille. Mais, tout en exprimant le réel, il l'ordonne, le stylise, lui impose une situation cocasse, l'astreint au rythme de la répétition, du contraste, de la progression bouffonne : tous moyens depuis longtemps

(1) *Le Roi Masqué* clôt, en 1931, les douze ans de production dramatique de Romains après la guerre. Il va désormais se consacrer, presque entièrement, aux 27 volumes des *Hommes de Bonne Volonté.*

générateurs de rire, mais qu'il se plaît, par ses ressources propres, à renouveler.

Le lieu, par exemple, n'est pas seulement l'endroit abstrait, salon bourgeois ou tréteau de farce, dont se contentait, le plus souvent, le théâtre comique antérieur. Par lui un groupe prend corps ; en lui, non moins que dans les esprits, une idée se propage : il ne peut donc rester indifférent à l'action théâtrale, en particulier à l'action comique. Les jardins de Monte-Carlo forment un contraste plaisant avec le personnage académique et universitaire de Le Trouhadec, et conspirent à sa débauche. Le rude et salubre pays du Velay se métamorphose, par les soins de Knock, en un immense hôpital. Le salon de cirage d'*Amédée,* la boutique de la *Scintillante* ont une vertu propre, pour le mystère ou pour l'amour. La salle et le patio du *Déjeuner Marocain* commandent les rites du repas, de l'hospitalité, du marchandage oriental par où s'affrontent la « coutume de Rabat » et la « coutume de Libourne ». Le lieu fournit donc à l'action plus qu'un cadre inerte : il lui est inhérent, l'oriente, la développe dans le sens comique.

Aussi le moindre geste qui, en accord avec lui, s'y dessine ou s'y déploie, se charge de signification et dégage, des objets eux-mêmes, tout un comique inattendu. Tel le coffret que Trestaillon passe à Le Trouhadec, et que celui-ci voudrait repasser à Bénin, qui s'en écarte prudemment. Tel l'auto du Dr Parpalaid qui, mettant à l'épreuve la roublardise de son propriétaire et l'impatience de Knock, tient, pendant tout un acte, un rôle essentiel (1). Mais gestes et objets sont représentés moins pour eux-mêmes que pour les représentations collectives qu'ils suscitent. Le coffret enregistre les variations de la fortune de Le Trouhadec : par lui le professeur est menacé de

(1) De même la pile d'assiettes de Madame Rémy, au troisième acte de *Knock,* manifeste la prospérité de l'auberge tournant au *Médical Hôtel,* et menace de s'écrouler, au retour possible de Parpalaid et de l'ancien état de choses.

prison pour recel, ou devient le refuge des coupables repentants. L'antique auto de Parpalaid résume toute une conception périmée et paresseuse de la médecine : bonne pour de rares visites ou pour les promenades du dimanche, Knock la repousse et lui demande seulement le trajet de douze kilomètres vers le futur théâtre de ses exploits.

A plus forte raison les personnages eux-mêmes ne restent point des créations abstraites se mouvant en plein imaginaire, ni même de simples « voix dans un décor » : par leurs attitudes, leurs gestes, ils habitent véritablement un point de l'espace et — tel le 2ᵉ client du salon de cirage, dont le pied « prend soudain une importance particulière » — le remplissent intensément. Mais surtout leur groupement produit les effets les plus variés et neufs. L'arrivée successive des six clients au salon de cirage, le départ et le retour de ces six êtres anonymes, qui, pour un temps, n'existent que par leur présence ou leur absence et leur numéro d'ordre, leur réduction à l'état d'une matière que l'on déplace et astique, le contraste entre cette matière et le raffinement grandissant des propos qui s'en dégagent : autant de nuances délicates d'un comique *sui generis*. De même le Comité des Honnêtes Gens, dépassant la juxtaposition de personnages dont se contentent, d'habitude, les groupements de ce genre, nous fait rompre, brusquement, avec le monde des individus : il présente « en liberté », d'une façon à la fois concrète et stylisée, une sorte d'animal, l'ébauche d'un être fait d'une même parole en plusieurs corps, dont le « comportement » et le contraste avec chacune des fripouilles qui le composent, inaugurent, eux aussi, une variété de comique peut-être inépuisable.

Ainsi, par le lieu, les objets, les gestes, et l'être physique des personnages, il se forme un comique strictement unanimiste puisqu'il manifeste des groupes ou des représentations collectives, mais plastique d'abord, puisqu'il s'engage à même les choses, les façonne, leur donne une apparence cocasse et, à travers elles, se crée un rythme : les bulles de savon montent, se gonflent, déploient au-dessus des mains de Knock un édifice grandissant et menaçant, à mesure que se développe, aux yeux de Parpalaid ébloui, la conquête du canton par la médecine.

⁂

Mais, s'il surgit même des choses et de l'apparence physique des êtres, un tel comique a néanmoins une tout autre origine : par lui, comme par les autres œuvres de Romains, apparaissent les sources mêmes de la vie collective.

Qu'il s'agisse, en effet, des sentiments s'épanouissant dans une boutique de cycles ou un salon de cirage, de l'irruption d'un pirate dans une famille bourgeoise, de l'introduction d'une Française dans une famille marocaine, de la tentative d'évasion d'un monarque hors de son milieu, l'essentiel est toujours une relation, qui apparaît soudain expressive, moins entre individus isolés qu'entre un personnage et un groupe : relation qui — nous n'avons cessé de le constater — est au cœur même de l'unanimisme. C'est cette relation qui, modifiée, déformée, devient comique et renouvelle les effets de contraste, de progression et autres moyens traditionnels de rire. Et elle atteint son maximum d'efficacité dans les deux principales créations de Romains, par la disproportion entre Le Trouhadec et sa légende, par la sorte de délire où Knock entraîne toute une population avec lui.

Dans cette relation comique, groupe et individu apparaissent également responsables. Si la belle patronne de la *Scintillante,* avec ses prétentions au grand commerce et ses « aspirations artistiques » donne à sourire, que penser de la Petite Ville qui voudrait lui proposer, par la voix de l'Eglise, une situation « déplorable en elle-même » mais rassurante pour tous ? Si l'on rit de Le Trouhadec, de sa nullité académique et officielle, comment ne pas rire de la Société qui l'adopte, favorise sa légende, le prend pour emblème ? Si Knock a une conception singulière de la médecine, que penser de tout le peuple qui, frappé de contagion mentale, se découvre soudain malade, accepte la loi de la diète et du thermomètre ? De l'individu au groupe le rire ne cesse d'aller et venir, n'épargnant personne, assurant la continuité d'un genre pur, « un rien cruel ».

Mais, contrairement à d'autres comiques et à celui de Molière lui-même, il n'en résulte pas d'impression amère. Le rire unanimiste est, par nature, optimiste, car il manifeste la joie de la création. Comment ne pas se réjouir qu'un pays soit, à un tel degré, possédé par la médecine ? Ou que l'erreur d'un géographe, exploitée avec astuce, produise à travers le monde un tel remue-ménage, et devienne grosse de tels résultats ?

CHAPITRE VII

LES COMÉDIES DRAMATIQUES.

L'euphorie d'après guerre a peu duré, même dans le théâtre de Romains, où *Donogoo* et le *Roi Masqué* ne sont plus, au meilleur sens du mot, que des œuvres de commande, et deux moments de détente. Et, au lendemain de *Knock,* Romains a été repris par les plus hauts problèmes que pose la vie collective, ceux qu'il avait portés sur la scène dès *l'Armée dans la Ville* et la première version du *Dictateur.*

Mais les mêmes raisons qui, en 1912, lui avaient fait abandonner, parce qu'elle était conçue en vers, cette première version, n'ont cessé d'agir, et même avec plus de force. Et il est apparu de plus en plus clairement que l'œuvre dramatique en vers convenait mal à la forme actuelle des problèmes collectifs, au langage qu'ils imposent, aux conditions économiques et matérielles où se débattaient les directeurs de théâtres. Ainsi Romains a-t-il été amené à traiter en prose quelques-uns des grands sujets qu'il avait conçus et par où il espérait rendre à la scène française un peu de son ancien prestige.

⁂

On connaît maintenant (1), dans ses principales étapes, la genèse du *Dictateur.* L'idée première en

(1) Cf. Conférence de l'*Université des Annales, Conférencia,* 1er novembre 1936.

remonte à l'action de Briand lorsque, mobilisant en octobre 1910 les « cheminots », il mit fin pacifiquement à leur grève et déclara devant la Chambre que, même au prix d'une illégalité, il aurait maintenu l'ordre. Romains, déjà ennemi de toute violence, en reçut une impression profonde. Une vision jaillit dans son esprit, d'un homme sur une plate-forme, recevant de partout des milliers d'appels qui semblent s'entrecroiser en lui. Et la rupture entre les deux chefs amis, Denis parvenu au pouvoir et Féréol resté près du peuple, peut, elle aussi, avoir son origine dans le même événement qui, rejetant les socialistes dans l'opposition, mit fin à la vieille amitié de Briand et de Jaurès.

On sait aussi la cause précise qui, dès le deuxième acte, interrompit l'œuvre : Antoine ayant quitté l'Odéon, quel autre directeur aurait accepté une telle pièce en vers ? Romains en garde néanmoins l'idée, que la multiplicité des dictatures, après la guerre, remet au premier plan de son esprit. Et l'apparition de ces dictatures même dans des monarchies lui offre pour son intrigue, un nouvel élément, qui forme contrepoids : le dictateur Denis se trouve pris à la fois entre la classe ouvrière conduite désormais par Féréol, et un pouvoir royal confiant encore en sa forme et sa légalité (1). Ainsi l'action va se développer en oscillant des militants socialistes au Roi et à la Reine, avant d'aboutir à la rupture définitive entre Féréol et Denis.

Par cette longue élaboration, l'œuvre s'est dégagée de toute circonstance particulière et extérieure. Elle réduit même au minimum sa matière, cette immense masse ouvrière dont n'apparaissent que quelques meneurs, ce Royaume dont le souverain, discrètement, invoque la structure. Mais ces vastes ensembles, s'ils restent invisibles, n'en sont pas

(1) Et le Roi, en venant lui-même annoncer à Denis la grève des chemins de fer, donne à l'habituelle péripétie du quatrième acte la forme la plus dramatique.

moins présents et, comme naguère l'Armée et la Ville, prêts à s'affronter. Aussi leur conflit n'est pas, comme dans la tragédie classique, entre des idées ou des sentiments, et ne peut se conclure par des discours. C'est, entre eux, « une question de force ». Les chefs ouvriers lancent à l'assaut de l'Etat, en vagues successives, la grève des différents métiers ; l'Etat a pour lui les pouvoirs publics, les possédants, la force armée. Et, si Féréol, par son action révolutionnaire, espère changer la forme de la Société, celle-ci se défend par sa masse, son inertie, sa persistance. Aussi, aux plans stratégiques de son ami d'hier, Denis oppose non point des arguments mais la vision dont il est empli : cette plate-forme où lui parviennent tous les appels du corps social, « le rapide 112 qui doit arriver à l'heure, les rues qui seront éclairées ce soir, avec les théâtres ouverts et les orchestres qui jouent », bref toutes les choses qui « veulent faire, encore une fois, l'effort de durer ».

L'opposition de ces grandes forces collectives et anonymes s'humanise par le conflit grandissant entre Féréol et Denis. Il ne reste pas, en effet, simplement épisodique ou parallèle à l'action principale : il s'y mêle étroitement (comme dans *Cromedeyre* la crise sexuelle et la crise religieuse) et y ajoute son pathétique propre. Et, pas plus que dans ses autres œuvres, Romains n'y recourt à l'éloquence, à la déclamation, à la sensiblerie : il lui suffit d'évoquer ses propres souvenirs. Denis rappelle à Féréol l'étude au vieux lycée, près d'une église (1), avec l'orgue, le chant, la cérémonie quotidienne qui composent une vision légendaire ; il retrouve ce sentiment d'être « dans une capitale, une des grandes villes du monde, en fin de journée, alors que les premières lumières font le levain d'une vaste pensée fatiguée » ; cette disposition à accepter un tête-à-tête avec l'événement ; cette « merveilleuse assurance

(1) Souvenir authentique du lycée Condorcet, où les études donnent sur la même cour que l'église Saint-Louis-d'Antin.

d'être de plain-pied avec le réel ». Et, comme dans *l'Armée* ou *Cromedeyre,* de telles évocations — bien loin de constituer des hors-d'œuvre ou des morceaux de bravoure — en rendant présentes à nouveau les choses, agissent sur les personnages, les réconcilient provisoirement, s'incorporent à l'action qui par elles continue à progresser.

Et il en est ainsi de l'œuvre entière qui, abstraite seulement en apparence, ne se dégage que peu à peu de la réalité collective où elle plonge pour devenir la tragédie de l'amitié et enfin, à la cime du pouvoir, la tragédie de l'homme seul (1).

*
* *

On connaît aussi la genèse de *Jean Le Maufranc* (2). Depuis longtemps obsédé par les rapports de l'individu et de la Société, Romains eut un jour la vision d'un homme traqué, cherchant à dissimuler un objet dans une sorte de coffre. Un projet de pièce à personnages et épisodes multiples s'élabora peu à peu à partir de ce noyau primitif. Il n'aurait pu l'écrire pour Jouvet, empêché par l'exiguïté de son plateau, et épris d'ensembles scéniques solides, massifs, faits surtout de bois, difficiles à changer au cours d'un acte. Mais quand Pitoëff — qui disposait au Théâtre des Arts d'un plateau plus vaste et qui, se contentant d'un rideau de fond et de quelques étoffes, ne s'embarrassait pas d'une mise en scène fixe — lui demanda, en octobre 1926, une pièce pour sa prochaine tournée, Romains lui proposa son

(1) On sait le destin de la pièce : comment Romains la présenta à la Comédie-Française, dont seule la troupe, par sa cohésion et son habitude des œuvres classiques, lui semblait convenir ; comment, après les félicitations unanimes et le refus du Comité de lecture, elle fut imposée par le ministre Daladier; puis, après des incidents variés, transportée sur la scène insuffisante de la Comédie des Champs-Elysées où elle n'obtint, en 1926, qu'un demi-succès ; comment, par contre, elle reçut à Berlin et à Vienne, sur des scènes à sa taille, un accueil triomphal. (Cf. Conférence de *l'Université des Annales.*)

(1) Même *Conférence.*

« homme traqué », qui fut accepté d'enthousiasme : ainsi furent écrits en une dizaine de jours, et aussitôt répétés et mis en scène, les cinq actes de *Jean Le Maufranc.*

Jean Le Maufranc, homme que l'on croit dépourvu de « sens social », est en état constant de lutte contre le milieu qui l'entoure : famille, Etat et ses multiples tentacules (douane, fisc, gendarmerie, police, etc...), associations qui voudraient le protéger contre lui-même jusque dans ses loisirs. Mais, héros unanimiste, il « sent » la société dans ce qu'elle a de plus profond : il ne veut pas s'évader vers la solitude mais « disparaître » dans le secret et l'anonymat d'une grande ville. Il se meut tour à tour dans les régions les plus opposées, et il en résulte une structure dramatique plus libre que celle des pièces précédentes : les épisodes, plus nombreux et variés (de la consultation d'une entremetteuse à celle d'un Evêque), sans lien apparent, comme dans l'ancienne comédie à tiroirs, sont unis seulement par la logique des expériences du personnage. De là une plus grande diversité de tons : comique aux premières scènes ou à la séance de la *Ligue pour la protection de l'Homme moderne ;* sentimental, ému, puis dramatique dans l'idylle avec la petite employée Pierrette ; technique, aux consultations des divers « spécialistes » ; désespéré, dans la scène avec l'Evêque. Ainsi, pour la première fois, Romains, par la nature du sujet comme par le caractère fortuit et improvisé de la pièce, s'évade hors des « genres purs », vers un type de composition « romantique » où l'on peut, à l'origine, discerner l'une de ses admirations les plus anciennes, le *Faust* de Gœthe.

Même nuancée de romantisme, l'œuvre, aussi longtemps élaborée qu'elle a été rapidement écrite, n'en est pas moins fortement organisée. Après un premier acte où déjà, vis-à-vis de la douane, du fisc et de la famille Le Maufranc montre son absence de « sens social », la séance du Comité de la Ligue déclenche toutes ses puissances d'indignation et l'incite à la révolte. Mais d'abord il s'informe, auprès des différents techniciens de la dissimulation. Le quatrième acte en montre les premiers effets, à l'égard du fisc et de la famille ; et le cinquième acte, le résultat désespéré, que seul l'Evêque peut comprendre et peut-être conjurer. Et l'idylle avec Pierrette, par où il cherche l'évasion dans une vie double, se noue logiquement à l'intrigue principale, progresse en même temps qu'elle, pour finir, elle aussi, dans le désespoir. Il reste pourtant un contraste — qui ne va pas sans quelque gêne pour le spectateur — entre les premiers actes et les trois derniers : d'autant plus que la scène qui produit le plus grand effet dramatique, la séance du Comité, à la fin du second acte, ne se place pas au point culminant de l'œuvre.

Aussi lorsque, en 1930, Dullin lui demanda une pièce pour l'*Atelier,* Romains songea tout de suite à une nouvelle version, moins « touffue », plus concentrée, de *Jean Le Maufranc* qui devint *Jean Musse.* Et la différence entre les deux versions laisse apparaître quelques-unes des tendances essentielles de son art. Un telle transformation ne s'est pas faite, en effet, sans sacrifices. Il a fallu renoncer à toute la vie double du héros, donc à tout le rôle si touchant de Pierrette où personne, d'ailleurs, n'aurait pu remplacer Ludmilla Pitoëff. Mais la série des consultations se développe avec plus de rigueur, dans les bureaux de la « grande agence de police privée Henry ». Les premières expériences de dissimulation, qui formaient contraste et symétrie avec les scènes analogues du premier acte, sont, elles aussi, supprimées. Et l'action, au lieu de rester, avec la scène de l'Evêque, mystérieusement inachevée, rejoint le Directeur de la Ligue, celui qui veut voir clair non seulement dans les actions, mais jusque dans les plus secrètes pensées des hommes, et dont Jean Musse réussit à déceler l'hypocrisie, qui se croyait invincible.

Ainsi l'œuvre gagne en progression rigoureuse, en force dramatique. Elle n'a plus, par contre, ces sortes de pauses si émouvantes, où Jean Le Maufranc, tel le poète de l'*Ode Génoise,* faisait entendre ses appels à un royaume intérieur, à un « réduit central » invisible ; ou bien, « homme moderne, en complet veston, ou avec un pardessus de gabardine, marchant le long d'une rue, dans une capitale, sous une pluie quelconque », annonçait le « piéton morose » de l'*Homme Blanc,* cheminant à travers une épaisseur de ville.

***

On ne sait rien encore sur les circonstances, particulières ou fortuites, de la genèse de *Boën.* Mais l'époque de 1926 à 1930, où la pièce fut conçue et écrite (1), a été suffisamment marquée par les événements financiers, par les problèmes de la monnaie, du change, de la prospérité, de la répartition des « biens de fortune », pour qu'ils aient pu hanter un auteur dramatique. Et il s'y est peut-être joint le désir de vaincre une froideur ancienne du spectateur français, peu accueillant, même devant *l'Avare* ou *Turcaret,* à de tels problèmes.

Romains aurait pu, du moins, frapper l'imagination en représentant, comme il le fera dans son grand roman, des hommes aux vastes entreprises, et en recourant à des coups extraordinaires de la fortune. Il se contente de données, en apparence, beaucoup plus ternes. Une petite usine de constructions mécaniques de la région parisienne, si exiguë et mal aménagée qu'elle « a l'air d'un campement de romanichels ». Un patron, Boën, pur produit, lui aussi, de la banlieue, un peu « esbroufeur », violent mais bon. Des ouvriers, familiers avec lui, et qui n'auront pas trop de mal à lui extirper une petite augmentation de salaire. Un de ses camarades de régiment,

(1) Elle devait être jouée à l'Odéon au début de 1930. Retardée, par les travaux de réfection du théâtre, jusqu'au mois de décembre, elle eut le tort de paraître après le double succès de *Donogoo* et de *Musse,* et n'eut que quelques représentations.

Hébingre qui, en devenant son ingénieur, lui a abandonné un appareil de son invention, le *Stolix*. Une secrétaire, Sabine, nouvelle venue et désintéressée, qui semble peu encline à dépasser son rôle. Un précepteur, Menuise, non moins désintéressé mais qui, par son effacement comme par son mérite, a conquis l'amitié et l'admiration du fils de Boën, son élève. Et la femme de l'ingénieur ou le comptable Putarel ne semblent, eux non plus, rien déceler qui puisse mettre le feu aux poudres.

Comment, de tels éléments, sortirait-il un drame ? Et, en effet, l'action, purement intérieure, n'aboutit à aucune catastrophe. Partie du refus de Boën d'engager, pour les ouvriers, l'ingénieur ou l'usine, de nouvelles dépenses parce qu'il ignore l'état de ses ressources et craint plus que tout la pauvreté, elle n'est marquée que par deux péripéties, qui remplissent le second acte : l'évaluation, par son comptable, d'un actif qui approche de deux millions ; l'achat inespéré, pour cinq millions, de l'invention du *Stolix* par le fournisseur américain. Mais ces deux péripéties suffisent à produire une série de remous. Boën, devenu conscient de sa fortune, et de son bonheur, voudrait les faire partager à ses proches qui, tour à tour, refusent, ce qui modifie leurs rapports, à la fois entre eux et avec lui (1). Et lui-même, malgré son amitié soudaine pour la femme de son ingénieur, Madame Hébingre, n'est pas à l'abri du remords : car il a vendu le brevet d'une invention qui n'est pas de lui.

L'action n'est donc simple qu'en apparence, et, en se déroulant, elle fait naître les plus complexes échanges de pensées et de sentiments. Et elle a beau se concentrer dans le même lieu et une durée de huit jours, elle ne cesse d'ouvrir les perspectives les

(1) Il se produit, en effet, toute une variété de rapports, que l'action fait évoluer, entre Boën, son fils, Hébingre, Mme Hébingre, Sabine, Menuise ; sans compter l'amitié entre Menuise et le fils de Boën, et l'amitié naissante entre Menuise et Sabine.

plus diverses. La petite usine de banlieue, aux ouvriers familiers et gouailleurs, où l'installation n'est plus tenable, où l'on ne peut fabriquer à bon marché le meilleur appareil, est représentative d'un type encore artisanal et bien français de production. L'Américain Parker et ses compatriotes en usent bien autrement : ils n'ont pas l'idée d'une fortune stable, leurs hommes d'affaires « gagnent de l'argent tant qu'ils ont le souffle, parce que c'est exactement leur métier », et, plutôt qu'à la pauvreté universelle, leur pays aspire à ce que « tout le monde soit riche ». Mais la nouvelle secrétaire a apporté brusquement, de Moscou, une tout autre atmosphère : la révolution russe, la lutte contre la faim et le froid, tout le monde devenu fraternel, libéré de la jalousie, du mensonge, de l'argent, et renouvelé par l'esprit de pauvreté. Et cette révélation opère comme un véritable charme : elle bouleverse pour un temps Boën et, plus durablement, son fils et Menuise ; elle les entraîne dans un monde de rêveries et les fortifie, ainsi que Sabine elle-même, dans leur indifférence aux biens de fortune.

Plus encore que dans les pièces précédentes, ces évocations se mêlent intimement à l'action et au dialogue, se refusant à tout éclat, à toute rupture de ton : comme si, dans cette œuvre austère, concentrée, dépouillée, Romains avait pris plaisir à écarter tout divertissement, pour l'esprit ou pour les yeux, à accumuler tous les renoncements, afin de laisser les âmes à nu, aux prises avec un même problème qui suffit, à lui seul, à créer tout le pathétique.

Les pièces de Romains, que nous venons de considérer, et que l'on pourrait appeler son « théâtre sérieux », tiennent, dans la production dramatique d'alors, une place singulière. Elles ne se distinguent pas seulement de la fabrication industrielle courante qui continue à exploiter le pathétique brutal ou artificiel de Bernstein ou de Bataille ; mais aussi des divers efforts qui, au lendemain de la guerre ont tendu, de Claudel à Lenormand, Giraudoux ou Gabriel Marcel, à restaurer un théâtre littéraire et à créer un pathétique nouveau. Et le terme de « comédies dramatiques » dont l'auteur s'est servi pour l'une d'elles, et qui montre leur affinité avec les comédies proprement dites, peut, semble-t-il, aider à les définir.

Pas plus, en effet, que dans ses comédies ou le reste de son œuvre, Romains n'y tend à s'évader en plein imaginaire ; à façonner une fois de plus, au gré de son caprice, des personnages de mythologie ou de légende ; à chercher, sous les climats les plus divers, ou dans les mystères de la vie subconsciente ou supra-consciente, des éléments nouveaux de pathétique. Là encore, il reste dans le réel le plus actuel, proche, familier. S'il a dû peindre un Premier ministre, un Roi, une Reine, il y a été amené par son sujet même et non par le principe, cher aux tragiques, de représenter des malheurs éclatants dans les plus hautes conditions : le couple royal parle et agit avec la plus complète simplicité, forme le plus bourgeois et le plus uni des ménages. Et la plupart de ses autres personnages, petits industriels, ingénieurs, syndicalistes, agents du fisc, de la douane, de la police, sont ceux que nous côtoyons constamment. Il suffit, pour nous toucher, qu'ils se présentent dans leur milieu habituel et que, par leurs paroles et leurs gestes de tous les jours, ils donnent « l'hallucination de la vérité ».

Ces personnages ne se montrent pas, néanmoins, à un moment quelconque de leur vie d'où, par leur seule présence et l'atmosphère qu'ils respirent, se dégagerait, comme dans les pièces où « il ne se passe rien », le pathétique de leur destinée. Plus encore que dans ses contes et romans, et en vertu même de sa conception du théâtre, Romains les implique dans une action, une brève crise qui soudain les modifie, en eux-mêmes et dans leurs mutuels rapports. Mais aux divers ressorts — destin, amour, haine, jalousie, vengeance, honneur, devoir, ambition, folie — qui, depuis Eschyle, ont mis en mouvement de telles actions, il apparaît tout de suite qu'il en a substitué un autre, et qu'il l'a découvert, une fois de plus, dans une des régions qui lui sont familières, celle-là même que déjà ont explorée ses comédies : au point de jonction de l'individu et des êtres collectifs (1).

Que Denis, en effet, se trouve soudain en face de l'ordre social à maintenir même contre ses amis ; ou Le Maufranc devant les multiples apparences de la Société qui le surveille ; ou que Boën soit brusquement introduit dans l'univers des riches qui l'isole même de ses proches, il est manifeste que ces diverses crises ont une origine identique et un développement analogue. Elles naissent au moment où le personnage est tout à coup aux prises avec une réalité qui le dépasse parce qu'elle est d'ordre collectif et qui, pour reprendre des termes de Romains, lui oppose les résistances, la majesté et l'authenticité d'une matière. Elles se développent à mesure qu'il prend conscience de cette réalité, non par une simple vue de l'esprit, mais parce qu'elle fait irruption en lui, l'envahit et le transforme. Elles prennent fin quand l'invasion est complète, et la révélation, totale. Alors Denis reste seul et devient la conscience de l'être collectif, qu'il aide à durer ; Le Maufranc, désespéré, renonce à toute résistance ; Musse découvre, au sein même de la Ligue qui devait le protéger, son ennemi le plus secret, l'hypocrisie ; et Boën, la vanité de tout effort pour faire participer les siens

(1) A la différence de son théâtre poétique où la relation, plutôt que d'un individu à un groupe, s'établit directement entre deux groupes. Et cette différence, semble-t-il, ne tient pas seulement à la nature du théâtre poétique où, par la vertu de l'incantation, les groupes, véritablement présents sur la scène, sont les personnages principaux ; mais à la démarche de la pensée de Romains, partie, comme nous l'avons vu dans notre précédent ouvrage, du groupe pour aboutir à l'individu.

à sa richesse. Et cette « prise de conscience » (1), dissipant tout mystère, chassant tous les fantômes chers aux générations précédentes, achève l'action, comme dans le théâtre classique, en pleine lumière.

De là, aussi, la profonde unité de telles œuvres. Le héros peut se trouver, dans les épisodes les plus variés, en présence des individus les plus divers. Il est aux prises, en réalité, avec le même être vaste mais unique, qui se manifeste par toute sorte d'apparences, pauvreté russe, avarice de la petite bourgeoisie française ou active richesse américaine ; mais qui se complaît surtout aux grandes capitales où l'homme moderne chemine, au long de rues sans fin, « sous une pluie quelconque ».

(1) Cf. Madeleine Israël, *Jules Romains*, p. 189-191.

CONCLUSION

Les dernières pièces du théâtre en prose achèvent, telle qu'elle se présente en 1932, l'œuvre de Romains. Ainsi peut-on prendre, de l'art qui lui est propre, une vue d'ensemble. Vue arbitraire, sans doute, puisqu'elle dépend de l'itinéraire choisi et parcouru : mais par où il doit être possible de répondre aux questions posées par notre préface, et d'atteindre quelques faits essentiels et significatifs.

⁂

L'œuvre en prose, par exemple, dont nous venons de suivre le développement harmonieux et autonome, peut offrir ses particularités de matière, d'observation et de technique ; il ne semble pas que, par sa conception et ses buts, elle doive modifier sensiblement nos conclusions précédentes.

Qu'elle se borne, en effet, à évoquer, dans de courtes monographies, des mouvements et des rythmes, ou qu'elle enregistre dans l'espace et le temps, des lignes de faits plus complexes ; qu'elle monte le savant mécanisme d'une comédie d'intrigue, ou déroule les joyeuses péripéties d'une mystification, il est apparu que l'essai, le récit, la farce, la comédie dramatique, en prenant les formes les plus diverses, se proposent une fin unique, et que, par ces moyens variés, l'auteur donne corps à une conception commune, celle qui inspire tous ses autres ouvrages.

Peut-être même, dépouillée du prestige poétique, cette conception, confiante en sa seule force, apparaît-elle plus nettement encore. Cette vie des Rues, des Places, des Rassemblements dont les *Puissances de Paris* s'astreignent à reproduire, le plus fidèlement possible, les phases et le rythme ; ce trajet d'une idée à travers un bourg, un canton, ou par le monde entier, dont le *Bourg Régénéré, Knock, Donogoo-Tonka* suivent la progression irrésistible ; cette révélation que les Messieurs en Rang, Calixte, Denis, Le Maufranc reçoivent d'une simple boutique ou de la Société entière : autant de visions concrètes, particulières, nées des circonstances les plus diverses, mais par où l'on peut, de proche en proche, remonter à la vision dont toutes les autres dérivent : celle d'un homme qui soudain, dans la rue d'une grande capitale moderne, se découvre comme un élément infime mais conscient au sein d'un immense être collectif, encore informe.

A la représentation de cet être contribuent toutes les ressources de la technique : vocabulaire, expression directe, images, figures, rythme. La poésie en forme les éléments d'une magie qui transpose, transfigure, recrée. La prose également les utilise, pour sa magie propre : le pur énoncé des faits, l'événement restitué dans sa nudité première, parcouru dans toutes ses dimensions, manifestant, par sa force créatrice ou destructrice, le pouvoir de l'homme sur les groupes ou des groupes sur l'homme, imposant sa démarche au lecteur et au spectateur, et amenant au maximum de vraisemblance un monde nouveau de fictions.

Ainsi, du travail de l'expression aux grandes constructions en vers ou en prose, se dégage et se précise un art qui, tout entier, s'adapte à son objet, la vie unanime, et que, dès l'abord, on peut appeler unanimiste.

***

Né d'une vision, c'est-à-dire, au sens le plus large du terme, d'une expérience, l'art unanimiste s'accorde, de lui-même, avec l'effort qui, au début du siècle, s'impose à tous les ordres de recherche, en particulier à toutes les techniques, pour atteindre immédiatement, et avec efficacité, le réel.

De cet effort nous avons pu entrevoir quelques étapes. Nous avons vu Romains, ainsi que ses compagnons et ses plus proches devanciers, rejeter tout souvenir livresque, tout commentaire ou symbole qui se placerait, comme un écran, entre l'écrivain et les choses. Et ainsi lui est apparu, dans son inépuisable variété, le monde sensible. Couleurs, formes, sons, mouvements, gestes, attitudes, rien n'est exclu. Le village enfoui dans la verdure, les rues somnolentes d'une petite ville, les lumières et les bruits d'une capitale sont également aptes à révéler le groupe, à le manifester comme un ensemble vivant, qui se nourrit de nos impressions actuelles, se mêle à nos souvenirs, à nos rêves, et par leur action magique, s'y transfigure.

Ces apparences, malgré leur richesse et leur diversité, n'expriment que le dehors des êtres : or, tel le paysan qu'il a plusieurs fois évoqué, enfonçant son bras dans un sac de grains, Romains veut plonger dans leur épaisseur, éprouver la vie intérieure qui les anime. Il veut atteindre l'âme d'un rassemblement éphémère, d'une troupe conquérante, d'un village lourd de siècles, d'une race répandue par le monde, la percevoir aussi nettement que celle d'un couple ou d'un individu, en donner une représentation aussi directe et concrète, qui en restitue la durée et le rythme. Réalisme en profondeur qui, rejetant toute considération et tout développement oratoire, s'en tient à la pure énonciation des faits, les savoure et, dans toutes leurs dimensions, les tâte, les palpe ; qui explore l'événement le plus humble comme le plus vaste — promenade, farce, grève, migration, guerre — pour y saisir, à l'état pur, les frissons de l'âme individuelle ou collective ; qui, porté par eux, prend des êtres et des choses une vue toujours plus étendue, un sentiment plus vif, avec une exigence croissante de « multiplier et d'agrandir ».

Qu'il considère du dehors les êtres ou participe à leur vie intérieure, l'art unanimiste n'admet donc pas de limites à son expérience. Réalisme qui se dépasse, qui, se haussant par le moyen des groupes à un autre ordre de grandeurs, illumine tout ce qu'il explore. Même l'imagination qui intervient alors n'est capricieuse qu'en apparence : elle n'entre en ligne, elle aussi, que pour rendre présentes les choses, pour anticiper sur l'événement, en suivre la genèse, la marche, la propagation : le trajet d'une inscription ou d'une réclame à travers les esprits, les exploits d'un guérisseur révèlent, à peine déformés, quelques-uns des « mystères » de la vie moderne, en les transposant sur le plan du mythe. Et la Société, heureuse de cette lumière ironique, « un rien cruelle », qui soudain les éclaire, adopte de tels événements, de tels personnages et, en s'y conformant, les prouve.

La vision de Romains a donc pu se développer, s'approfondir : elle devient, par un perpétuel contact, un continuel ajustement avec le réel, sans cesse plus exacte, plus vivante. Répugnant de plus en plus à une forme abstraite ou systématique, elle s'enrichit par l'observation, l'expérience, le foisonnement des figures et des images, qui lui offrent comme autant de prises sur le monde. Ainsi peut se mesurer ce que l'unanimisme doit à l'art qui l'exprime.

***

De là une fécondité, une plasticité singulières : nourrie de réel, la vision unanimiste tend à prendre corps, à s'incarner dans les formes les plus diverses. Et il n'est presque pas de genre littéraire où elle ne se soit introduite, pour le renouveler.

Dès l'origine, si éprise soit-elle d'immédiat, d'impressions instantanées et mouvantes, elle pénètre la poésie lyrique. Elle y utilise la multiplicité des mètres, la forte structure de la strophe, l'allure presque musicale du développement. Mais elle en transforme l'inspiration. Au lieu des confidences amoureuses, des émotions purement individuelles devant la famille et la nature, les *Odes et Prières* dressent comme des êtres le couple, la maison, la rue, le village, la ville. Plutôt que de s'abandonner à des commentaires ou des invectives, l'*Ode Génoise* évoque des villes, des peuples, l'Armée des Morts. Et le lyrisme redevient, comme à ses origines, le chant de l'homme en présence de la Cité et des Dieux ; son effort pour participer à des puissances toutes proches, mais qui le dépassent ; pour les atteindre et les déceler par l'action magique de la parole.

Le théâtre offre sa scène prête à toutes les évolutions de groupes, ses spectateurs assemblés pour une pensée commune. La vision des êtres collectifs s'y introduit, écarte le vieux répertoire ou les petites habiletés de la pièce parisienne, substitue à la monotonie de l'alexandrin l'emploi de mètres variés, évoque par delà les personnages présents les groupes les plus vastes. Comme au temps du destin et des héros, la scène retrouve sa dignité : l'Armée, la Ville, le Dieu de Rome et le Dieu de Cromedeyre s'y opposent en des conflits à la fois dramatiques et essentiels. Puis d'autres thèmes surgissent, d'autres personnages paraissent : chefs, aventuriers, fantoches, révoltés et, en s'affrontant, projettent, sur les rapports de l'homme et de la société, une lumière imprévue, d'où émane un comique ou un tragique nouveau.

Le récit, enfin, du poème épique au scénario de film, présente la souplesse et la diversité infinie de ses ressources. Et l'unanimisme en modifie. une fois de plus, la structure : il suffit qu'il situe les personnages à leur place dans le milieu humain et que, par delà leurs pensées, se déploient celles des êtres plus vastes qui les englobent. Alors un Bourg, un Mort, un Groupe de Copains, une Idée, un Couple deviennent les héros de l'action. L'événement y reprend sa souveraineté, rejette les commentaires, descriptions, analyses rétrospectives, impose la soumission à l'immédiat, accélère ou ralentit le développement successif, ou même simultané, des pensées et des images.

Tant de transformations du lyrisme, du théâtre, du récit dérivent donc de la même cause : cette invasion des groupes qui fait que l'homme ne se trouve plus seulement en présence de lui-même ou d'autres individus, mais d'êtres collectifs dont il découvre avec émotion la présence. Invasion qui pénètre l'œuvre jusque dans ses profondeurs et par où apparaît tout ce que l'art de Romains doit à l'unanimisme.

***

Il lui doit plus encore. Il a beau innover : il prolonge, par la représentation des groupes, quelques-unes des tendances essentielles qui, depuis plusieurs siècles, n'ont cessé de parcourir la littérature française.

Ainsi l'individu, n'étant plus une unité isolée, ne peut plus se considérer comme le centre du monde, et ne parle plus de lui que dans ses rapports, en tel point de l'espace ou du temps, à des ensembles. Il retrouve donc, mais en la renouvelant, la tradition de l'art impersonnel : non point raide et impassible comme au temps du « Parnasse », puisque tous les mouvements venus de tous les groupes le traversent, et que même le chant de sa solitude se détache d'une présence collective plus ou moins éparse. Et par delà cette solitude il tend constamment à se dépasser lui-même, pour atteindre des êtres de plus en plus vastes.

La mission qui s'offre à l'homme, en particulier au poète, d'éveiller de tels êtres à la vie consciente lui impose naturellement une continuelle exigence de clarté : ainsi l'ode, la tragédie, la comédie, l'épopée sont-elles essentiellement des prises de conscience, soit par le groupe, soit par l'individu, soit par l'un et l'autre dans leurs mutuels rapports. Même si l'œuvre doit, pour éprouver de nouveaux pouvoirs spirituels, explorer des régions de l'âme plus obscures, elle s'astreint aux conditions les plus sévères de cohésion, de vraisemblance, de précision, afin d'y projeter plus de lumière. Et cette clarté de la pensée commande celle de l'expression, impose les termes les moins rares, les tours les plus simples, les rythmes les mieux définis, ajoute à l'évidence de l'expression directe l'illumination des figures et des images, bref tout ce qui peut amener un groupe au maximum d'être, et en pénétrer le plus vaste public.

Enfin, qu'il considère un personnage ou un événement dans les diverses phases, ou lors d'une brève crise de son développement, l'auteur est amené à concevoir un ensemble, à le suivre dans son progrès, à en dégager les moments caractéristiques ; donc, au lieu des fragments dont trop souvent s'est contenté l'art de l'autre siècle, à faire un tout, qui soit un livre. Ce travail de composition, s'il rejette les procédés artificiels, didactiques, oratoires de l'ancienne rhétorique, se garde également des suites de mots et d'images, trop peu cohérentes et communicables, de « l'écriture automatique ». Il tend surtout à supprimer les articulations, les soudures trop extérieures et apparentes, à constituer un type interne et secret d'unité, comparable à la structure d'un organisme. Et par cet art impersonnel, épris de clarté et de construction, Romains apparaît, une fois de plus, en intime accord avec les écrivains qui, au premier quart du siècle, ont entrepris, tout en exprimant l'homme d'aujourd'hui, de restaurer un art classique et de créer un « classicisme moderne ».

⁂

Que l'on considère le détail de l'œuvre ou ses tendances les plus générales, son unité ou sa diversité harmonieuse, on retrouve donc toujours la cause surgie dès l'abord, et qui apparaît, en effet, primordiale : la persistance de la vision première, qui se déploie au cours de tous les ouvrages, à travers la multiplicité des genres, en vertu d'une volonté de création, singulièrement tenace et consciente.

Aussi, malgré ses affinités avec la production de son temps, l'art de Romains, comme d'ailleurs de ses principaux compagnons, Chennevière, Duhamel, Vildrac, se reconnaît-il entre tous. Pour chanter l'homme dans ce qu'il a de plus général, sa présence sur la terre, les poètes d'alors ont, chacun, trouvé un chant qui les distingue. Et celui d'entre eux qui, le plus résolument, le plus continûment, s'est mêlé à la totalité des groupes d'hommes, a trouvé le chant le plus secret, qui rend un son unique.

TABLE DES MATIÈRES

Pages

PREMIERE PARTIE

L'expression

DEUXIEME PARTIE

La poésie

Pages

TROISIEME PARTIE

La prose

Imprimerie Dessaint, à Doullens. — 11-1948
11277. — Dépôt légal : 4e trimestre 1948
Flammarion et Cie, éditeur (N° 1230)
N° d'imprimeur : 223.